摄于2010年6月16日午后。

这天凌晨，

麦家写完本书，

就在其背后的灯光下。

麦家说，这是他等盼了三年的一天。

摄于同一天

他日日在此慢跑，或暴走，或散步。

麦家说，这条路原来蛮生的，没人走，是他把它踩踏成这个样子，熟了。

他说，作家就是苦行僧，要多跟不出声的东西相处，把它们当亲人。

他还说，不论是做人还是作文，喧嚣终归是我们的敌人。

风语

麦家 著

金城出版社
GOLD WALL PRESS

图书在版编目(CIP)数据

风语. 1 / 麦家著. —北京：金城出版社, 2010.6

ISBN 978-7-80251-433-1

Ⅰ. ①风… Ⅱ. ①麦… Ⅲ. ①长篇小说—中国—当代
Ⅳ. ①I247.5

中国版本图书馆CIP数据核字(2010)第08557号

风语

作　　者　麦　家
责任编辑　雷燕青
出版统筹　精典博维
特约策划　陈黎明　史　翔
开　　本　710毫米×1000毫米　1/16
印　　张　21
字　　数　330千字
版　　次　2010年7月第1版　2010年7月第1次印刷
印　　刷　北京密云红光印刷厂
书　　号　ISBN 978-7-80251-433-1
定　　价　29.80元

出版发行　**金城出版社**　北京市朝阳区和平街11区37号楼　邮编　100013
发 行 部　（010）84254364
编 辑 部　（010）84250838
总 编 室　（010）64228516
网　　址　http://www.jccb.com.cn
电子邮箱　jinchengchuban@163.com
法律顾问　陈鹰律师事务所　（010）64970501

前　言

第一章……………………001

第二章……………………018

第三章……………………039

第四章……………………057

第五章……………………086

第六章……………………108

第七章……………………132

第八章....................155

第九章....................183

第十章....................202

第十一章..................220

第十二章..................252

第十三章..................272

第十四章..................285

第十五章..................306

写在前面

这世界有我们太多的不知道，但不是无人知道。如果没有禁忌，不知道都是可以知道的。中国黑室是个真实的机构，始创于上世纪三十年代末，抗战时期的陪都，鼎盛时从业人员多达四位数。但由于禁忌，他们都成了哑巴。如今，他们中百分之九十的人都赴了黄泉，剩下的百分之十，像树叶藏于森林中一样，隐于闹市陋巷。不努力，没运气，你永远无法把他们从人堆里找出来。即使找出来了，他们依然可能跟你装聋作哑。水滴石穿，时间改变了所有人，包括一记石头，但他们的禁忌和恐惧，比石头还要坚硬，比时间还要长远。

我是幸运的，二十五前，在福州，有人对我开了口：是一位一九四七年投诚的前中国黑室成员。当时我在相似于黑室的某机构从职，他是我师傅的师傅，年纪大了，七十六岁，身体不好，有哮喘，每年到了春季经常犯病。老人家一生未婚，身边无亲无故，发病时全靠几代徒弟去照顾，送药，打饭，打扫卫生。有一回，他病得厉害，住了院，师傅让我停职，专门住在医院里服侍他，半个月。也许是我的勤恳和单纯给了他说话的冲动，或者别的什么原因，断断续续地，我知道了他投诚前的一些事，就是中国黑室的一些事。我相信，如果他知道日后我将离开那个单位，并以写作为生，我掐死他他都不会开口的。他以一辈子的见识作凭据，认定我将重复他的一辈子，在那只“铁桶”里幽幽地燃烧至尽。我也没有想到，时代和我都说变就变了。

我很遗憾，不能像有修养的人一样，对曾帮助我孕生这本书的大恩人指名道姓地致一声谢——因为禁忌。写这本书，我经受了与过往写作不一样的考验：以前，考验我的是如何把虚构的故事让读者信以为真，而这次正好相反，是要把真实的事情披上伪装。老实说，我心里也有禁忌和恐惧。我怕伤害到老人家和他记忆中的前黑室同事，以及他们的后人，继而给自己平静的生活带来困难。写作让我在现世中变得越来越无能，又敏感：这是一对矛盾，我相信它已经深深地折磨了我，也许再不能负荷加量了。

最后，我要诚挚地申明：这是小说，请勿对号入座。

麦　家

2010. 7. 6.

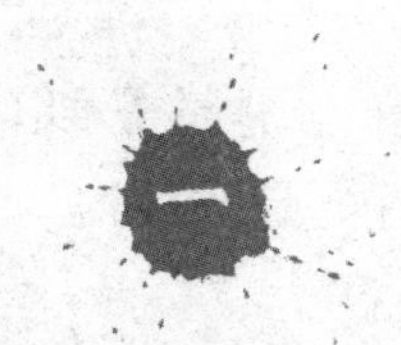

天刚下过一场与隆隆雷声并不相称的小雨。

雷声把街上的忙人和闲人都提前赶回了家，平时嘈杂的大街在越来越暗的天幕下，显得越来越空洞、平静。但没有下足的雨却使空气中更多了一份溽热、黏稠、潮湿，仿佛伸手摸得着，抓得住。他穿了一身对这种天气而言明显是太热的军装，默默地穿过狼藉的市街，拐入一条幽静的小巷。在进入小巷之前，他不经意地看见一只褐色小鸟在灰暗的天空中一掠而过，短促得让他怀疑不是一只鸟，而是一颗流弹。

小巷窄又深，一眼望去，空空的，了无人影。有几棵高大、苍劲的桉树和泡桐，从两边的高墙内伸出来，把灰暗的天空遮掩得更加昏暗。雷声从高远的天空中传来，沉闷、乏力，更像是远处的炮声。一阵风过，树叶发出沙沙沙的响声，几片落叶迎着他飘落。他下意识地躲开它们，仿佛飘落的是被炮弹炸落的飞沙走石。

这是一九三八年六月的一个傍晚，他的记忆深处烙着太多有关战争的阴影，他需要不断提醒自己，此刻他在重庆，这里已经成为陪都，也许是全中国最安全的地方。想到他能先于他人来这里，并且几天前他的妻子和孩子也辗转来到这里，他就觉得自己真是幸运至极。

自鬼子在杭州金山卫登陆后，他和妻子相继离别了上海。他妻子带着孩子一直躲在湖南乡下，他则随部队撤退、撤退。从上海到南京，到安庆、九江、武汉、宜昌、酆都，沿着长江一路西撤，最后到了重庆。

撤退也可以叫逃跑，他们不停地逃跑，逃跑。

哪有这样打仗的？人死得比蚂蚁还要多，却寸土不保，打一仗丢一个地方。他曾在镇江郊外亲历了一场狙击战，回顾起来总想到一个词：溃不成军。那一天，生和死对他来说只隔着一张薄薄的纸，最后能够死里逃生似乎是不可思议的。他捡了一条命，却没有丝毫庆幸的感觉。他觉得这场战争胜负已定，没有悬念，南京必将失守，国人的江山和命运将不可避免地坠入可耻又可怕的黑暗中……倾巢之下，岂有完卵？国破家亡，在劫难逃，侥幸不死只能是加倍地痛饮苦水而已。想不到时隔半年，他还能过上这种日子，每天穿着周正的军装出入国家最高的军事部门，有权有职，有吃有喝，生死无虑，下班有车坐，回家居然还能回到爱人身边，享受家的温暖和男女之乐。

现在，他正走在回家的路上，脚下踩着日久无人清扫的落叶。他觉得难以相信，这条幽暗、狭长、安静、肮脏的巷子深处，竟有一间屋子，是他的家。

若不是横生枝节，不要五分钟他即可回到家。但事情说来就来，阻断了他回家的路。一辆黑色小车，比他晚一分钟驶入小巷，车轮哔哔地碾过落叶，小心翼翼地朝他驶来，越来越近，近到一定程度，又似乎减慢了速度，匀速跟着他。

他注意到后面有车驶来，回头看了看，见是一辆高级小车，礼貌地往一边靠了靠，继续往前走，步子却在不紧不慢中稍稍放慢了。他在等待车子追上来，超过他。

车子理解了他的好意，鸣了一下喇叭，提速冲上来，却没有超过他驶去，而是紧急又霸道地停在跟前，挡住了他的去路。不等车子停稳，四扇车门中的三扇被同时推开，钻出三个蒙面的持枪汉子，恶狼般扑上来，刹那间已将他牢牢架住。其中一人把冷硬的枪口抵在他后腰上，小声地喝道：

“别出声，跟我们走。”

“你们要干什么……”他接受过的专业训练，使他在这样的紧急时刻，还能够保持冷静。

“少废话，快上车！”

“你们抓人要问问我是谁，”他对自己表现出来的冷静比较满意，“你们抓错人了。”

“错不了，就是你。”另外一个蒙面人，有点黑老大的感觉，得意地对他说，

“你姓陆是不是？陆上校嘛，我们抓的就是你！”说着他迅速用早备在手上的毛巾塞住了他的嘴巴。

他呜呜地叫，似乎在说：你们是什么人？

黑老大不理会，推他一把，“上车，老实一点。”

他不肯走，挣扎。但越挣扎，架押他的两个人就越发用力，几乎令他动弹不得。他感觉到其中一人十分孔武且粗暴，双手像老虎钳子一样厉害、无情。一只手生生地揪住他的头发，另一只手在他臀部发力，猛地一顶一托，他的双脚顿时离地，人像一个包裹一样被塞进了车门。

嘭！

嘭！

嘭！

车门以最快的速度关闭，引擎以最大的功率怒吼。

车子狂奔而去，卷起一地落叶，纷纷追着车子扑去，又纷纷散落在地。

没有谁看见刚才发生的一切，除了一只当时正在围墙上游走的狸花猫。这必定是一只野猫，在隆隆的雷声中无处安身，慌张地游弋于墙头。它对着飞速远去的黑色车影，叫了两声：喵、喵。

是什么人绑架了他？

他们为什么要绑架他？

他到底是个什么人，值得别人如此铤而走险？

最后一个问题，不妨借用他首座的话来说。首座姓杜，人称杜先生，听上去好像是个大知识分子，其实是个玩刀子出身的人，统领着一群像刀子一样危险又嗜血成性的人，包括他。他称杜先生为首座，后者称他为贤弟。几天后，两人首度相逢，问答如下——

“首座怎么会选择我？”

“当然是因为我了解你。”

“可首座您并不了解我。”

杜先生笑道：“我怎么不了解你？知汝者莫如我。需要我证明一下吗？”说着，不疾不缓，从容有力地背诵道，“贤弟陆姓，单名一个涛字，十九岁就读南京高等军事学院，成绩优异，毕业后被保荐到德国海德堡军事学校学习军事侦察，同行六人，唯你毕业，令人刮目。鉴于此，归国后委以重任，直升素有‘国军第一师’美称的第八十八师侦察科长。翌年调入国防部二厅二处，升任处座，时年二十五岁，乃国防部第一年少处座。同年十二月，你与苏州女子秦氏喜结良缘，次年令郎陆维出世。卢沟桥事变前，你一直任上海警备司令部情报处处长。上海沦陷后，你一度转入地下工作，任军统上海站站长，为营救抗日将士建有奇功。今年年初，由杜（月笙）老板举荐，委员长钦点你赴武汉大本营任应急处处长，干得好啊。武汉军情告急，迁都事宜摆上日程，三个月前你又得重任，作为国民军事委员会第七办公室特派员，为即将迁都事宜赶赴山城。几个月来，你尽职尽责，为迁都大业建功卓著。如果我没记错的话，这应该是你目前全部的履历。”

那天阳光明媚，但陆涛上校眼前一片黑暗，因为他戴着黑色的眼罩，什么也看不见。他在黑暗中夸张地鼓了鼓掌，道：“先生真是博闻强记，我陆某佩服至极。”

杜先生看看车窗外明媚的阳光，亲自为他摘下了眼罩，笑道：“不该你给我鼓掌，该我为你鼓掌。你的才能，你的忠诚，你的理想，都将为你赢得最大的回报。你的前途光明一片啊，就像这阳光，明媚动人。”

陆上校眯着眼看着眩目的阳光，不知由来地感叹道：“先生的美言，令我受宠若惊。”

杜先生爽朗地笑道：“如果说刚才说的这些事确实让你觉得‘受宠’，那么你不会介意我们再来点‘若惊’吧。当然，你放心，只是让你‘若惊’，不必担心安全问题。”

那天陆上校头上还包着纱布，伤口不时隐隐作痛。他抚摸着伤口说：“我发现自从与先生相处后，我老是心跳不止。看来我是注定要陪你玩下去了，人生百态变化无常，什么滋味都得尝尝啊，那我也不妨尝尝这‘若惊’的滋味吧。”

“不要说玩，”杜先生伸手指了指他的伤口说，“这不该是玩的代价。”

“先生不但知道我的过去，也知道我的未来，莫非还知道我这伤的来历？”

“你被人绑架了，事发在几天前你下班回家的路上。”

“那么先生也一定知道是什么人绑架了我？”

“这个嘛，你不久也会知道的，无须我赘言。”

准确地说，这场对话是在陆上校被绑架后的第五天下午进行的，地点是在杜先生锃亮的黑色福特轿车上。大约半个小时后，陆涛上校将再次看到五天前绑架他的三个人，加上他们的同伙：一个长得很有些姿色的年轻女子。

五天前，三个家伙把陆上校塞进汽车后，就给他蒙了头罩，捆了手，然后带他兜圈子。兜了一圈又一圈。几个回合兜下来，他傻了，东西南北不分，城里郊外难辨。当车子开进一个院子，他听闻四周很安静，以为是到了很远的山上，其实就在他们单位附近。

院子古色古香，青石黛瓦，高墙深筑，假山花径，古木参天，看上去有种大户人家的骄傲和威严。敌机已经多次光顾这个山城，街上残垣断壁四处可见，然而这里秩序井然，幽然如初，有一种唯我独尊的自负，仿佛眼前的战争跟它无关。

门是沉重的铁门，深灰色，很厚实，子弹是绝对穿不透的，只有炮弹才可能摧毁。迎门有一大一小、一高一矮两栋楼屋，呈直角布局；大的三层，小的只有一层，墙体都是青色的石条，坚固如碉堡。

他们把他关在那栋小楼尽头的一间屋里，门外没有安排人看守，却有一只人高马大的狼狗，毛色黑亮，伸着长长的红舌头，对着门呼呼地喘气。黑色的头罩让他失去了眼前的世界，但耳朵分明是更加勤劳了，灵敏了，他几乎能从狼狗的喘气声中，分辨出狼狗的大小和品种。这是一只德国巴伐利亚狼犬，他以前在上海当军统站站长时曾用过一只，他知道它除了灵敏的嗅觉外还有良好的听觉，可以分辨一个人的喷嚏声。塞在嘴巴里的毛巾让他口干舌燥，眼冒金星，但他还是尽量用鼻子哼起了小调，目的是为了让门外的狼狗熟悉他的声音，以便在夜里可能逃跑时对他放松警觉。

要逃跑，当然得首先解除头罩和捆绑。手被反剪在背后，麻绳一公分粗。是先解除头罩还是先解开麻绳？他选择了头罩。因为他迫切想知道，自己被关在什么地方——如果是一间插翅难飞的铁屋子，即便解了麻绳也无济于事。而且，头罩只是笼统地套在头上，口子敞开着，要弄下来似乎并不难。他准备找个地方去解决头罩，黑暗中碰倒了一张椅子，引得外面的狼狗一阵狂吠。

狂吠安定下来时，他已经知道怎么来解决头罩了，他把椅子移到墙边，扶手顶着拐角，椅子基本上像长在墙体上一样稳当。此时，椅子的一只脚已经变得十分听话，远比他捆着的手听话，他跪倒在地上，把头低下来，通过头的移动，调整方向，让椅子脚钩住头罩的口子。这一步很关键，对他来说却并不难，他很快做到了。接下来的事情是个简单的机械运动，大概连门外的狼狗都能完成，更不可能难倒他。就这样，他轻而易举地把头罩从头上卸下来，让椅子去戴它了。

卸掉头罩，却没有给他带来一丝快乐。他马上发现，关押他的这间屋子似乎是一间专业的禁闭室，室内除了一张椅子和一只马桶外空无一物，窗户是一个高高在上的圆洞，狭小，而且加了四根铁栅栏，栏间距也许可以让一只猫自由出入，一个人是无论如何出入不了的。

窗洞里盛着一团朦胧的白光，预示着夜色即将降临。他的目光从窗洞里退出来，耷拉下来，最后落在黑糊糊的马桶上。他知道，这不能帮他任何忙的，它是象征，是暗示，是威胁。想到自己有可能要使用它，他就抑制不住地烦躁起来，上去狠狠地踢了它一脚。结果，又引得狼狗一阵示威。

狗叫能给他带来好运。当狼狗的吠叫再次安定下来时，他已经在为可能的逃生努力了。原来马桶的拎手是根不细的铁丝，铁丝头略有刃口，只要有充足的时间，他有信心用它来磨断该死的麻绳。手自由了，铁丝和椅子都可以成为他的武器。他自幼习武，二十岁入军统，接受过种种逃生和克敌训练，只要给他机会，即便赤手空拳，对付几个绑匪和一只狼狗他是有信心的。他想象着等他磨断了绳子后可能出现的逃生机会，心里顿时热烈并紧张起来。

但是，没有机会。

不一会儿，有人来了，先是狼狗欣喜的支吾声，然后是两个人的脚步声，然后是放肆的开锁声，然后是雪亮的灯光（开关在门外），然后吱呀一声，门开了。

进来的是一女一男。女人年轻，漂亮，神气活现，像只刚下了蛋的母鸡，进门就咯咯地叫。她发现他头上的罩子已经套在椅子脚上了，冲他放肆地冷笑道：“身手不凡嘛，不愧是漂过洋镀过金的。”

他还在适应突来的亮光，没有答理她。

男人矮壮，圆脸蛋，圆肚子，像只木桶。他迈着方步径直走到墙角，从椅子脚上抽出头罩，把玩着，说了一句日语。女人翻译：“听不懂吧，他问你，如果我们再迟来一会儿，你会不会把绳子也解了？”

他适应了光亮，呜呜叫，要求对方拔掉口里的毛巾。

女人看看男人，男人点点头，她就上前一把揪掉了毛巾，喝道：“放老实点儿，不要叫，叫也没用。”

男人拍一下她的肩，示意她退后，同时用一种类似口吃的语调和生涩、可笑的口音指责她：“你对我们陆上校这么凶干什么，他是我用四轮大轿请来的大救星，是来帮我做事的，知不知道？”

女人诺诺地退后。

陆上校想说话，却仿佛也口吃了，张了几次口都没有出声，好像毛巾还在嘴里。男人显然对这种感受很有经验，依旧用那种类似口吃的语调和生涩、可笑的口音安慰他："有话慢慢说，陆上校，都是我的失职啊，让你受这么大委屈。"说罢，对外面吆喝一声，一个小年轻便送来剪刀。

男人接过剪刀，熟练地给上校松了绑，并请他去隔壁屋里坐。陆上校不走，因为他要说话。他终于可以说话了，但似乎还不能说高难度的话，只能重复。他说的是嘴巴被堵之前说过的一句老话："你们是什么人，你们要干什么？"

男人呵呵笑，不语。女人有点自以为是，又走上前来，漫不经心地说："什么人？我嘛，翻译。他嘛，自然是我的主人哦，山田君。山田君要找你问点事情。小事情，都是你张口就来的小问题。走吧，山田君请你去隔壁屋里坐呢，你也需要喝点水吧，那边有。"

陆上校瞪她一眼："听口音，不像个小日本，怎么，当上汉奸了？"

女人气得挥手要动粗，山田一把抓住她的手，用日语训了一句，回头又绽开笑颜请上校去隔壁屋。上校开步往外走，发现走廊上除了一只虎视眈眈的狼狗和刚才送剪刀的小年轻外，还有一个腰间明显别着枪的中年人，人高马大，神色阴郁冷漠，有股子深藏不露的杀气。鬼知道周围还有什么人？上校思忖着，停在走廊上。

女人凑上前，对着他后脑勺说："快走。别看他现在对你这么好，如果你不满足他，他就会用这把剪刀剪断你的脖子。"

山田一边叽叽咕咕地说着，一边带头走进隔壁屋。女人推着他往前走，一边翻译着："我的主人说，他希望跟你交个朋友。"

上校走进屋，看到办公桌上放着香烟和茶杯，茶杯冒着热气，似乎等着他去喝。屋子的另一边，靠窗的那一头，摆着一张大台桌，桌上摆放着一盏煤油灯和一些刀具、皮鞭等刑具，分明是在警告他：敬酒不吃要吃罚酒的。

山田迈着像山鸡一样的步子，慢吞吞走到桌前，款款入座，顺手把香烟和茶杯往对面的空椅子方向推了推，示意陆上校坐下。

"过去坐吧，"女人推了他一把，"放聪明点儿，有话好好说，说了你就走人，还可以带走一堆钱。"

上校过去坐下，问山田："你想知道什么？"一边喝了一口水。

"我知道你抽烟的，"山田抽出一根烟，递给他，"抽根烟吧，压压惊。"

上校接过烟，又丢回桌上，"这是你们的烟，我不抽，我抽自己的。"他从身上摸出一根烟，点燃，吸一口，又问山田，"你想知道什么？"

山田说，女人译："你知道些什么？"

上校把弄着水杯，笑道："我知道的多着呢，上至天文，下至地理，变之阴阳五行，数之九流三教，乃至飞禽走兽，柴米油盐，我多少都知道一些。"

“你说的这些，我们不感兴趣。”女人抢白，她显然没把自己当做翻译。

“那你们还问我干什么？”

“问你的当然是我们感兴趣的，”山田笑嘻嘻地说，“比如你锁在铁柜子里的X-13密件的内容，我们就很感兴趣。”

“什么密件？对不起，闻所未闻。”

“X-13密件！”女人咄咄逼人地警告他，“我们知道你手上有这个密件，说，是什么内容？”

“我要说不知道呢？”上校反问她。

“那说明你不识相，要我们动刀子见你的血！”

“见了血还不说呢？”

“那只有死路一条！”

“我以为像你这样活着还不如死。”

“我怎么了？我现在可以叫你死，也可以叫你生不如死。”

“你已经生不如死了，人模狗样，一条母狗而已。”

两人唇枪舌剑，置山田不顾。山田倒也好，任凭他们吵，不置一辞。直到看女人受了辱，要发作，才出面压住了女人，笑嘻嘻地对上校说了一大通，要求女人翻译。女人不情愿地收起性子，有气无力地翻译道：“山田君说了，你好像不想跟他交朋友，这样不好，对大家都不好。告诉你吧，不要考验他的耐心。你没长眼睛吗？外面有两个人等着进来呢，你最好不要见到他们，他们比那只狼狗还要凶。”

上校冷笑道：“请你告诉你的山田君，我什么也不知道，他不需要忍着性子对我笑，让他把真面目拿出来吧。你们有工夫耗，我还没有性子陪你们啰唆呢。”

山田听罢，拉下脸问女人：“他说什么？他刚才说什么？”看样子他其实是听懂了的，只不过不想直接发作，要过渡一下。听了女人翻译后，他觉得应该发作了，转身从台子上操起一把尖刀，对上校怒吼一声，把刀子钉在他面前，拂袖而去。

女人对上校说：“你完了，准备吃苦头吧。”言毕朝外面喊，“来人！”

两个打手应声而现。女人吩咐他们：“动手吧，交给你们了。”

两人一齐扑上来，粗暴地将上校按倒在椅子上，要捆绑他。上校想反抗，但力不从心，那个大块头膂力过人，一举一动都压制着他。他断定，此人就是下午把他扔上车的那个家伙，这是一个高人，内功气力都在自己数倍之上。转眼间，上校已被捆绑在椅子上，像只任宰的猪，无效地挣扎着。

女人从墙上取下鞭子，递给大个子，却对上校说：“现在说还来得及。”

上校的目光落在鞭子上，默默吸了口气，准备受刑。

女人一个眼色，大个子手上的鞭子呼的一声飞过来。上校本能地一扭身，连椅子带人翻倒了，同时也躲开了鞭子。紧接着又一鞭子追过去，这一回已无处可躲，鞭子抽在背上，上校忍不住惨叫一声。

女人说：“我再说一遍，现在说还来得及，别不识相！”

上校怒目圆睁，看着她，猛然朝她吐出一朵口水。那口水居然像子弹一样，远远飞过去，正正地击中她的脸颊，可见上校身手不凡，是有功夫的！

女人的反应比中弹还恐惧，她本能地弹跳起来，尖声高叫：“给我打，狠狠打！打死他！”然后捂着脸跑走了，像有人摸了她的下身一样。

入夜，高墙深筑的小院静静的，偶尔传出上校的惨叫声。因为静，叫声更显得突兀、惨烈，以致拴系在门卫房前的狼狗都似乎受到惊吓，躁动不安，呜呜地呻吟不已。沉沉的夜色下，四周的一切有影无实，有声无影，院子空洞得轻飘飘的，仿佛不在人间，在地狱。

作为党国的特工，军统的干员，陆上校曾经多次像这样，为了撬开一张牙关咬紧的嘴，把人打得鬼哭狼嚎，想不到自己也会有这一天。关键是在这里，重庆，这儿现在是陪都，怎么会落到这个地步？他觉得不可思议，也觉得敌人太猖狂了。逃出去的信心就像身体一样，已被打得遍体鳞伤。他开始等待死亡，用死亡来捍卫尊严和忠诚。

死亡以昏迷的形式出现，所以“死而复生”并不是件困难的事，只需要对着脑门浇上一桶冷水。上校醒过来，得到的不是生的喜悦，而是再一次受辱和考验。女人揪着他的头发，使劲摇晃着，一边幸灾乐祸地喊：

“嗨，英雄，你没事吧？没事就好，我要告诉你，现在说也还来得及，起码可以保住你的狗命。”

也许她怕他又朝自己吐口水，说完快速地退开去，站到山田身后。

上校抬起头，久久地看着她，当他相信自己已经无力再朝她吐口水后，他尤其需要找到一句有力的话来回击她。上校说：“只有你这种贱货……才把狗命……看得值钱……”他并不满意，因为嘴巴受伤了，肿了，说得吞吞吐吐，像个懦夫。

女人哈哈大笑，“死到临头还嘴硬，真是大英雄啊，可我知道你的嘴马上就硬不下去了。你看，这是什么？我的主人要请你吃点好东西，这可是从美国进口的，很贵的哦。”

上校看见山田张开的手掌心里，盛着两粒红色的药囊。

“把它灌下去！”山田一声令下，两位打手立刻动手，把两粒药囊强行塞入上校嘴里，并把一杯白酒强行灌入他的喉咙。

山田虽然矮，但面对软在椅子上的上校还是显得居高临下。他的语言和句式似乎都受了女人的影响。他说：“尊敬的大英雄，告诉你，你马上也会变成一条狗的。”说罢，带三人一齐离去。

一个小时后，四人又来。没有开灯，而是点旺了煤油灯。昏浊的灯光下，只见上校为了强迫自己不睡，竟然掀倒了椅子，贴墙倒立着，人蜷在椅子上，像一只被倒挂的大虾。他的双目圆睁，但神光全无，有点睁眼瞎的意思。

女人一看这架势，有些着急地对山田耳语：“这要弄出人命来的。”说着，几人一起将椅子扶起，让上校坐正了。上校莫名地哈哈大笑，像梦中人的痴笑。

“你笑什么？”女人问。

“我回家……飞来一只大鸟……天怎么黑了……好黑……好黑啊。”上校困倦地打着哈欠，语无伦次地说着。

山田对女人耳语一下，女人即说：“是的，你回家了，你是从单位下班回家的。几天前，你在办公室收到了一份绝密文件，是不是？”

“是……”

“是什么文件？”

“是……那个……那个……你是谁？”

“我是你的保密员，小林。处长，我是小林啊。”

“小林……小林……你是小林……”

“对，我是小林。处长，你怎么喝醉酒了？”

“我喝多了……我们回家……”

“好的，我等一下就带你回家。现在局长要我问你，你收到的 X-13 密件说的是什么事，他等着我回话呢。”

上校突然睁开眼，仿佛醒了，厉声骂她：“你这个卖国贼……你让我吃了什么……”接着又迷糊过去，耷拉下脑袋，喃喃地自语，“我们回家……我喝多了……”

山田摇摇头，示意女人继续催眠。

女人低下头，俯在上校耳边开始轻声地念，声音颇为温柔又有节奏，“天黑了，风止了，鸟回家了，上树了，睡觉了……天黑了，我困了，困了……”

上校不知不觉地跟着她念：“天黑了……我困了，困了……”

“外面在下雨，雨好大好大，雷声也好大好大。”

“雨好大好大，雷声也好大好大……”

“X-13 密件呢，在哪里？”

“烧掉了……”

“干吗要烧掉？”

“绝密文件……看过都要毁掉……我记住了，当然要毁掉……”

“你肯定都记住了？”

“一个字不会漏的……我受过训练，过目不忘……”

“那你记得它说的是什么吗？”

“说……它说……说……”上校突然昂起头，形同常人，冷笑道，“它说你是个卖国贼！少来这种小儿科的东西，我早玩腻了。你看看，那是什么——”

几人都看见，就在刚才他倒立的地方有一摊脏物，显然是他吐出来的。

山田恼羞成怒，掏出手枪，抵着上校的脑门吼：“死啦死啦的！”

上校不为所动，淡淡地说：“快收起来吧，走火了可不得了，我死了你们找谁要货去啊？”

“你要怕死就给我老实回答问题！”女人冲上来帮腔。

“No！ No！ No……”上校潇洒地说起了洋文，“我怕死，当然怕死，但我更怕当走狗。你是条母狗，白天跟着狗汪汪叫，晚上还要当婊子被狗日，活着有毬意思！”

太放肆了！女人一脚踢翻椅子，骂骂咧咧地从山田手上夺过手枪，抵着上校的脑袋，“你以为我不敢杀你？！”

“敢，”上校临危不惧，“当然敢，亡命之徒嘛，有什么不敢的。”

女人气疯了，啪的一声拉开枪栓，真要动手，被山田一把拉住，呜里哇啦地教训了一通，很凶的样子。当然，人死了还能说什么，他现在是不想说，不是不能说。一枪毙了，报销了，就是不能说了——不能说和不想说是完全不一样的。只要“能说”，就有可能“想说”。

不说就是死，这就是上校当时的处境。

可怎么能说呢？上校很明白，不说，死的只是他一个人；说了，死的可能是很多人，而且，他虽然活着，却将生不如死。因为说了就是卖国贼，是汉奸，子子孙孙都要背骂名的。

这笔账不糊涂啊，谁又敢糊涂呢？不，坚决不能说！当时上校确实是这么想的，宁可碎尸万段也不当卖国贼，不做鬼子的狗。但谁也想不到，他已经准备赴死，老天爷却不让他死。事实上，这是个阴谋，上校面对的不是生和死的折磨，而是灵和肉的考验……

天亮了，他们把他拖回隔壁的禁闭室，空荡荡的屋子里多了一张桌子，桌子上放着纸和笔，还有两个金元宝。即使在黑暗中，金元宝依然散发出一团暗红的光芒，像团火炭似的，仿佛是烫的。不需要他们告诉，陆上校也知道，只要他在桌子前坐下来，留下 X-13 的密件内容，他就可以带着金元宝走人。金元宝的样子其实有点像心脏。就是说，他们想用“两颗心”买他一颗心，成交了，他可以带一条命出去，即使外面天塌下来，凭着这两个金光灿灿的家伙，他照样可以过上荣华富贵的生活。

否则，只有死路一条，别无选择。

他选择了死。令人起敬的陆上校，他把纸和笔以及两个金元宝一股脑儿都扔进了马桶，并且对它们撒了一泡尿。他还试图想屙一泡屎，但屙不出来，怎么都不行。

顺便提一下，膀胱和直肠是两个不同脾气的器官，恐惧会让小便失禁，大便却会因此躲起来。他在德国受训时，教官教他们怎么抗拒恐惧，其中有个方法就是：捏住耳垂可以增加膀胱的自制力。膀胱会出卖你的恐惧，比如小便失禁就说明你内心极度恐惧，可要克服它其实也不难，只要捏住耳垂就可以。耳垂上的神经是控制膀胱，包括性冲动的，后面这一点可能很多人知道。上校记得，在读中学时有一天一个同学曾问他，如果在大街上突然有性冲动，那东西翘起来，下不去，挺丢人的，怎么办？他不知道。那同学告诉他，只要反复捏弄耳垂就行，就能“偃旗息鼓”。

确实是这样的，年轻时他曾多次试过，反复捏弄耳垂会抑制性冲动。

话说回来，原以为他把金元宝扔进马桶又会招来一顿毒打，结果一整天都没人来理他，只有一个说苏北话的老汉给他中午、晚上送了两餐饭。老汉对他很客气，送来的饭菜也很好。他是已经准备死的人了，对吃饭没兴趣，可老汉一句话让他胃口大开。

老汉说：吃吧，吃饱了还有可能逃走。

他太想逃走了，一相情愿地把他的话当做一种好意和暗示，好像对方有可能要帮他逃走似的。不过，等他把饭菜吞下肚后，他又担心起来，怕老汉骗他，饭菜里面是下了药的。这种可能当然是存在的。可以说，这也是他在他们手上犯的唯一一个错误，如果以一百分计，这也许要扣掉五分。百密一疏，一疏其实就是百疏，因为五分又可能扩大成五十分，甚至是两个五十分。如果对方时时处处不见失手，是一百分，满分，百密无疏，无懈可击，那么他的一点点瑕疵都可能被放大又放大，无限放大，直至要掉他的命。所以，尽管只有一个错误，但他无法原谅自己，因为他的职业必须是“密不透风”的，百密一疏也不行。

当他意识到饭菜里面有可能下毒后，他曾试图把它吐出来，但当时他的肚子太饥饿了，饭菜下去后转眼即被汹涌的胃酸吞食，变成血液和蛋白质，扩散在血管和肌体里，任凭他怎么想办法，用手指抠喉咙也好，用拳头捶胃部也罢，都没有用。后来证明中午的饭菜里没有下药，所以晚饭他迟疑一番后又吃了，想的是晚上也许有机会可以逃跑。他一边吃一边想着那个苏北老头，还一门心思在饭菜里找“家伙”：纸条、刀片、铁丝、钥匙、尼龙丝……他在经历了午饭的虚惊后，更把老头的话当做了一根救命稻草。结果，晚饭入肚后不久他便沉沉地昏睡过去：浓烈的睡意像饥饿的胃酸，把他训练有素的意志一口吞掉，让他毫无招架之力。

昏睡居然把他倒霉的过去和以后隔开了，等他清醒过来后，一切都发生了不可思议的变化。首先，他发现自己躺在一张舒适的床上，尼龙纹帐，牛皮凉席，绣花枕头，枕头边飘来阵阵香气，让他的鼻子一下凸出来，又轻又爽，像抹了清凉油似的。他循着扑鼻的香气侧目看去，发现身边躺着一个几乎一丝不挂的女子。

什么人？！

他一下惊醒，迅速坐起身子。

女子见他醒了，嗲声嗲气地扑倒在他怀里，一边色情地抚摸他，眼角眉梢都堆满了下贱和淫秽。他马上作出判断，这是一个妓女！他推开她，仓皇地下了床，一边穿衣服，一边问她这是什么地方。她说：“这要问你啊长官，是你来找我的，难道你还不知道这是什么地方？这是你们男人找乐子的地方，你是第一次来吗？”

不用说，这儿是妓院。

可我是怎么来这里的，他问自己的记忆，记忆里一片空白。问她，她也不知道。“我来之前你就躺在这里了，一直呼呼地睡，我都陪了你一个多小时了。你是不是喝醉酒了，但你身上又没有酒气，你是怎么了？”她说。

他问：“外面有人吗？”

她说：“你要找什么人？”

他说：“送我来的人。”

她说：“我不知道是谁送你来的，现在外面什么人都没有，这么迟了，都睡了。”

他问：“现在几点了？”

她说：“你手上不是戴着表，还问我？”

清晨的天光泛亮，但他还是无法看清时间，那时的表不像现在一样，有夜光的。他问她安排她来这里的人现在在哪里，她牢骚满腹地说：“鬼知道，你的人像鬼一样神神秘秘的，不就是玩个女人嘛，有什么可神秘的。”

她看他穿上衣服要走的样子，着急地上来拉住他，“怎么，你要走？”他让她滚开，她反而蛮横地挡住他的去路，“钱呢？你还没给钱！”

他说：“是谁喊你来的你就去找谁要钱。”

她说：“他们都走了，我去找谁要钱。”

他说：“那是你的事，反正我身上没钱。”

她威胁他：“那我就这么光着身子跟你走，你去哪里我跟到哪里。”

他认为自己是不可能这么一走了之的，门外面一定有几条狗盯着他呢，让他们去对付她吧。所以他没理她，一把推开她，夺路而走，出了门。她还真的跟出来了，惊惊乍乍的，好像就怕人不知道她光着身子。

他一边往外走，一边等人冲出来拦他，结果一路走去，不见一个人影，声音都没有。已经凌晨四五点钟，妓院也安静下来了，楼上楼下见不着一个活物。就这样，他们像一对冤家，吵吵闹闹，拉拉扯扯地从楼上下来，穿过大堂。最后，他都已经拉开大门，转眼就要走掉了，还是没有人出来拦他。唯一拦他的只有她，嚷着要钱，要钱，要钱。

没办法，他只好摘下手表给了她。这手表是上校在德国买的，贵着哪，要论价至少可以睡她一个月，而他其实连碰都没有碰她，显然是让她占了大便宜。她拎着手表，乐颠颠地回屋去了。他不相信那些人会让他走掉，他们一定在门外守着，汽车里，或者猫在哪里。他等着他们出来抓他，押他。可没有，真的没有。出门没有，走过一条街也没有，两条街还是没有，回了家依然没有，仿佛他真像是去逛了一趟妓院。

这事情他怎么也想不通，直到见到了杜先生。

杜先生是一号院的人，又是三号院的后台老板，马上又将是五号院的背后老大。当时重庆有四大秘密权力机构，俗称“四院”。一号院当然是蒋委员长的，二号院是汪精卫的，三号院是一号院的“暗室”，四号院是二号院的“密室”。这四个院落在行政编制上是找不到的，但它们可以左右、影响诸多大小事务，国家的、党务的、军事的、行政的，无处不受它们的制约。当时陆上校是三号院的人，该院对外称是国民革命军事委员会第七办公室，主任由杜先生兼任，常务副主任姓傅，是个中将——可见级别之高。陆上校是该办公室第三处处长，主要负责国内安全事务，说白了，是帮助委员长私人找寻异己力量的。

几个月前，陆上校在赴任该职之前，曾接到杜先生的电话，但人却从没有见过。在陆上校的想象中，杜先生应该是一个膀大腰圆的人，因为他的声音即使在电话上听起来依然震耳欲聋。但事实上，杜先生怎么看都是文弱的，个儿不高，块儿不大，戴眼镜，发谢顶，迈小步，抽纸烟，穿布鞋等等这些，都是知识分子的样子，朴素的知识分子。

这一天，是绑架事件发生后的第五天，陆上校刚从医院回到家，他的副官小许就驱车上门把他接走了，说是局长要见他。局长就是常务副主任，三号院的实际头脑，可能是副主任的称谓和他行使的权力有点不吻合，太文绉绉了，私下里人们都习惯喊他局长，不带姓的。为什么？因为他姓傅，又因为名义上杜先生兼任着局长，叫他傅局长，是此地无银三百两，傻。

到了单位，陆上校在车里就看见一辆黑色高级轿车停在他们的办公楼下，位置特殊，和上峰局长的专车并排停在一起。

上校问：“那是谁的车？”

副官答：“不知道。我走的时候没看到这辆车，说不定是哪个大人物的，看来今天不光是局长想见您哦。”

副官说着笑笑，他的主官却笑不起来，他阴沉着脸，回顾着连日来发生的奇怪事，心里有点忐忑。车停了，他没有马上下车的意思，对副官试探性地问："我的事，这楼里大概人人都在念叨吧。"

副官如实说道："嗯，大家都在猜测绑架你的到底是哪一路人。"

上校没好气地说："当然是鬼子。"

副官讪讪地笑："是，我也跟大家这么说。"

可如果是鬼子，又凭什么好好地放人了？陆上校想，这是个问题，他将不可避免地面临各种问询，自己是无法满足他们的好奇心的，因为他自己对这次遭遇也感到一头雾水。也许，局长紧急召见他，会告诉他一些情况……他这样想着下了车，看着熟悉的办公楼，竟然有些陌路的恍惚，双腿有些发软，迟迟迈不开步子，好像是置身于异地险途。这种感觉一直持续到他走进局长办公室。

局长站在桌子旁，正对着他的座椅在低声说话。仔细一看，他的椅子上坐着一个人，侧着脸，低着头，从上校的视角一时看不到他的正面。不过，从局长难得一见的谦卑表情和口气来看，此人来头不小。

上校上前，一个立正，报告："局长，我来了。"

局长迎上来，看看他的伤口，问道："怎么样，好些了吧？"

不等上校做答，椅子上的人站起来，看看他，说道："他们下手真狠啊。"因为个子矮，他站起来也并不显得高，但高人一等的派头是明摆着的，他目中无人的目光，他底气十足的声音，他反剪着双手的样子，他的金丝眼镜，他的平底布鞋，他的纹丝不乱的稀疏的头发。

局长的目光一直紧随着此人的目光，一边对上校笑道："还不赶快行礼，不认识吗？杜先生。"

如雷贯耳！

上校连忙一个笔挺的立正，声音洪亮地喊道："首座好！"

杜先生面对着他，似笑非笑地说："你就是陆涛，久仰大名啊，今日一见，果然气宇不凡。幸会，幸会。"

上校毕恭毕敬地说："首座过奖了，陆某不才，请首座多多赐教。"

杜先生摘下眼镜，擦拭着镜片说："客套话就不说了，我想我已经很了解你，你递交的工作报告是我最喜欢看的，有东西，文笔也是一流的。我们边走边说怎么样？"说着，开步要走的样子。

上校下意识地问："去哪里？"

杜先生看看局长，笑而不答。

局长脸一沉，训他："杜先生让你走，你跟着走就是了，哪有那么多问的。"

杜先生回头对陆上校笑道："走吧，我不会绑架你的。"言毕，率先走出去。

陆上校犹犹豫豫地跟着，心里有种火星子噼噼啪啪冒开来的感觉。他听出了首座的弦外之音，他预感到，首座要带他去一个重要的地方。

笑话，那地方怎么能用普通的“重要”二字来形容？事实上，没词儿可以形容！偌大的中国，再没有第二个这样……的地方。这样的地方，陆上校还不配知道地址，所以他跟杜先生上车不久即被戴了眼罩，离开时也是同样的待遇。和几天前的绑架被蒙头不一样的是，戴眼罩不是吓唬人，不是搞阴谋，而是神秘，是程序和待遇。国人四万万，国军四百万，有此待遇者不过几十人。这天下午，年仅三十三岁的国军上校陆涛平生第一次见到了蒋委员长。

像在梦中一样，委员长穿着藏青色斜襟长衫，趿着黄色软皮拖鞋，手里捧着一块产自浙江昌化的、形如心脏的大红鸡血石。在他面前踱了两圈步，说了两句话，不到一百个字，会见就结束了。话少，但信息量大，一句顶一万句。第一句话落地后，这个国家多了一个新的秘密机构：五号院。第二句话出口时，陆上校已经摇身变为少将，一方之主，五号院的大管家。

临别时，委员长把那块心形的大红鸡血石和一个暗红的檀木底座一并送给他，对他说：“拿回去，把它放在你新的办公桌上，记着我今天对你说的话，干你的事，只有一种情况下你可以对我变心，就是这块石头变色了。”

陆上校接过石头时身子不由得矮了一下，仿佛这块石头重有千斤。他清楚地知道，当他接下这块石头时，自己已经再也不是过去的那个人，他成了一个必须隐姓埋名的人。他从此有了莫大的权力，但也有莫大的责任。这个责任需要他用一生去完成。

总之，杜先生跟陆上校唱了一出诱人的苦肉计，他吃了一顿打，经受了灵与肉的考验，结果是得了个大便宜：官升二级，成了五号院的实际头脑，像傅将军之于三号院。

在以后的日子里，五号院将有一个全世界通晓的别名，听上去阴森森的，黑糊糊的，叫“**中国黑室**”。这不是一个凡人的世界，这是一个天才的角斗场，负责侦听和破译日本高级军事密码。

第二章 风语

一

当黎明的天光照亮太平洋绿黑的海面时，一只灰色的海鸥停落在杰克逊总统号邮轮的甲板上，然后是第二只、第三只、第四只、第五只、第六只……第六十只、第七十只、第八十只、第九十只……第九百只、第一千只、第一千零一只……海鸥像蝗虫一样扑来，意味着附近有无人岛屿，也意味着今天的天气不错。

天气果然不错，黎明的天光逐渐变成了清新的阳光。连日来，太平洋上淫雨不绝，憋闷多日的旅客纷纷走出船舱，像海鸥一样会聚甲板，把海鸥驱得四散。一时间，海鸥的啼叫声盘旋在空中，遮天蔽日，久久不散，仿如天空被挤爆了似的。

但终归是散了，只有很小一部分，在空中盘旋一阵后又返回来，停落在船上。有的停在旗杆上，有的停在天线架上，有的停在瞭望台上，更多的停在人眼看不见的地方：舱顶、舷壁，或者某个角落，某根绳线上。

早餐时间到了，粗犷的汽笛声照例拉响，把停落在四处的海鸥惊得直插空中，凄凄而啼。它们很快在空中聚集在一起，互相安定，组成了不规则的队形，振翅而飞，飞啊飞，把站在甲板上观光的旅客的目光都吸了去。

其实也没什么好看的，一群海上最普通的鸟而已，乱杂杂的一片，像漂在海面上的一大摊油污。因为没什么好看的，看的人看一会儿也就不看了，只有一个人，戴一顶米色鸭舌帽，二十七八岁，面相英俊，他似乎没见过海鸥，久久地凝望着，目光很静，像发现了什么。他有一个同伴，是一位打扮入时的漂亮小姐，挽着他的手，用他凝望海鸥一样的目光，凝望着他的脸，亲爱，贪婪，有如睡了一觉，一夜没看他了，要把它补回来似的。

小姐手上握着一只怀表，功能已经调至秒表，长长的秒针正在紧张地嚓嚓嚓地走着，有点时不待人的感觉。小姐偶尔看看秒针，拇指按在按钮上，似乎准备随时按下去。

随着青年喊一声“停”，小姐马上按下按钮。

青年问：“多少秒？”

小姐答：“十六秒。”

青年说：“没有上次快。”

小姐问：“这次是多少只？”

青年答：“三百七十一。”

小姐默默算了一下，笑道：“差不多。”

青年脱口而出：“慢了零点四一秒。”

海鸥在天上飞，飞呀飞，天高任它飞，不成规则，不解人意，不听召唤。倘若只有三十七只，要数出来也许不难。但放大十倍，就难了，几乎不可能。因为必须要在短时间内数出来，否则队形要发生变化，队形一变化，阵容就乱了，前功尽弃。如是这般，你便成了希腊那个推巨石上山的可怜的西西弗斯了，永远要从头开始，无休无止。三百七十一只海鸥，即便画在纸上，固定不动，要用十六秒数出来都是困难的。这个速度相当于以一目十行的速度看书，还要只字不漏，目力绝非常人所有。何况现在这些海鸥正以仓皇而逃的速度振翅飞翔，其难度可想而知。

不可思议！

但问题似乎不在这里。问题是这件事情本身就是奇怪的。谁会去数天上的海鸥？而他已经数了一路了，从大西洋数到太平洋，从天上数到地上，从室内数到室外。昨天早晨，大雨滂沱，东南风，他醒来时，看到舷窗玻璃上落满密密麻麻的水珠子，他几乎只看了一眼，就告诉他身边的女人，玻璃上有大小共计一百一十一粒水珠。

这是一个怪人，他叫陈家鹄。

他身边的小姐，严格地说已经不是小姐，他们已经成婚，是他的太太了。这是两个月前的事，他们相识已有五年之久，但婚嫁的事情似乎是在一夜之间完成的，起因是陈家鹄要回国了，他担心一身民族正气的父母大人不同意他娶这个女人，便在回国前订下终身，用中国人的话说，是先斩后奏了。

陈家鹄回国是因为国难当头，祖国的大片山河沦陷，包括他富庶的浙江老家也已经被东洋铁蹄践踏，可他娶的这个女人，却是“铁蹄之女”——日本人！

问题就在这里，仓促成婚正因于此。

女人叫小泽惠子。

不论是三百七十一只海鸥，还是一百一十一粒水珠，还是其他类似的情况，惠子从来不会怀疑她丈夫报出的数字的准确度。

“不可能出错的，不可能的，真的不可能。”她总是用这种反复、加强的口气安慰那些质疑的人，“他会穿错袜子，会认错人，但不可能算错数字，绝对不可能。”

惠子其实不是个爱说话的人，更不爱说大话、狠话。她用温顺的表情与人交流、点头、微笑，专注的目光，因为羞涩而泛红的面颊。她像一棵小草，气质是静的，低调的，温存的。她总的说是个倾听者，面部言语丰富，说话小声小气，与她的年龄不吻合。她已经二十四岁，但诚恳、客气的举止，敛声敛气的样子，更像个十八九的少女。少不更事，弱不禁风。但说起丈夫对数字非凡的敏感和特异禀赋，她总是出言果敢，不留余地，变了个人似的。

这是因为，她见的实在是太多太多！

五年前，陈家鹄和惠子刚相识不久，首度相约出游，去京都。那时惠子是早稻田大学数学系二年级的学生，长她四岁的陈家鹄是同系教授炎武次二的弟子。一个偶然的机遇，他们相识了，互有好感。暑假，两人带着一种暧昧的热情去京都旅游，搭乘的是夜班火车，早晨醒来，发现连喝稀饭的钱都没了。有人趁两人熟睡之际，不客气地卷走了他们随身携带的大袋小包。他们行囊空空，饥肠辘辘，身在客乡，举目无亲，十九岁的少女，第一次出门的惠子，忍不住流下了怯弱的冷泪。她未来的丈夫却对着天空哈哈大笑道：

“天助我矣——”

陈家鹄这声底气十足的感慨，感慨的是，老天终于给他理由和机会，可以在他默默倾慕的女生面前露一手了。

中国人爱赌，日本人爱嫖。但这并不是说中国人不嫖，日本人不赌。日本人照样好赌，正如中国照样暗娼遍地一样。他们走出火车站，不出一里路便发现一家赌馆。不久又有一家，一家接一家。最后，他们在旧唐太庙附近看中一家，这家赌馆是美国人开的，惠子在多年之后还记得赌馆的名称叫“纸牌王”。她未来的丈夫指着赌馆煞有介事地说：“就这儿吧。”

“我们来这儿干吗？”

“这是我的银行，我有巨款存在这里。”

说得惠子一头雾水。

可惜时间尚早，赌馆还没开门——也许才关门。赌馆和妓院一样，属于“猫科动物”，夜行昼伏。他们只好忍饥挨饿，去逛旁边的旧唐太庙。太庙太大，才逛一半已近中午，他们被饥饿赶出来，发现赌馆的大小门依然紧闭。但赌馆门前却聚集了不少闲人，嘈嘈杂杂，挤挤攘攘。一个二十郎当岁的小年轻，穿着花色大裤衩，沿街设赌，像个江湖郎中一样大声招揽，吸引了不少人看热闹。

“看哪，快来看哪，这是今年全美最流行的智力游戏‘拉丁方块’，绝对是高智力高智商的较杀，君子动口不动手，有才就是有财……”

“愿赌服输，在场的谁愿意来跟我比试一下你的智力，赢了拿走我的钱，输了留下你的钱……”

小年轻还有个帮手，是个老赌棍，五十开外的年纪，手腕上刺着一条四爪青龙，人中上蓄着一撮花白胡子。两个人，一个老，一个少，一个叫，一个喊，一唱一和，一呼一应。不用说，这是两个街头混混，开不起赌馆，在人家赌馆门前做搭伙生意。明治维新之后，大和人对美国的东西一向推崇，连街头混混玩的也是美式的智力博彩。

怎么个玩法？

很简单，他们是庄家，手上有很多难易不一的数表，做成卡片，正反面都由厚实的牛皮纸蒙着。正面有不少格子是填了数字的，也有几处空白。谁要能在规定时间内把空白处正确的数字填上，就是赢家。

对和错怎么认定？

有标准答案，事实上，所谓“拉丁方块”就是现在流行的“数独”的前身。数独即“独立的数字”，在当时，其玩法还没有今天这么五花八门，只遵循一个原则，就是：每一行和每一列都是由不重复的 n 个数字组成，且 n 必须是自然数 a 的平方，即 $a^2=n$，而每个 a 乘以 a 的小格里面，n 也不能重复。比如说当 a=3 时，每一行和每一列都由 1–9 这 9 个数字组成，而 9 个 3 乘以 3 的宫格，也只能由 1–9 组成，比如：

			2			8		
	1		3				7	
		4	1			3		
8				7			6	
	2		5				8	
	4		9	8				5
		5			9	6		
	7				4		9	
		3			5			

题 目

5	3	9	2	4	7	8	1	6
2	1	8	3	5	6	4	7	9
7	6	4	1	9	8	3	5	2
8	5	1	4	7	2	9	6	3
9	2	7	5	6	3	1	8	4
3	4	6	9	8	1	7	2	5
4	8	5	7	2	9	6	3	1
1	7	2	6	3	4	5	9	8
6	9	3	8	1	5	2	4	7

答 案

庄家为了公平起见，把答案写在了卡片的背面（撕下卡片背面的牛皮纸，答案便大白）。应该说，这是一种非常公平的赌博，玩的就是智力，不靠运气，也做不来手脚。这是二十世纪二三十年代的显著特征，全世界的人都被科学迷惑，连街头小毛贼也爱扮演科普工作者。

惠子被她未来的丈夫牵着，拨开人群，正正地站立在了一老一少两位庄家面前，听着、看着旁人跟他们问长道短。

“这道题要多少时间？”

“这是最容易的试题，四乘以四，时间是五秒。你要赌赢了，你下多少注我就得赔你多少，一比一。”

“这个要难一点，是九乘九的（即上面的图示），时间则要多一些，三十秒，你要赢了它我就赔你两倍的钱，一比二。”

“这个就更难了，是十六乘十六的，一分半钟，我要赔三倍。”

最难的是二十五乘二十五的格子，不但数目字庞大，而且时间也没多少：只有三分钟，赢了它庄家要赔五倍的钱。就是说，你押上十万日元，赢了，就可以到手五十万日元的大彩头。有了这笔款子，陈家鹄他们这次出行的资费就解决无虞了。问题是他们没有赌资，他们身无分文，只有陈家鹄胸袋里的一挂男士怀表和惠子身上一点不值钱的首饰。

表是名牌表，德国尊龙牌的，至少值个三四十万日元。老少赌徒翻来覆去地看，看了又听，又掂量，最后老赌棍杀了天价：十万日元。惠子如临大敌，拉着未来的丈夫死活要走人，陈家鹄却好言相劝，谈笑风生，他仿佛看到怀表已经变成钞票，钞票已经变成可口的饭菜。

饥饿在召唤他！

赌博开局，老赌棍拿出十万日元，放在怀表的旁边。

陈家鸽却对他一本正经地说："您老还要加上四十万元，因为我要的是最难的，二十五乘二十五的。"

众人惊异。

老赌棍大笑道："年轻人，你要玩二十五乘二十五的'拉丁方块'，这表等于是送我了。"他劝他玩个容易的，"看你的来头不善，玩个容易的或许能有个进账。"

陈家鸽说："我心大，想玩大的。"

老赌棍说："当真？"

陈家鸽说："不假。"

老赌棍笑："愿赌服输哦。"

陈家鸽跟着笑："你年长，老者为尊，一言为定，请添足赌资。"

老赌棍利索地又抹上一沓钱，与怀表并列，一边充好人道："可别怪我没提醒你，等我给了你试题，你就没有回头的余地了，支那人。"几个回合下来，老赌棍已经听出对方是中国人。

陈家鸽双手作拱，道："谢谢你老善意的提醒，不过还是给我题吧。我记住了，你说愿赌服输，希望你老铭记在心，切勿食言。"

老赌棍当即从二十五乘二十五的题库里抽出一张数表，向大伙晃了晃，用图钉钉在木牌上，回头对陈家鸽说："到目前为止，全世界完成二十五乘二十五拉丁方块的最快纪录是六分四十二秒，除非是我今天遇见鬼神啦，否则……朋友，不是我轻看你，就是我把答案给你看了，你都不一定能记得住、抄得完。"

陈家鸽说："闲话少说，把秒表给我，我们开始。"

按照规则，陈家鸽先要检查计时秒表的准确性，确认无虑后，由陈家鸽一手揭下蒙住试题的牛皮纸，同时把秒表交给庄家计时。

老赌棍递上计时秒表，告诫陈家鸽："记好了，只有三分钟，你必须在三分钟内填满所有空白，否则……"

"桌上的怀表就是你的。"陈家鸽抢先说道。

"对，就是这样。"老赌棍道，"照规矩来，请你准备揭题，同时把秒表立刻给我。"

陈家鸽一只手张开手掌，托着秒表，让对方立等可取，另一只手捏住牛皮纸一角准备随时揭题。当他揭下牛皮纸，亮了试题，旁观者顿时哗然：

5		10		12		21		6		7		13		18		8		19		25		4		24
	8	3	11		23		25		20		5	14	24		13		18		7		2	17	9	
7	2		24	21		1		14		10	12		23	17		5		25		18	3		13	8
	17	18	20		7		5		13		1	11	4		24		10		3		14	16	21	
25		13		4		18		2		22		15		16		11		21		5		20		6
	3		10		22		24		6		16		12		19		21		25		8		7	
23		24		13		11	15	7		8		22		19		12	3	14		1		2		18
	11		6		3	8		16	10		15		18		22	24		1	5		23		14	
21		8		18		20	2	13		5		24		9		16	11	15		3		10		19
	22		12		18		21		4		6		11		17		7		8		24		16	
12		14		10		17		20		19		5		15		22		16		23		7		3
	21	23	13		5		14		16		9	12	10		4		8		15		11	25	19	
11	20		3	25		15		23		2	18		7	24		9		10		21	6		17	14
	7	4	16		10		13		25		22	23	1		21		17		11		5	9	24	
9		19		5		22		1		20		21		11		14		6		16		18		4
	5		22		19		20		18		8		3		12		24		21		13		11	
18		12		14		5	1	24		16		17		10		6	20	7		8		23		25
	1		2		14	16		3	12		11		15		9	13		5	10		17		20	
24		11		19		4	17	10		21		25		5		3	15	23		22		1		12
	10		21		6		23		7		13		14		25		22		16		9		18	
20		16		11		24		21		12		9		13		23		4		6		3		10
	4	1	25		20		6		19		23	8	16		18		13		12		15	24	5	
13	18		9	6		12		8		15	24		5	20		7		2		14	21		25	16
	24	5	8		25		18		1		21	6	2		10		16		14		19	12	23	
2		21		3		13		22		1		18		7		25		24		17		8		11

那表格上有六百二十五个格，已有四百个数字，光看格子就已经令人眼花缭乱，更不要说在数目这么庞大的数字中间遵循规律，查漏补缺，填上剩下的二百二十五个数字。且时间这么短，其难度不言而喻。正如老赌棍说的，就是把答案给你，都不一定能记得住、抄得完。

哗然之态顷刻间静若止水，因为人们惊奇地发现，陈家鹄似乎只是稍稍思量了片刻，便开始捉笔填写空白，仿佛那规律只是简单的个位数加减法。

刷刷刷……

刷刷刷刷……

陈家鹄走笔如飞，几乎没有片刻停滞，仿佛在书写自己的名字。其间，老赌棍已经发觉情况不妙，额头上悄悄冒出了汗珠。才两分二十五秒钟，陈家鹄已经填完所有空白，正准备做检查时，老赌棍不由自主地扇了自己一个耳光，摇着头哀叹：“今天我真是撞见鬼了，支那人，这钱归您啦！”

归他的何止是钱，事实上从这一刻起，十九岁的少女——小泽惠子——也归他了。这是惠子第一次目睹他亦鬼亦神般的才华，她稚嫩诚恳的心灵如被利斧劈开，如被魔力吸住。她无法再离开他，无法！她给自己立下誓言：活着就是他的人，死了也要做他的鬼。

誓言无声，却是有形有行。从那以后，不论陈家鹄走到哪里，惠子都如影相随；不论多大阻力、压力，惠子都不退缩，不惧怕；陈家鹄躲了，她寻找；陈家鹄跑了，她追；陈家鹄受污辱了，她担当；陈家鹄给她爱，她给他更多的爱……不论是在白天，还是夜晚，惠子都觉得她爱的这个人是个奇特的人，既有俊朗的外表，又有神奇的智慧，像梦一样完美。她爱他的身体，更爱他的才华。他的才华可以炼成金，他的完美可以感动天。她期待跟他一起去天堂，也愿意陪他一起下地狱。如今，她觉得自己已经在天堂了。

天堂的模样 就是
与你同居一室
我们一起看书
吃饭
睡觉
工作
做爱
生儿
育女
变老
最后 我死在你怀里

她不是诗人，但在杰克逊总统号邮轮上的最后一个晚上，趁着陈家鹄熟睡之际，惠子用口红在他胸脯上写下了这首诗。

第二天凌晨，陈家鹄带着这首诗和作者告别了杰克逊总统号邮轮，从香港维多利亚港湾上了岸。

与此同时，在三千里之外，日后的陆从骏少将刚刚在重庆某张陌生的香床上苏醒过来，一个素未谋面的女子伴着他，他腕上的德国手表即将永远地属于别人。

感谢上帝，他们的朋友给他们买到了从香港到汉口的机票。

到了汉口，麻烦却接踵而来。首先是从汉口到重庆的轮船座位被各路达官要人、商贾富豪抢购一空。站票也没有，因为所有空地被成堆的家私，甚至是宠物，充分占领。他们不得不耽搁下来，四处找人，八方求援，结果那些正在找他们的人有了充裕的时间，很快找到了他们!

似乎是不可思议的，有人要暗杀陈家鹄，枪都掏出来了，正在瞄准、准备射击之时，又有人大喊一声“陈家鹄”，把他救了。紧接着双方发生枪战，两个对一双，真枪真打，一点儿不含糊。事发地点在陈家鹄他们住的客栈小院里，时间在晚上八点多一点儿。陈家鹄和惠子刚从外面回来，稀里糊涂地就目击了一场枪战。最后，杀手见势不妙，仓皇而逃。

救人者，一个是中年男子，另一个是年轻小伙。中年男子衣衫不整，胡子拉碴，而刚才跑的两个杀手倒是衣冠楚楚。杀手一跑，中年男子风风火火地冲到陈家鹄面前，发号施令：“快去客栈拿行李，这儿不安全，要换地方。”

慌忙中，陈家鹄都不知道是怎么进了客栈，上了楼，进了房间，也不知该干什么。

中年男子提着枪进来，看两人傻站着，催促他们：“快收拾行李啊，我们要马上走。”

“去哪儿？”陈家鹄清醒过来。

“给你们找个安全的地方。”

“你是什么人？”陈家鹄又问。

中年男子突然笑道：“你觉得呢？”

陈家鹄哪知道呢，“我不知道。”

“那你知道想杀你们的人是什么人吗？”

“什么人？”

“是鬼子，”对方收了枪，挥了挥手说，“日本特务。”

正在收拾东西的惠子听了，不由一惊，问：“是……日本人？他们干吗要杀我们？”

中年男子看看惠子，又看看陈家鹄，“我会告诉你们的，但不是现在。”说着，帮他们快速收拾东西。

汉口，中街九号，是一个小小的院落，闹中有静，院内有一栋坐西朝东的四层楼房，在夜色中显得比实际庞大，背后另有一栋两层小楼。

两位救命恩人拎着包袋，带着陈家鹄和惠子匆匆走进院子。中年男子看看腕上手表，把手上拎的包交给小伙子，吩咐道：“不早了，你带陈太太去后面，早点休息。”

惠子不安地看看他，又看看丈夫，喊：“家鹄……”

中年男子抢先说道，声音轻松爽朗，意味着已经脱险，“放心，我们就在这楼里。”同时接过陈家鹄手上的箱子，塞给小伙子。

“来，认识一下，我姓钱，”中年男子一进办公室就自我介绍，“我年龄比你大得多，你就喊我老钱吧。”

老钱叫钱大军，年近五十，但身板还是蛮结实，黑面孔，圆眼睛，声音粗粗的，像喉管里有异物。大约是职业习惯，他出门在外总是戴一顶毡帽，即使在夜里。毡帽是黑的，帽檐压住眉头，黑和黑黏在一起，使他的面容变得模糊、混乱。

“你好，我姓陈……”陈家鹄礼节性地伸出手。

“知道，陈家鹄，”老钱握住他的手，抢断他的话，“鸿鹄之志的鹄。”

“你认识我？”陈家鹄觉得他的手比声音还要粗糙。

“久闻大名。”

“怎么可能？”

“怎么不可能，你是名人哪。”

“我哪有什么名……”

“没名鬼子为什么要杀你？”

“我也觉得奇怪，”陈家鹄迟疑地看着他，“鬼子干吗要杀我？”

“因为你是破译界的一匹黑马，曾经破译过美国密电码。”

“无稽之谈。”陈家鹄沉下脸，不知为了掩饰，还是生气。

“难道不是吗？”

“当然不是！”陈家鹄提高声音，毫不掩饰内心的不满。看来他是生气了。

“那你说他们是什么人，为什么要杀你？”对方以退为攻，客气地拉他坐下，还给他递烟，乐呵呵的。但他的本色不是乐呵呵的，笑得有点笨拙，有点用力过头。

“我不抽烟。”

“你抽烟的，我知道。”老钱拉起他的手，“你看，这是抽烟人的手。抽一支吧，静一静心，我们好好聊聊。”

陈家鹄掏出自己的烟，是美国的骆驼牌。老钱看了稀奇，“哟，洋烟？给我一支吧，让我开开洋荤。”讨烟和敬烟是一回事，想拉近双方关系，顺利往下聊。

陈家鹄拔一支给他，“你到底是什么人？你是怎么知道我的？”

老钱不假思索地回答：“这还不容易，你从美国出发，一路上走了将近两个月，几千人同坐一条船，你用的又是实名护照，要摸清你的行踪有什么难的，鬼子不是照样找到你了嘛。”

陈家鹄点了烟，冷笑道：“你不但知道我，还知道鬼子要在什么时候杀我。”

老钱也点了烟，照旧呵呵笑道：“这倒是凑巧，我们去客栈找你，他们也去了。就在等你回来的过程中，我凭直觉感觉他们不对头，身上带着枪。你命大啊，不感谢我难道还怀疑我不成？”

老钱讨了一句谢，顺势追问：“还是回答我的问题吧，鬼子为什么要追杀你？”

陈家鹄想了想，吞吞吐吐地说：“这……我也不知道，也许是因为惠子，我妻子……她是日本人，她父亲不同意我们结婚。”

老钱抽一口烟，摇着头说：“你是说你的老丈人为了阻止你们的婚姻，派人杀你？嘿，这才是无稽之谈，如果仅仅是这样，为什么不在美国杀你，非要等你回国才杀你？”

“因为……美国……他们没有人……中国，现在到处都是鬼子……”陈家鹄对自己说的依旧没有把握。

“对，中国现在到处都是鬼子，所以现在所有的中国人都在抗击日寇，包括你，回国也是来参加中华民族伟大的抗日战争的是吧？”老钱自问自答，“不过，国外回来抗日的志士仁人多着呢，何止你一人，为什么鬼子非要追杀你？你想过没有？”

“我不知道。”

“我知道，因为你曾经是炎武次二的弟子。”

“这能说明什么？”

“日本现代军事密码学有半壁江山是你的导师创建的，鬼子担心你回国来从事破译工作，由你破译导师的密码也许是最合适的人选。”

“荒唐！”陈家鹄又激动起来，“我对密码一窍不通。”

“这不是事实。”

“这就是事实！难道你比我还了解我自己，你到底是什么人？”

老钱觉得该满足他的好奇心了，否则可能要不欢而散，“知道八路军吗？中国国民革命军第八路军。”

“听说过，是共产党的部队。”

“其实刚才进门时你没注意，有牌子的，可能是天黑的缘故吧。”

牌子没有挂在院门口，而在这栋办公楼的门口，不显眼，但确实有，一块长条形木牌子，上面写着：中国国民革命军第八路军办事处。

“这是中国共产党在国民党辖区建立的公开办事机构。”老钱对陈家鹄介绍道，“现在共产党和国民党是一家人，兄弟，都以抗击日寇为己任。你有心报国，放弃在美国优越的生活条件，回国来参加抗日战争，精神可嘉，我们需要你这样的有志之士。”

“你希望我参加八路军？”

“现在国内很多进步人士都在奔赴延安。”

“你希望我去延安？”

“对。”老钱认真地点点头，“我知道你准备去重庆，但我个人认为延安更适合你，你去了一定可以大干一番事业的。”

陈家鹄站起来，走开去，对着墙壁问：“去干吗？破译密码？”

老钱跟着也起了身，走到陈家鹄跟前，言之凿凿，“对，破译日军密码，我们需要你这样的人才。八路军已经在华北开辟出大片抗日战场，每天都在与日本鬼子正面交战。”

陈家鹄看着他，无语。

老钱继续说道：“你一定行的，我们需要你。”

陈家鹄沉思一会儿，“可是……这……太突然了吧？我一点思想准备都没有，容我想一想好吗？”

“当然可以。”老钱笑道。陈家鹄的态度让他有几分意外，但他还是爽快地告诉他，“不但要自己想，还要跟你的漂亮太太商量商量，好好商量商量，那里的生活条件肯定比重庆艰苦。但以我之见，与重庆相比，延安会更安全。现在鬼子正在围攻武汉，鬼子叫嚣下个月一定要拿下武汉，即使没这么快，但也不会太久，我估计坚持不到年底的。武汉一失守，重庆就是前线了。国民政府已将重庆定为陪都，现在大小机关都开始往那里撤，同时也混进去了不少日本特务和汉奸。现在敌人一心想追杀你，我觉得你去重庆很不安全。”

“延安安全吗？

“跟你在美国一样安全。”

“好，我想一想吧。”陈家鹄伸出手，准备跟他道别，“我去跟我妻子商量商量，明天给你回话。”

老钱一把握住他的手，用力一拉，合腰抱住他，连连拍着他的背脊，像个老朋友，“好，好，不早了，你早点休息，我们明天见，我等你的好消息。”

几十米开外，一栋简易的两层楼，二楼包括一楼大部分房间是八办工作人员的宿舍，只有尽头两间屋是客房，有简单的招待设施。惠子坐在床沿上，如坐针毡，耳边不时回响着枪声。她不知道丈夫跟什么人在一起，在干什么，但她明显感到了恐惧。连日来，她看到听到了太多让她无法接受的事实，她的同胞在肆意蹂躏这片土地。这片土地在燃烧，在流血，在哭泣，在痛恨，在谩骂，在抗争……到武汉的第一个晚上，旅馆老板不经意中发现她是日本人后，连夜把他们从旅馆里赶了出来。那个晚上，他们是在公园的石凳上度过的。

幸亏是夏天啊。

就是那天晚上，惠子把随身带的所有日式服饰付之一炬。火光中，她看见了自己的决心，又不可避免地感到了深藏的担心。现在，她回想着今天晚上发生的事，格外担心丈夫有什么不测。

不用担心，老钱把陈家鹄毫发不损地送回来了，看两人友好的样子，惠子有理由相信他们遇到好人了，这是个安全的地方。但是送走老钱后，陈家鹄一直木然坐在窗前，丢了魂似的。

惠子关切地问："你怎么了？"

陈家鹄沉默良久，只说了一句："关灯，睡吧。"便和衣躺在了床上。惠子关了灯，准备脱衣服。陈家鹄一把将她拉倒在床上抱住她，对着她耳朵悄悄说："别脱，我们待会儿就走。"

"去哪里？"

"我也不知道，但我们必须离开他们。"

"为什么？"

"他们是八路军，要带我去延安。"

"延安？在哪里？"

"很远的地方。"

"去干什么？"

"破译密码。"

"你不是已经发誓永远不碰密码了吗？"

"所以我们必须走，待会儿就走。我怀疑刚才要杀我的人是他们安排的，目的就是要吓唬我，取得我的信任，让我跟他们走。"

"那怎么办？他们会让我们走吗？"

"没办法了，只有试试看。"

黑暗中，两个人和衣而睡，但感觉比赤身相拥还要炽热，还要贴心贴肺。恐惧像夜色一样吞没了他们，陈家鹄明显感到惠子的身体在颤抖。他也听到了自己变粗的呼吸、加快的心跳、血液的加速循环。恐惧和期待合谋拉长了时间，这个夜晚注定是漫长的。

第二天早晨，老钱上门来请两人去吃饭，发现房间空荡荡的。就是说，陈家鹄他们忍受恐惧的煎熬，熬到的是一个好结果，门外没有看守的卫兵，或者德国巴伐利亚狼犬（像陆上校一样）。他们趁着最黑的夜色和运气逃之夭夭，只留了一封信，是给老钱的。

钱兄，请原谅我不辞而别。我妻子说延安太远，不想去，怕被你们好意挽留，就悄悄走了。谢谢你的搭救之恩，如果有缘，后会有期。

陈家鸽 敬上

老钱看了，对着那张空床说："他妈的，好家伙，我被你骗了。"好像床上还躺着陈家鸽似的。

"不行吧？在我意料之中。"老钱的上司看了陈家鸽的留言后笑道，"我跟你说过，这样贸然去接近他效果肯定不好。你也不想想，他的父母亲，一家子亲人，还有他的老同学都在重庆，怎么可能一呼即应跟你去延安？你心太急了，心急吃不了热豆腐的。"

"小狄向你汇报了没有？"小狄是老钱的助手，"幸亏我贸然去接近他，否则他就没命了。"

"汇报了。"小狄是在老钱与陈家鸽交谈时向他汇报的，"我就在想，鬼子的消息怎么会这么灵通？"

"树大招风啊，再说了，他老婆是个日本人，鬼知道是什么底细。"

"你说她有可能是间谍？"

"这年月一个日本女人到中国来当间谍没什么奇怪的，爱上一个中国男人反而有点儿不正常。"

老钱的上司是个银发飘飘的长者，职务为八办联情部主任，是这里的三号人物，内部都喊他叫"山头"。他说话慢吞吞的，偶尔还喜欢带点古文腔，"我听他老同学言及过，此人一向恃才傲物，喜欢做出格的事，这年月娶个日本媳妇确实不明智。"

老钱指着陈家鸽的留言发牢骚，"他溜也很不明智啊，多不安全，鬼子正在找他呢。"

山头和蔼地笑道："只是从你眼里溜了。"

姜还是老的辣。原来，山头听了小狄的汇报后，估计到他会溜，私下派小狄盯着他，今天一大早小狄已经向他报告了陈家鸽他们的藏身之处。

"在春桃路的红灯笼客栈，你再去找他好好沟通沟通，我就不出面了。"

"下一步怎么办？"

山头思量一会儿，沉吟道："武汉沦陷在即，中央已经要求我们做好转移重庆的准备，我估算我们在这儿也待不久了，你就先行一步，负责把他们安全送到重庆。安全第一，既然鬼子已经盯上他，还是小心为好。”

三天后，老钱和他的年轻助手小狄带着陈家鹄和惠子踏上了英国曼斯林公司的轮船，向重庆出发。一九三八年十月，武汉沦陷前，八路军武汉办事处撤销，大部人员相继赴渝，与原八路军重庆通讯处合并，成立了以“山头”为主任的八路军重庆办事处，和以周恩来为书记的中共中央南方局。从那以后，山头改称为首长，一方面是因为他确实为一方之长，另一方面也是工作需要，混淆视听，让外界把他和周恩来混为一谈。

老钱带陈家鹄出发的同一天，下午，三千里之外的重庆，杜先生带陆上校去五号院赴新职。车子停在一扇大铁门前，铁门紧闭，门口既没有招牌，也没有哨兵，只有一个铁制的门牌号：止上路五号。这儿看上去既不是民宅，也不像什么军事驻所。不伦不类也许正是它的特异之处、秘密所在。这样的院子随便抛在地球哪一个角落，谁也不会注目。

司机有节奏地按了三下喇叭，沉重的大铁门便嘎嘎地开了。上校听闻喇叭声像个暗号，浑身一个激灵。这种声音对他仿佛刺激很大，似乎在哪儿听到过。车子驶入小院，从里面看，小院很安静，静得像是空的。院子不大，却很深，入门可见一栋L型西式小楼房，楼前有花有草，有石板小径，拐弯抹角而去。

上校环顾四周，“这是哪里？”

杜先生说：“这是你以后的天下。”

上校有点心不在焉，嘀咕了一句：“我的天下？”

杜先生说：“是的，你总不能在大街上办公吧，这儿就是你今后的办公地。”

陆上校一边听着一边左右四顾，他的目光逐渐放出光芒来，惊异的光芒，震慑的光芒，仿佛发现了什么，又如什么都被掩盖了，一团黑。记忆苏醒的过程像孕生黎明，破壳之前是最黑的。

杜先生微笑道：“怎么了，你发现什么了？”

陆上校看了看杜先生，欲言又止。

杜先生道：“其实你来过这里，就在前几天。”陆上校只觉得脑袋一沉，头像被装进了头套里。他立在那里，魂不守舍，记忆的光亮聚拢成一束强光，令他脑海一片空白，正如凝望太阳使人眼盲一样。

"别看了，"杜先生催促他，"走吧，去看看你的新办公室，你想知道的都在你的办公室里。"

陆上校恍恍惚惚地跟杜先生进了楼，踏上廊道，拐了两个弯，步入一间墙上挂着国民党党旗和孙中山头像的大办公室。里面早有四人恭候着，他们见二人进来，马上立正敬礼。陆上校的目光从这些人身上一一扫过，心里的火星子轰的一下燃烧起来了。这些人都是那天绑架和审讯他的人！他们望着上校，目光中的电压明显不够，躲躲闪闪的，有些不稳定。

杜先生对那些人道："还愣着干什么，还不快道歉。"

那几个人连忙向上校深深鞠躬，一一道歉。

杜先生走到那些人中，侃侃而谈："道歉是必要的，但最该道歉的是我。老实告诉你吧，那天绑架你的戏是我策划并导演的，他们不过是演员而已。周瑜打黄盖，都为曹阿瞒。我所以导这出戏，就是想看看你这个黄盖能不能受得起苦肉计。绑架、审讯都是对你赴任前的考核。这楼里的每一个人进来之前都受过苦肉计，因为忠诚和意志是你们今后生命的保证。"

陆上校看看杜先生，千言万语不知从何说起。

杜先生指着陆上校对那些人介绍道："重新认识一下吧，你们曾经是他的考官，现在你们是他的部下。从今以后，你们要像听从我一样听从他，百分之百地听从，任何违抗，万分之一的违抗，或者有禁不止，或者有令不行，或者阳奉阴违，都是死罪！你们对他负责，他对我负责，我对委员长负责，这就是我们这个世界的法则。没有明文，不是法律，但比法律更严厉，更残酷。这是一个特别的世界，无法无天，无情无义，只有党国的利益和长官的意志。明白了吗？"

四人一并立正，齐声高喊："明白！"

五号院是个新机构，高级，特别，秘密，重要……其前身是"小诸葛"白崇禧为备战淞沪之战组建的"对日无线电侦察大队"。随着战事扩大，上海失守，南京沦陷，武汉告急，这支特殊的部队几经破坏、迁遣，不久前才从长沙转至重庆。在长沙时，部队高层出了内奸，把驻址拱手送给了敌特，引来鬼子飞机疯狂轰炸，受到重创，技术人员、机器设备损失过半。两个月前，即一九三八年六月，杜先生领命，收拾残部，把他们从长沙转移到重庆，准备重振旗鼓。现在地盘有了，幸免于难的技术人员大部分已经转移过来，管理者则一概弃之不用，因为内奸迄今尚未揪出来。因此，杜先生当务之急是要给这支特殊部队配备绝对忠于党国、当然也必须忠于他的管理者。

杜先生为上校介绍认识了他的四个多年的老部下。首先介绍的是胖子"山田”，他叫左立，曾经是杜先生的日语翻译，现为这儿的临时负责人。他属于那种喝水都要长肉的人，除了长一身肥肉外，他还不幸长了一对斗鸡眼。据说，这也是他离开杜先生的原因。杜先生是个务实的人，对下属的长相并不挑剔，左立的日语说得跟国语一样流利，杜先生喜欢他，让他做日语翻译，顺便教女儿学习日语。在他的帮教下，杜家女儿的日语水准蒸蒸日上，吐字，发音，口型，越来越像左立。这当然是好的，学有所成嘛，殊不知，女儿从左立身上学得太多了，把斗鸡眼也学过去了。这还了得！男靠才，女靠相，杜家的姑娘怎么能举一对斗鸡眼看天下？杜先生的夫人受不了了，走人！走人！就这样，左立倒了霉，也可以说交了运，官升一级，下派了。

第二位介绍的是孙立仁，人高马大，孔武有力的那个大汉，当初把陆上校塞进车里的就是他。他是杜先生的保镖，玩刀枪的人，犯命案的人，偏偏取了个仁义道德的名字。杜先生派他下来，当了处长，有两个原因，一个是这儿需要他，再一个是他年纪大了。他年纪实际上也并不太大，刚过四十。但在中国人的传统里，四十是个坎，过了四十再留在杜先生身边是要跌杜先生身价的，好像他找不到人似的。杜先生怎么可能找不到人？除了躺在坟墓里的人，什么人杜先生都可以召之即来，挥之即去。

第三个人，杜先生让他自我介绍，他叫周军，小伙子，二十一岁，是孙处长带来做拍档的。小周以前只是杜先生卫队里的一员，太没名分，当然不值得杜先生费口舌。剩下那个女的，杜先生把她放在最后本来是想隆重介绍的，但她似乎更愿意自我介绍，杜先生刚看她一眼，她便抢先说道：

“我自己来吧，我叫林容容，‘容易’的‘容’，双木‘林’，有人因此叫我木木容容，又因此嘛，也有人把我当做日本鬼子。哈哈，木木容容，多像鬼子的名字。”调皮的笑声，热烈的握手，直直的目光，反倒让陆上校有点局促。

杜先生说：“小林上个星期还是我的机要秘书，跟我两年了，我发现她有更大的潜力，在我那儿她屈才了。”

“你信吗？”林容容问陆上校，好像在问一个老同学，“是首座觉得我这个没大没小的性格不适合跟他的班，把我贬下来的。因为是贬下来的，所以你呢也知道怎么作践我，朝我脸上吐口水。我长这么大还是第一次被人吐口水，一个晚上都在恶心。所以，我们之间应该是你向我道歉，我一根汗毛都没碰你，你却吐了我一脸口水，还骂我是婊子、母狗，太过分了。我还是个闺女呢，将来嫁不出去你要负责。”

说着咯咯咯地笑了。

能够在杜先生面前这么有声有色地笑，说明她的自我评价——没大没小的性格——的确中肯。这个女人在陆上校和陈家鹄的生命里都将留下深深的印记。她长得算不上漂亮，眼睛太小，皮肤不白，颧骨略高，是那种缺乏媚态的女人。但她的身材是一等的，苗条，修长，小蛮腰，到了夏天，连衣裙一穿，大街上一走，女人都要回头看她。女人对同性外貌的欣赏要超过男人。排除同性恋，一个男人一般不会被另一个男人俊美的外貌所吸引。男人和女人有很多不同，这是之一。

最后杜先生说："他们都是我百里挑一挑来的，现在都成了你的人，工作为你，生死为你，一切都是你的。记住，现在这院子里的人除了他们四位，还有警卫班的人，有多少？"

孙处长答："十一个。"

杜先生说："那也就是这十五个人是值得你信任的，其余的人是从长沙转移过来的。坦率地说，不是我亲自物色的人我都不信任，今后你要一一排查他们。这儿今后是党国心脏的心脏，秘密的秘密，绝不能有异己者，宁愿有错案也不能放过一个嫌疑对象。我命令你，在没有排查清楚之前，那些人一律不能走出这个院子。"

陆上校应道："是。"

杜先生指着老孙："这个任务你可以下达给他，他跟我十多年了，拿奸捉贼的事干得不会比你差。行了，你们去忙吧。"

老孙和小周随即告辞。

杜先生看了林容容一眼，后者会意地从身上掏出一个信封，递给杜先生。杜先生接过信封，引上校到桌子前，把信封里的东西都倒在办公桌上，是一大一小、一红一黑两本证件。杜先生晃晃它们，对上校说："记住，以后你不再是上校了，而是一家中美合作的皮革研究所的老板，所长，陆所长，行政级别是正师，少将军衔，没亏待你吧？呶，这是你的证件，两本。这本红的是特别证件，见官高一级的，不要随便用。"

上校接过证件看，吃惊地说："把我名字也改了？"

杜先生说："从现在开始你要和你过去的一切告别，包括名字，包括这些东西，都已经不属于你了。"说着上前摘下他的军帽，扯下他的领章，吩咐林容容给他拿来新行头。

新行头是三接头的皮鞋，结实，漆黑，锃亮；一套双排扣的美式西装，别着胸徽，垫着护肩，挺括得让上校下意识地挺胸收腹。杜先生上前理了理他的衣服道："不错，挺合身的。"

"这是专门为他量身定做的。"林容容说。

"你为他量过身？"杜先生笑道，"趁着他昏迷时。"

“是的。”

穿着新行头的陆上校，不，不，该叫陆所长，中美合作皮革研究所陆从骏所长（正师职，少将），西装革履之后，很像一个老板，口袋里揣着美金支票，怀里插着派克签字笔。他用这支笔首先写的几个字是他的新名字：陆从骏，是签在宣誓书上的。

行有行规，加入五号院，人人都要做效忠宣誓。

我宣誓，从今天起，我生是党国五号院的人，死是五号院的魂。我将永远忠诚于党国，忠诚于委员长，不论遇到何种威胁，何种困境，何种诱惑，我都将誓死保卫党国的利益。我将至死不渝地服从党国的意志，坚决完成上峰交给的每一项指令，把生死置之度外，把荣辱束之高阁。

宣誓人 陆从骏

民国二十七年八月十五日

陆从骏对杜先生宣誓完毕，左立、林容容、老孙、小周四人又对陆从骏进行宣誓，仪式相同，对着青天白日旗和孙中山先生的头像，立正状，举右手，紧握拳。

在接受四人宣誓时，陆从骏的目光越过他们的肩头，看到窗洞里一片挺拔、整齐的池杉林，林中夹杂着两顶深灰色的伞形屋顶。后来凭窗而望，陆从骏惊诧地发现，后院别有洞天，开阔、幽静、古老，仿佛是一个已经坐落了上百年的大宅院，各式建筑古色古香，树木也是又老又大，把天空都占满了。相比之下那片挺拔、参天的池杉林是年轻的，林中蹲着两栋两层高的青砖小楼，样式是西式的，可以想见并不古老。它们被一道更高的围墙围着，组成一个院中之院，门口守着两位持枪的哨兵。枪是最新式的美式卡宾枪，全金属的，黑得发亮，哨兵端在手上，一下子显得神圣不可侵犯。

阳光下，两栋楼安静得像可以听到阳光丝丝流动的声音。

五号院的真正核心在那里头，那两栋被树木包围的安静的青砖楼。两栋楼，一是侦听楼，二是破译楼。侦听和破译是五号院——中国黑室——的两大业务，没有侦听作基础，破译就成了空中阁楼；没有破译师的法眼，所有电文都是无字天书，不可释读。打个比方说，侦听员犹如这里的身体，破译师则是这里的心脏、血气、灵魂，是身体最隐秘、神奇的通道。

事实上，所谓X-13密件指的就是去武汉接两位硕果仅存的破译师。

十天前，还在三号院当处长的陆涛接到紧急通知，让他派干员去武汉接两个人。当时他并不知道这两个人的具体身份，只知道命令是杜先生下达的。下达命令的文书上专门强调申明：事关重大，不得外传，不得失败。

但他失败了，虽然他是小心的，警惕的，高度重视，一丝不苟。他派出四名最精干的特工前去执行任务，结果四名特工和两位黑室未来的宝贝破译师居然在家门口，在酆都，被不明身份的敌特当小鸡一样干掉了。敌人干得很漂亮，可能也很轻松，没有付出任何代价，也没有留下任何蛛丝马迹。

事发在陆所长到五号院上任的当晚，杜先生所以安排他这天走马上任，本意是要他来迎接两位宝贝破译师的大驾光临，哪知道他接到的是六具尸体！

“这叫出师不利。”当天夜里，杜先生知情后紧急召见陆所长，像个地痞一样蛮不讲理，骂他：“你祖宗是干什么的，怎么满额头都是霉头，上任第一天就给我这么大的难堪。”

首座在他豪华的办公室里踱着方步，终于骂够了，缓了口气，一言一顿地道来：“X-13行动告败，说明我的直觉没错，你那里面有贼！贼就在那些从长沙转过来的人当中！我要求你一一排查他们，人人过关，以最快的速度把内贼给我揪出来，杀一儆百。”

“是！”

首座接着说：“内贼不除，黑室就是个明屋子，黑不了，这是一。二，破译是关键，没有破译师的黑室就是一堆废墟，你必须要以最短的时间给我重新组建破译处。”

“是！”

杜先生走到宽大的办公桌前，从文件堆里抽出一份文件，丢给他看，“不瞒你说，我早几天就敦促国防部下达了这文件，要求各单位提供具有破译能力的人才。为什么？因为我觉得这么大一个黑室，只有两个破译师太少了，我要增加人力。现在好了，一个都没了，荡然无存。这不但考验你，也考验我。”

办公桌是千年乌木，雕龙镂凤的椅子像是橡胶浇出来的，其实是海南的花梨木。好的木头用久了反而会有一种橡胶的感觉，吸光，有弹性。杜先生款款坐在太师椅上，娓娓道来，“林容容可以作为一个重要的候选人，她是浙江大学数学系的高才生，当了我两年机要秘书，人品、作风、才干都是过硬的，关键是她……下面的话你听了就忘了，她曾帮我破译过几份周恩来跟延安的密电。”

杜先生看陆所长面露惊色，解释道：“不是存心的，完全是偶然，有时我们的电台跟他们的电台串在一起了，无意中抄了他们的电报。”这个说法当然不可信，事实上杜先生当时就在秘密侦听延安与武汉八路军办事处的无线电联络。他所以这么粉饰自己，是因为他还没有把陆所长完全当成自己人，他要“留一手”，以免授人以柄，闹出是非。

“偶然抄到的电报，林容容居然把它们琢磨出来了。”杜先生道，“这说明她可能有这方面的天赋，所以我才把她放到黑室去，也许她会在你手上大干一番事业呢。”

“嗯，”陆所长点头称是，“我对破译是个门外汉，一窍不通，下一步找破译师我看只有仰仗她了。”

“她应该可以帮助你的，她跟我这么久，我了解她，有她的过人之处。聪明的男人多的是，聪明的女人要供奉三个菩萨才能出一个，好好用她，会给你带运造福的。你呀，手上的命案犯多了，需要在身边供几个前世修行好的人。”杜先生的目光变得缥缈，那是他示意你走的神情。

陆所长领命回去，像个幽灵一样，在夜色深深、树影婆娑的五号院里慢慢地走啊走，一直走到天光发亮。一边走，他一边不停地告诫自己，杜先生交给他的第一项任务就是找人，去寻找他们——破译师和内鬼……这也可能是他的最后一项任务，如果他不能出色地完成的话。

“一号院下发了一个重要文件，要求各大单位配合提供有关人才的资料，我看了一下，我们兵器部就你符合条件。我准备把你报上去，征求一下你的意见，因为一旦报上去就有可能被调用。”

“去干什么？”

“不知道，现在什么都不知道，只要求我们提供资料。”

“有什么条件？”

“条件是很具体的，总的说：一，专业是数学；二，年轻有为；三，忠诚坚定；四，懂日语。这些你都符合。”

“我同不同意你大概都会报吧。”他叫赵子刚，笑起来脸上有两个可爱的小酒窝。

“差不多，因为我们没有第二个人选。”他叫李政，是国民政府兵器部人力处处长。

赵子刚爽朗地答道：“那就报吧，也不能让我们兵器部剃光头啊，好像我们这儿没人才似的。”

李政心里想，我们马上要来个大人才呢。他想的是陈家鹄，他刚收到陈家鹄发来的电报：

船过酆都，午后三四点可到，望来车接。

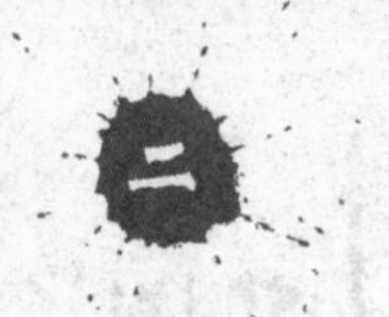

近乡情更怯。

一百多里水路外，一艘英国曼斯林公司的轮船航行在江道上。后甲板上，刚给李政发了电报的陈家鹄凭栏而倚，盲目地望着浑浊的江水滔滔远去，若有所思。他满脑子都是即将见面的李政。他和李政是同年同月同一天，出生在同一条街上。这条街的名字叫桂花路，地处浙江省富阳县桐关镇南边，站在路的任何一处都可以看见开阔、青绿的富春江。父母都在外地谋生，陈家鹄跟奶奶一起生活，十一岁才被父母接走，离开这条街。当时他觉得自己带走了这条街的很多东西，木房子、老树、秋风、春雨、老人、水鬼、疯子……但在时间的侵蚀下,很多东西都变成了抽象的名字、数字。他的记忆里甚至没有一棵桂花树，这对一个在桂花路上长大的人来说是不可思议的，不知是桂花树太普通，还是桂花路上的桂花树太多的缘故。

如今，关于桐关镇，陈家鹄最鲜明的记忆是李政，其次是富春江，其他的加起来也没有他们多。这两团记忆像种在他手臂上的那颗牛痘，随着时间的流逝反而在长大。陈家鹄平生第一封信是写给李政的，迄今为止的最后一封信也是写给李政的。他在写后一封信时想起第一次给李政写信，是在离开桐关镇的前一天晚上，在月光下写的，写信意味着他要离开李政，而写最后一封信时他知道他们分别的日子即将结束。他要回去向李政报到，为国民政府兵器部服务，为抗日救国大业尽忠。

这选择到底对不对？

一路上，每一次失眠，陈家鹄都会这样发问。因为有太多的人不同意、不支持他回国，甚至包括他自己。他很清楚自己可能有的未来，他的博士论文《关于中国古代数学：周易二进制之辨析》刚刚顺利通过答辩，并承蒙《数学坛》杂志主编冯·古里博士的厚爱，将在来年第一期选发一万七千字。这很难得。借此，他可以轻松留在耶鲁执教，可以过上体面的生活，可以继续沉浸在由几何方程式筑建的虚拟世界里。他不知道回去后满脑子的几何方程式对抗击日寇能派上什么用场，但每当他这样犹疑时，李政信中的一段话仿佛是有魔力的，总会及时从脑海里蹦出来，扑灭他的犹疑，坚定他的决心。

李政这样写道：

除非你已经认定，中国从此亡了，亡了你也不会心痛，否则，将来你一定会后悔的——在民族存亡关头，祖国阵痛之际，你没有在场。

回去就是为了在场，即使手无寸铁，即使毫无作为；回去就是参与，就是表态，就是心意。何况，李政说兵器部也需要数学人才，虽然是大才小用了，但终归是有用场的。他就这样回来了，靠的是李政的一封信和他对祖国的眷恋。

因为是李政牵的头，李政代表的又是单位，一路上他主要跟李政联系。中午，轮船在酆都停靠时，陈家鹄上岸给李政发了一封电报，告诉他情况，希望他派车来码头接，因为行李不少。

广播里用中英文通报说，轮船已经进入重庆地界，陈家鹄听了兴奋地跑回船舱，把正蜷在床上打盹的惠子拉起来，带她到窗前，指着两岸连绵、陡峭的青山峡谷，大声地嚷嚷："到了，惠子，到了，我们回家了！一晃又是三年，也不知我父母他们在重庆过得怎么样。"因为兴奋，说话时面部动作太大，戴的假胡子松掉了，他想重新粘上胡子，但一时无从下手，便对上铺的老钱发牢骚，"你看，什么玩意儿，我连话都不能说。"

老钱跳下床，帮他粘好胡子，笑道："什么玩意儿？就是靠这玩意儿，我们一路上才平安无事。"

陈家鹄拍拍老钱示谢，兴奋令他话多，"我暂时保留我的看法。"

老钱瞪他一眼，"你们知识分子就是看法多。"

陈家鹄以眼还眼，横眉竖眼地瞪着他，"你瞪我干什么，你讨厌我就出去走走吧，你们当了我们一路的电灯泡还不够吗？"他们坐的是二等舱，有八个床位，这会儿其余四人都出去看风景了，只剩下他们四个人，说话很随便。这一路走下来，双方已经很熟了。

老钱的助手小狄睡的也是上铺，他下铺一向不踩踏座，直接跳下来，像只猴子。他咚的跳到陈家鹄跟前，正经八百地问："大哥，你说我们当'电灯泡'是什么意思？"

"傻瓜蛋子！"老钱拽着他往外走，"他骂你你还叫他大哥，走，别给我丢人现眼了。"

陈家鹄按住胡子呵呵地笑，目送他们出门，回头坐到惠子身边，继续刚才的话题，"惠子，我跟你说过，我们家以前不在重庆，去年底才搬过来的。"

"我知道，"惠子幽幽地说，"你们家以前在南京，因为……战争才……"

"是这样的，"陈家鹄见惠子一脸愁苦，"你怎么了，愁眉苦脸的？"

"我真担心你的父母不欢迎我。"

"别担心，"陈家鹄安慰她，"我父母都是读书人，很通情达理的，他们一定会喜欢你的。”

惠子想得很远，“就算你的父母不介意，你家的亲戚朋友，那些在战场上丧夫失子的街坊邻居，一定不会欢迎我这个侵略者的。”

陈家鹄笑起来，“你想得太多了，听我的，别想得那么可怕。我可以给你屈指算一下。”说着真的扳起手指头绘声绘色地给她数起来，“一，我们家新到一地，估计也不会有什么亲戚朋友；其二，邻居嘛，毕竟是外人，咱们也不必太在意他们；其三，你不是侵略者，你是本人的妻子；其四，本人是他们的儿子，你是他们的儿媳妇；其五，在中国伦理观里，进门的儿媳妇就是女儿。那么请问，谁家的长辈会不喜欢自家女儿的？”

“但愿如此吧。”

“不是但愿，”陈家鹄信心十足地说，“事实就是如此。”

但事实并非如此，最早嗅到这股异味的人是李政。

送走赵子刚，李政早早出了门。所以这么早走，他是想先去给陈家鹄父母报个喜，结果撞了南墙，碰了一鼻子灰。门虚掩着，照理家里该有人，可李政叫了一遍伯父、伯母、家鸿、家燕，都没有人答应。家鸿是大哥，家燕是小妹，李政跟他们都很熟悉。李政站在清冷中，大起嗓门又叫了一遍，还是没人应。李政想会不会陈家鹄也给家里发了电报，他们都去码头接人了。正欲离开，大哥家鸿从楼上下来，走一步，停一步，戴一副墨镜，一脸凶相，像个厉鬼。

“大哥，”李政迎上去，“我还以为家里没人呢。”

“我现在也算不了人，”家鸿阴阳怪气地说，“充其量是一个鬼，一个欲哭无泪、欲死不能的鬼。”大哥正处在巨大的不幸和悲伤中，这李政是知道的，“大哥，你也不能老这么伤心啊，该过去的要让它过去。”李政已经这样安慰过他多次，说的都是老话，听者无动于衷，说者也难生激情，点到为止便转了话题，“伯父伯母呢？”

“上街去了，也不知道去干什么了。”其实他是知道的，家鹄要带新媳妇回来，家里需要添置些东西，去买东西了。

“家鹄的轮船今天到，我要去码头接他，你一块儿去吧。”

“回来的不是家鹄一个人，”大哥横了脸，“听说他还要带个鬼子回来。”

“大哥，家鹄这次回来是来参加抗日的，我们兵器部需要他这样的人才。”

“笑话，带个鬼子回来抗日，不怕被人笑掉大牙？”

“她不是鬼子，她是家鹄原来在日本时的同学。”

“他读了半辈子书，同学成千上万，什么人不找非要找个鬼子？我看他读书读成呆子了！”

家鸿立在天井里，把拳头当锤子敲，敲得桌子啪啪响。李政突然有种无地自容的感觉，他看着家鸿新生的银发随着啪啪响声从头顶耷下来，乱七八糟地披散在额头上，心里顿时有一种盲目的不安和歉疚。陈家鹄回国的事情是他一手促成的，原以为会皆大欢喜，哪知道冒犯了大哥。他想到，大哥可能已经为这事痛苦几天了，他的情绪非常恶劣，讲大道理等于是火上浇油，自讨没趣，还不如不讲。

他决定一走了之，便慎言而别。

可走了还是要回来的，现在的问题是，把人接回来后怎么办，如果大哥还是这种情绪……李政的心情沉重起来，他的鼻子嗅到了一股异味，仿佛行走在黑夜的山林中，四周传来窸窣的声音，把他的心吊起来。他感到膝盖发冷，小肚子收紧，一种盲目的担忧包围了他。

其实，值得李政担忧的哪是这个，这个说到底是家里事，破不了天的。真正该担忧的事，此刻的李政还一无察觉，但它确实已经发生了——已经有四只眼睛比李政提前一刻钟守在朝天门码头，他们守候的和李政要接的是同一个人：

陈家鹄！

四只眼睛都戴着墨镜，墨镜之上是一顶帽檐宽大的黑呢毡帽。他们的守候是秘密的，正如他们经常干的事情一样。

他们是陆从骏和孙立仁。

时间往回倒三天，晚上八点半，陆从骏的眼睛守望的东西更是鬼祟。惊人的鬼祟。是一个赤条条的女人！一丝不挂，坐在高脚木桶里泡澡。水温五十度，有足够的热度，又没有热腾腾的蒸气，宜于观看。已经是盛夏，这样泡澡是有点奢侈，但如果是组织为保健杀菌专门安排的，则另当别论。你们是党国的秘密武器、宝贝疙瘩，战争让你们颠簸流离，精神紧张，这样泡个澡，既可以洗涤你们身上可能依附多时的毒气细菌，又可以舒筋活血，安神养气，提高免疫力。水里据说加了国外进口的昂贵的植物精油，其实不过是一点廉价的香水而已。

这是一个阴谋，目的是要抓内贼。

连日来，陆从骏白天和林容容一起四处找破译师，到了晚上八点半，他便消失了，谁也找不到他，到了九点半，又准时出现在办公室里。这一个小时他就躲在澡堂里，偷看人洗澡，女的看，男的也要看。

变态?

其实不是，他这是在抓内贼。

这一招，他是从德国学来的。陆从骏在德国海德堡军事学校学习期间，一个搞清洁的华裔姑娘在深夜下班回家途中被一个蒙面人强暴了，事发地点在学校操场附近的厕所里。学校是严禁外人进入的，姑娘也证实蒙面人外面穿的是便装，里面的衫衣是校服，皮肤细腻，“那东西”粗短而坚挺，像个中国人。当时在校师生中只有八个中国人，包括六名学生，一名本地华裔教官，一名中国军方派出去的带队军官。事发当时，华裔教官已经回家，不在现场，足可排除。事发后校方封锁消息，但私底下却让七个有嫌疑的中国人专门做了个功课，安排他们单独泡药澡，每人半个小时，美其名曰“身体大扫除”，专供留学生。四个小时后，校方锁定嫌疑人，是一位姓江的广西人。经审讯，此人供认不讳，案情大白。

这件事给陆从骏留下深刻印象，他不知道江某人在洗澡时有什么异常，露出了什么破绽。有人认为这是有理论根据的，理论就是弗洛伊德的那一套。当时全世界都迷这位大师，事隔多年，陆从骏似乎也迷上了他，他决定仿效一下，便布置了这个局。这一方面是迫于无奈，杜先生对长沙来的人都不信任，在没有肃清内贼之前，规定所有人都不能放出去。封闭一隅，侦查手段非常有限，也许这不失为一个方法。另一方面，他觉得弗洛伊德的那一套理论是有一定道理的，为什么人那么会撒谎、欺骗?是向我们的肉体学习的，我们的肉体从来没有真实地面对过自己。

他兴致勃勃地上马了，实施过程不免鬼鬼祟祟。为了保险起见，他铺垫工作做得很扎实，专门召集大伙讲了一次话，把理由说得头头是道，把猫眼做得特别巧妙，把时间安排得特别科学。平时是每天晚上一个小时，每人半小时，一日观察两个；周末全天候，上午两个，下午四个，晚上又两个。就这样，从长沙转移来的总共三十四个人，男男女女相继被请进了温暖宜人的木桶里，今天是最后一个。

此人叫蒋微，二十四岁，单身，河南信阳人，是侦听处的骨干侦听员。她没有怪动作，进来后麻利地脱了衣服，坐进了木桶里……她胸脯饱满，坚挺，乳头小小的，粉红色，右边腰眼处有一片红色的胎记。猫眼是特别设计的，隐蔽性很好，能见度又很高，正对着木桶。木桶的位置和朝向是固定的，可以确保泡澡的人正面对着猫眼。陆从骏目不转睛地盯着对方的目光，发现她坐进木桶后对自己的胎记大感兴趣，又是看又是摸，好像是新长出来似的，不认识，很新奇。抚摸胎记时，她身体保持的姿态使她的双乳变得更加饱满，肉鼓鼓的，仿佛随时要胀开来，掉落水里。

陆从骏注意到，她一直没有正眼去看自己的乳房，好像是别人的私密处，不好意思去看。有一阵子，她手臂不经意间碰了一下乳头，迅速移开了，像触电似的，有点惊慌失措，甚至脸都红了。就在这时，陆从骏发觉自己下身膨胀起来……这是第二次。

前一次是几天前，破译处分析科一位姓钟的密电分析师，是一位中年妇女，一身赘肉，腰跟木桶一样圆。她一定是个幻想狂，可以把木桶想象成男人，坐进去后就醉了（像被男人拦腰抱住一样），眼微闭，嘴翕开，舌头不时伸出来。她在木桶里酣畅淋漓地自慰了一次，硬生生地把他搞冲动了，几乎有点强迫性的，和这一次不一样。

完全不一样。

三十四人中有十一名女性，年龄从五十岁到二十岁不等，都属于有性要求的年龄，但自慰的仅此一人。男人自慰的比例要大大高于女性，二十三人中有六人自慰，其中一人还来了两次。这七名自慰者以“不光彩”的方式和内贼划清了界限，因为在陆从骏看来，一个贼，一个心中有鬼的人，是不会有这份“闲情逸致”的。

蒋微也被排除了，证据是让他冲动了。他是审判官，不是色鬼，他躲在黑暗中，用猫眼偷窥，心里装满敌意，色情被完全抽离，一个没有被彻底排除敌意的人，无论如何都不可能让他冲动。他是受过专业训练的，即使被灌了春药也能用意志战胜欲望。他膨胀的下身提前预告他，蒋微是清白的。

果然，蒋微很快又用新的证据为自己验明正身，她简单地洗涤一番后，专心致志地背起敌人电台的频率表，其忠心可见一斑。之前，另有四男一女也曾有相似的表现，借泡澡之际做功课，有背敌情资料的，有带了资料手册来看的。还有两个小伙子，对着天花板向在战场上死去的亲人发誓，意思是他们已经荣幸地进入黑室工作，今后一定有机会为亡者报仇雪恨。还有两个小姑娘和一个在食堂烧饭的伙夫，前者以哭的方式，后者以骂的方式，表达了他们不愿意在这鬼地方过这种“监狱”生活，希望早日离开这里。

以上十八人属于当场被排除，因为他们有硬邦邦的证据，昭然若揭，显而易见，无须再费什么神。剩下的十六人，需要根据在案的记录去做进一步分析研究才能有答案。这天晚上，陆从骏准备回办公室去好好研究这些人的资料，争取再排除一批，凭他的印象至少再排除十来人是没问题的。

至此，虽然尚未结案，也不敢保证最终一定能完美结案，但他对自己出的这一招还是较为满意的。这不仅仅是个抓贼的手段，也是他了解下属的一个绝佳过程。通过这半个多月的暗探、偷窥，他觉得自己基本上掌握了这个院子，一种主人的感觉找到了。

与往日一样，时辰一到，九点半，陆从骏照例出现在办公室里。林容容如影相随地跟进来，怀里夹着一只讲义夹。他知道，那夹子里可能是又一个破译师候选人的资料。

“放这儿吧。”他指指桌上的一沓资料，“我等会儿看。”这里已经摞了有十几个候选人的资料。

“你很累嘛，看上去。”林容容还是老样子，大大咧咧的。

“我是想到有这么多资料要看，觉得累。”

“那我跟你说一下吧，你听着要轻松一点。”林容容把放了一半的讲义夹拿回来，准备打开来给他讲解一下。就在这时，丁零零，桌上的电话机响了。陆从骏拿起电话，刚说一声喂，身体就下意识地立起来，这让林容容马上猜测，电话那头一定是杜先生。

错！

电话是他在三号院的老上司傅将军打来的，彼此一番客套后，对方说：“我知道你在找人，我手上有一个，我敢说一定是你做梦都想要的那个，你不想来见见我吗？”

“您在哪儿？”

“办公室。”

放下电话，陆从骏急忙穿上外套，匆匆出门。他不知道老上司手上的“那个人”是什么人，因为他在找的是两种人：一为内贼，二是外援。

三号院租用的地盘原来是一家广东潮州人的会所，在渝中区中山路，是个套着五道门的狭长形院子，前后连着两条街道，建筑多为木造，一年四季都有一股挥之不去的霉味和酸气。三号院入驻后，做了一些改造，拆掉了以前的众多门牌、门槛，修了一条轿车可以出入的通道。从五号院过去，要不了半个小时，车子已经停在傅将军的办公楼下。这是陆从骏熟悉的世界，夸张一点说，这里还残留着他的气息。

将军亲自来开门。

“您好，局长。”老称呼，懂忌讳，不带姓。

“应该叫老领导了。”傅将军笑道，“你坐了飞机呢，连升两级，现在已经跟我平起平坐了。”

“谢谢局长栽培。”庸俗的客套话是放下身段的最好姿态。

“不敢当，栽培你的是杜先生，他这次栽培你连我都是保了密的。不过说到底栽培你的还是你自己，方方面面都过硬。”将军上来握住他的手，紧紧地握着，“好啊，祝贺你。”

两人边说边到客厅坐了。略为闲聊，将军便言归正传，“我看了一号院下发的文件，知道你在找破译师。”

“我要找的人多，”老部下笑道，“破译师只是其中之一。”

“还要找什么人？”

“贼骨头，原来那些人中有内奸。”

“这我帮不了你，你也不需要我帮，你这个脑袋鬼点子多，鬼怕你。”

“你身边有破译师？”

“你找得怎么样？”

“找了一批，但没有最后定。”

“要多少人？”

说到工作，老部下便露出所长的口吻、职业的眼神，“这很难说，只要找对了人，有一个也许就够了。”

将军干脆地说：“我给你推荐一个人，我敢说他一定就是你最想要的人。”

所长专注地听着将军娓娓道来，“这个人我见过一面，几年前，我去日本公干，顺便去早稻田大学看一位同乡，他在那儿当老师。闲谈中，同乡向我讲了这个人的一件事，让我很好奇，吸引我想见见他，同乡便带我去了。那年他也不过二十二三岁吧，但一看就是英气勃发，谈吐非常有见地。当时他正在读日本数学泰斗炎武次二的博士生，深得导师的喜爱，经常代导师给学生上课。我们去找他时他正在给学生上课，那课堂上的人啊，简直可以说人满为患，走廊上都站着人。我纳闷怎么会有那么多人来听他的课？原来就因为‘那件事’——令我好奇的那件事——使他成了学校名人，至少在数学系，学生们都想认识他。”

那件事情是这样的：数学系一位学生不知从哪儿弄来一道超难的数学题，把系里所有同学和老师都难倒了，包括他们的导师炎武次二也解不了，最后是他把那道难题解了，他的名声从此传开。更让人想不到的是，过了没多久，一位日本大佐军官到学校来找他，给他优厚的待遇，请他去陆军情报部门工作。他不从，坚决不从，好言规劝，威逼利诱，都不从。

将军说："因为是中国留学生，军方无法强迫他，但可以刁难他，给他设置种种限制，阻止他继续读炎武次二的博士。第二年，他被迫离开日本，去了美国……"

所长问："日本军方为什么要招募他？"

将军说："因为那道超难数学题其实是由一份美国密电置换出来的。就是说，谁解了那道题就等于破了那份密电，日本军方因此认定他是破译密电码的奇才……"

将军说："他老家是浙江的，十来岁时随父母亲迁居南京。他父亲是中央大学的一位史学教授，德高望重，对甲骨文深有研究，是这方面的南派权威；母亲是国民政府首任浙江省省长的嫡亲侄女，大家闺秀，其父也一度官至水运部部长。南京沦陷后，他们举家来了重庆……"

将军说："像他这种人才，又有那么强的爱国心，正是党国需要的，所以我一直在关注他。前不久，我听说他已经从美国回来，到武汉了，我想他应该会来重庆，凭你的能力总不会找不到他吧？"

所长认真地点点头，"我会找到他的，他叫什么名字？"

将军抑扬顿挫地道："陈——家——鹄——"

当然找得到，这太容易了！

有名有姓，有父母，有地方，哪有找不到的理？不到一天，陆从骏全搞清楚了，家住哪里，兄弟姐妹几个，何时离开美国，什么时候在香港上了岸，怎么到了武汉，现在哪艘船上，估计哪一天到重庆，一清二楚。这比他在身边找贼容易得多。贼在暗处，会躲藏，陈家鹄在明处，立不改姓，坐不埋名，一路写信发电报，只要用心去找，遍地都是消息。通过驻美国大使馆的肖勃武官，陆从骏还打探到了关于他的很多常人不知的情况。

当时军统势力大得吓人，任何部门都安插有人，像驻美国大使馆的肖勃武官，真实身份是军统美国站站长。那时候在美国读博士的人不多，能在耶鲁这种名校读的更是屈指可数。所以，肖勃认识陈家鹄。肖勃发来专电一封，向陆所长介绍陈的情况，对他在数学上的才能，肖武官推崇有加，为此也曾经想发展陈加入军统。但有一个情况很特殊，就是他身边有个女人，是个日本人，两人相恋多年，所以肖勃最终还是不敢发展他。据肖勃介绍，陈和那个日本女人回国前已经结婚，女人跟着他回中国了。

这情况着实令陆从骏高度重视。如果没有这个情况，他可能在码头就直接把人接走了。他等米下锅呢，这种人才哪里去找？可身边有个日本人，不得不叫人多思深虑。这天他所以亲自去码头看他，偷偷看他，就想证实一下情况是否属实。

果然如此！

即使下船的人再多，场面再乱，陆从骏也能对着照片认出陈家鹄。他外表俊朗，举止异样，在人群中可以一下凸显出来。有些人的才华是写在脸上的，陆从骏第一次见到陈家鹄就油然想起老上司傅将军形容他的一个词：英气勃发。他脚步有弹性，脸上有异彩，身上有傲气，却绝无半点俗气，有的是大气、霸气、正气。一对浓密又长的眉毛，一双炯炯有神的眼睛，挺拔的鼻梁，无不令人产生好感。陆从骏像个女人一样，看了外表就喜欢上他了，他有一种预感，这人就是他要找的人。可是他身边的人，叫人大倒胃口，一看她投手举足的样子，确凿无疑，肯定是个日货；那种樱花碎步，那种礼数，那种笑容，让人一目了然，让人下意识地生出厌恶。

这年月，在中国，日本人和魔鬼同名！

这年月，在中国，到处都是日本人，明的，暗的。此时，在陈家鹄身后就有两个日本人亦步亦趋地暗暗跟着，他们是二十分钟前才“认识”陈家鹄和惠子的。

二十分钟前，轮船靠岸，船上的人都开始准备下船。与陈家鹄他们同舱的客人中有一家子，一个中年妇女，拖老带幼，行李一大堆。老钱和小狄帮了他们一下，把他们的行李从架子上取下来，送出舱门。回头时，老钱猛然看见陈家鹄已经卸了装，露出了庐山真面目。

“你怎么卸装了？”老钱吓了一大跳。

“不卸装来接我的家里人怎么认得出我？”陈家鹄笑道。

老钱板着脸说：“你能认出他们就可以了嘛。”

陈家鹄摇摇头，“我不想那个鬼样子去见我父母，他们会见怪的。这是我第一次带太太回来，我要给他们留个好印象。”

老钱指指丢在一边的假胡子，“还是戴着，这上下船时是最危险的。”

陈家鹄断然拒绝，“行了，没事的，要有事早该有事了，你啊，就是神经过敏。走走走，下船，下船，到家了。”

老钱把假胡子收起来，一念之差，并没有坚持叫他戴。但他还是没有忘记告诫陈家鹄，“我马上要跟你分手了，请你记住，鬼子盯着你呢，现在看是一时摆脱了，但我估计敌人会继续追踪你的。”陈家鹄嘴上说知道，但心里是大不以为然，巴不得他们赶快离开。“你去哪里呢？有人来接吗？”老钱说有人来接他们，让他别管，“你管好自己就可以了。”说着，他们都往外走去，加入了人流。

船在路上走了十天，大部分人都挤在末等舱里，一路上没有洗澡，天气又热，人群里空气非常浑浊，臭气汹汹，陈家鹄和惠子几乎同时受到这股恶臭的袭击，脚步下意识地停下来。惠子不慎踩到了后面一个人的脚，连忙道歉，急不择言，说的是日语。陈家鹄及时捂住惠子的嘴，用国语道歉。对方很客气，笑笑而已。但后面有两个人，一男一女，显然听到了惠子刚才说的日语，对惠子和陈家鹄多看了几眼。

他们就这么“认识”了惠子和陈家鹄。

这两人实为鬼子派驻重庆的特务，男的叫陈村，女的称桂花。陈家鹄执意不戴假胡子，马上就付出了代价。日后鬼子正是从这个“一面之交”上，断定陈家鹄已经身在重庆了。

桂花真名叫宣叹，自小在东北长大，中国话讲得地道，后来又在上海待过多年，阿拉阿拉的上海话也会讲，扮个中国人没问题。她化名为桂花，在重庆中山路上开了一家粮店作掩护开展特务工作，借此常跑上海、南京，拉人入伙，壮大力量。如今，她的组织在重庆已是数一数二的规模了，她的男人也刚刚被华东派遣军司令部特高课授予少佐军阶，意味着多年的付出终于修成正果——被纳编了。男人以前在东北犯过事，睡了上司的一个姘头，因此被开除军籍，四处游手好闲，认识了桂花后才改邪归正，重操效忠天皇的旧业。

男人叫伊村腾昌，化名陈村，自授了少佐军阶后，桂花和内部人士都叫他“少老大”。桂花是个男权主义者，喜欢做男人的绿叶，少老大在她的扶持下越来越像个老大，心狠手辣，诡计多端，但表面却中庸温和，面沉似水，说话慢悠悠，阴冻冻，好像从来不会着急上火。只是，一旦发怒也是有血火的，爆发力十足。

他们来重庆不到一年，但发展了一个重要人物：冯德化警长，本地人，主管城区治安。冯警长属于自投罗网的，那时候他还是下面一个片区的小警长，每天要到辖区走走，逛逛。有一天在街上巡逻，看到一个女人在他前面走，一步一摇，屁股翘翘的。他跟着她走，眼睛离不开她翘翘的屁股，看着看着，下面不老实了，翘起来了。下面决定上面，他不由自主地加快步子，走上前拦住了她。经过简单的盘问，搭讪，他预感这是一个可以搞到手的外地女子，心花怒放，请她去重庆饭店喝了咖啡。一来二往，女人一直吊着他胃口，却始终不肯跟他去开房间。有一天，女人开了房间请他去，他兴冲冲去了，见到的却是一个男人和一根筷子长的金条。

男人开门见山跟他说："你拿这根金条可以睡一千个女人，但别对我的女人动心思。"

警长同意了，收下金条，走了。

男人回去对他的女人说："是一个小恶棍，可以拉他入伙。"

女人说："就是太小了，我们需要更大的恶棍。"

男人说："我们可以再用一根金条把他培养成大恶棍，又贪财又好色，这样的人不好找的，就是他了。"

就这样，冯小警长当了大警长，同时成了他们的俘虏、伙计，经常出入中山路的粮店。有了更大的冯警长加盟，少老大和桂花明的暗的生意都如虎添翼，蒸蒸日上。两根金条物有所值啊。

粮店地处中山路甲二十七号，一栋沿街的老式木板房，上下二层，另有一层阁楼；前后有门，前门临街，后门连着一个小院，种有两棵柚子树，盖有两间临时建筑，一为杂货间，二为茅房。临街的一楼做了店面，伙计是个干瘦老头，跛足，人称幺拐子。这会儿，他正在打盹，听见外面传来说话声，醒了，正准备出来看，冯警长已经闯进来。

"请，请，少老大在楼上等你呢。"幺拐子是冯警长介绍来粮店的，他对这份工作十分满意，对冯警长自然是尊敬有余，说话间已经把腰弯成了一张弓。

冯警长从楼梯上吱呀吱呀地上去，径直进了房间，没看见人，喊了一声："少老大。"少老大从阁楼上下来，见了冯警长，客气道："大警长来了，屋里都要亮堂一些。怎么样，有结果了吗？"

"我四处找人打听了，都不知道。"冯警长摇着头说。

"都知道就不叫黑室了，"少老大递给冯警长一支烟，"这是现在重庆最大的秘密。"

冯警长是懂规矩的，接了烟连忙先给少老大点燃。“最大的秘密就是最大的难度。”他给自己点了烟，坐下后说。

少老大挨着冯警长坐下，拍着他大腿说：“你不是在里头养了内线的吗，我们这次行动能够这么顺利，不就是靠你养的人及时提供消息。”他们说的是X-13行动。

“那是他（她）在长沙发出的情报，现在到了重庆，他（她）至今还没有出来跟我接头。”冯警长指代不明地说。

“怎么回事？”

“不知道。”

“会不会出事了？”

“不知道，但我想是不会出事的。”

“为什么？”

“出了事总会有风声的，我听说他们中还没有一个人出来过。”

“听谁说的？”

冯警长看他一眼，“你不认识的，也没必要认识。”

少老大盯着他说：“你对我有秘密。”

这倒是真的，但既然是秘密，冯警长怎么可能轻易告诉他？他只是含糊其辞地说：“我们都有秘密，秘密能够保护我们。”

少老大下达命令，“不管怎么样，这个任务你必须完成，上面盯得紧着哪。”他手一挥，指着阁楼说。阁楼上有一部电话，刚才他就在上面打电话。

“哪有这么容易呀。”

“重庆就这么大，你冯警长又这么有本事，不可能找不到这个地方的。你在长沙都能找到它，现在到了重庆，在你的地盘上，还会找不到？”

冯警长的本事真是不小，两个月前他跑了一趟长沙，少老大开始以为他只是为了骗个活动经费去玩的，哪知道他把长沙的黑室搅翻了天！正是因为冯警长在里面成功发展了内线，透露了地址，才引来敌机一阵狂轰滥炸。紧接着，X-13绝密行动又是他的内线及时提供了准确的消息。在少老大看来，有这么可靠的内线，黑室迁到天上都是找得到的。但一个月来，明知内线已经抵达重庆，却是杳无音讯。情况发生了变化，陆所长关门打狗，搞铁桶阵，内线出不来了。

“我的内线出不来，我也没有办法。”

少老大拍拍冯警长的肩膀，说：“我知道，你会有办法的，需要一点活动经费是不是？已经给你准备好了。”说着走到床前，从枕头下抽出一个信封丢给警长，“喏，先用着，看它能不能帮你想想办法。”

冯警长不客气地收了钱，“好，我尽量吧。要说清楚，这是活动经费，不是工资。”

少老大爽快地说：“等你搞到了黑室的地址，我给你双份奖金。这个任务是你给我找来的，不能半途而废，让别人捡了便宜。”

自上个月起，南京得知长沙黑室西迁，即给少老大压了担子，要他务必找到新黑室的地址，彻底捣毁它，行动代号就叫“斩草除根”。那时候，陆从骏还不知道黑室已经西迁，更不知道他有一天会去掌控黑室，可见敌人的嗅觉是何等的灵敏。

好在他们暂时还没有嗅到陈家鹄的“气味”，不过也快了。

陆从骏并不喜欢重庆。

这个城市像个山村，楼房大多筑在山坡上、转弯角、低洼地，出门就是台阶路，潮湿，阴暗，长着藏污纳垢的青苔，散发出浑浊的霉臭异味。街道狭窄、肮脏、杂乱，迷宫一样的胡同里，四处是小偷、野狗、妓女、骗子、闲杂人员。关键是陆从骏很快发现，在这里表面上的友好中，暗藏着错综复杂。他们第一批运过来的装备，从朝天门码头到驻地，不到五公里路途，居然少了七支手枪、两部收音机，还有几袋大米和一箱压缩饼干。他们是逃兵，败兵之将，没有人打心眼里欢迎他们。欢迎都是虚假的，笑里藏刀，绵里藏针。

与南京相比，这个城市的好处是女人都长得水灵，皮肤细腻洁嫩，目光妩媚，多风情，容易得手。妓女是不要说的，天下妓女都跟屠夫刀下的肉一样，只要你肯花钱都吃得到嘴的。叫人开眼界的是那些女人，所谓的良家妇女吧，对陌生男人没有那种古板的戒心和矜持，很好接近，甚至也容易吊到手。这可能就是重庆所谓的码头文化的独特内容吧，色情味很浓。

陆从骏曾经想过，要是早十年来这儿，他可能也会喜欢这个城市的。他在三号院时手下有七八个年轻人，来重庆前大多没碰过什么女人，来了不到半年，睡过的女人都比他多了。他们偶尔会跟他吹嘘重庆女人怎么怎么个好，甚至说出不少淫秽的细节。这一定程度上促使他提前把妻子折腾到了重庆。在战火纷飞的年月，这是一件很困难的事，好在他手上有些特权。

陆从骏的家就在山坡上。

陈家鹄的家也在山坡上。

不同的是，陆家坐的是小山坡，坡缓，门前是水泥路，可以行车；陈家坐的是大山坡，在山腰上，一条狭长的巷子，入口就是七级台阶，车子根本没法开进去。顺着这条巷子一直往前走，走到头，曾经是这个城市的校场，杀人砍头的地方，现在是一片乱坟岗。

巷子叫天堂巷，把杀人、埋死人的地方叫做天堂，这是国人素有的智慧和胆识：不怕死人，怕活人。陆从骏已经在地图上见过这条巷子，但还是第一次实地来看。看了以后，他很满意，因为这条巷子很窄，只有一米多宽，而且陈家对门的房子比陈家要高出一米多，如果把对门楼上的房子租下来，很便于观察陈家的动静。刚才在路上，他已经做了决定，要对陈家鹄和他的日本女人考察一番。五号院是敌人的眼中钉，敌人想方设法要插人进来，谁敢保证陈家鹄一定怀的是赤子之心？尤其是他身边的那个女人，看上去文静、单纯、善良，像良家妇女，但也可能是假象。不叫的狗最会咬人，披着羊皮的狼更可怕。

“对门是什么人家？”陆从骏从天堂巷出来，上了车，问随行的孙处长。

“房东没见着，现在里面住了四户人家，都是逃难来的。”老孙昨天已经来看过，摸过情况。

“请走一户，让小周过来蹲点，给我二十四小时盯着。”陆从骏吩咐道，“主要看他们跟什么人来往。”

“知道了，我回去就安排。”

“今天去接他们的是什么人，我怎么有点面熟？”

“是兵器部的人力处长，叫李政。”

“他们是什么关系？”

“不知道。”

“了解一下，最好能找到一两个他在日本留学时的同学。”

“嗯，明白。”

“走吧。”

老孙发动车子，准备走，突然从汽车的后视镜里看见一对母女急冲冲地跑过来，“快看，那是陈家鹄的母亲和妹妹。”陆从骏回头，看见一个头发花白的老妇和一个年轻的、扎着两条羊角辫子的姑娘，提拎着不少东西，咚咚地小跑着，转眼跑进了天堂巷。后面还跟着一个满头银发的老头，空着手，不紧不慢地走着。

“嘿，”陆从骏回头说，“陈家鹄长得像他母亲。”

“对，很像。”老孙一边开动车子，一边看着所长说，“看来这人真是有才。”

所长问他：“你从哪儿看出来的？”

老孙笑道："俗话说，儿子像爷爷，有福，儿子像母亲，有才。"

这叫什么理论？所长不以为然，"照你这么说，那姑娘也就一定没才了？我看她长得也很像她妈的，跑步的样子都像，都是往一边倾，明显是一只脚要短一点。"

"她是个假小子，性格很开朗。"老孙说，"昨天我跟她去了学校，她跟同学们在演一出戏，她演的是一个把鬼子活活掐死的女英雄，演得还真不赖。"

"她在哪儿读书？"

"中央大学，学气象的，四年级，明年就毕业了。"

"叫什么名字？"

"陈家燕。"

"就兄妹俩？"

"不，还有个哥哥，叫陈家鸿，今年三十二岁，比陈家鹄大四岁，他很不幸。"

"怎么了？"

"在来重庆的路上，他妻子和两个孩子都被敌人的飞机炸死了，他自己也受了重伤，一只眼睛瞎了。"

"他娘的，还有这事，"陆从骏骂了一句娘，"这么说这家人跟鬼子有深仇大恨啊。"

爱屋及乌，恨又何尝不是？尽管心里知道，因为自己的不幸而恨兄弟娶日本人为妻是没道理的，但要让这份理性指挥自己的心绪又谈何容易。大哥陈家鸿听见李政接他们回来的声音，迟疑再三，终于还是按不住熊熊心火，从后门悄悄溜掉了。这会儿他正在山上的坟地里溜达，恨不得钻进坟墓去，一了百了。大哥溜了，小妹和父母亲都去街上采购东西未回来，所以屋里空无一人，只有一壶水在炉子上吱吱地冒着热气。陈家鹄回了家，犹如置身异地，没有亲人相迎，没有邻居观望，甚至屋子里没有一样熟悉的东西能够唤醒他的记忆。倒是惠子，找到了回家的感觉，把炉子上吱吱响的开水掺了，又找来茶具，给李政和陈家鹄泡了茶。

茶还没有凉下来，母亲和小妹家燕率先回来了。家燕见到哥，欣喜若狂，甩了东西冲上来，一把抱住他，二哥二哥地喊，让陈家鹄一下找到了回家的感觉。陈家鹄父母也走上来，与儿子亲热相见。但亲热中又夹着谨慎，放不开，因为惠子在身边。这个陌生女人他们无法不在乎，又似乎无法在乎起来，找到公公婆婆的感觉。好在家燕不亦乐乎，喧宾夺主，把二哥围得团团转。

"二哥，你还能认出我来吗？"

“变了，变了，丑小鸭变成天鹅了。”

“我从来就是天鹅。”

“好，我的天鹅妹妹，快喊嫂子吧。”

家燕倒是很大方，当即嫂子嫂子地喊开了。陈家鹄父母借机也上前与惠子相认，老人家的礼仪尽到了，程序走过了，但更像是在走过场，双方的拘束凭眼看得见，用手也摸得着。

陈家鹄发现大哥家鸿和大嫂没在场，问母亲：“大哥呢？还有大嫂和我那个小侄儿呢，没在家？还是他们没有和你们住在一起？”

陈母迟疑一下，看看惠子，不知说什么好。父亲出来解围，道：“哎，给你们上街买东西，走得我腰酸背疼的。”父亲显然是想支走惠子，单独与儿子说话，便对小妹说：“家燕，你带她……你……嫂子去楼上歇歇吧，走了一路该累了。”

小妹亲切地喊一声嫂子，上来拉着惠子走，“走，嫂子，我带你去看看你们的新房，都是我一手布置的，保你喜欢。”

她们走后不久，家鸿突然像一个幽灵似的不知从哪儿闪出来，依然怪怪地戴着一副墨镜，对家鹄说：“你回来了。”样子阴郁，缺乏应有的欢喜劲儿。兴奋的陈家鹄没在意大哥的异常，上前亲热地抱住他，无忌地笑他：“大哥，你在家戴个墨镜干吗？”家鸿勉强笑了笑，“怕吓着你。”说得家鹄莫名其妙。

陈母连忙上前解释：“家鸿的一只眼睛受了伤，他是怕你看了担心……才戴眼镜的……”

陈家鹄焦急地问：“怎么回事？”

家鸿看看父母亲，默然不语。

父亲深吸一口气道：“不小心被东西砸的。”

家鹄不知情，继续追问：“怎么砸的？”

父亲答非所问，叹道：“人哪，倒霉的时候喝水都要呛死人。”

陈家鹄担心地看看大哥，又看看父母亲，茫然若失又若有所思。这个久违的相见，与陈家鹄期待的并不一样，他也分明觉察到父母亲对惠子的冷淡和顾虑。这在他想象之中，又在意料之外。不过，接下来意外的事情实在是太多了，从某种意义上说，家鹄的归来，使这个家踏上了一条无数个意外叠加、交错的不归路。

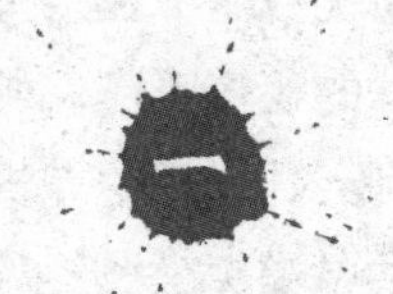

渝字楼是一栋红砖楼，三层，呈直角结构，坐落在著名的重庆饭店背后的一条古老小街上。其实，渝字楼也是重庆的名楼，曾经本市最出名的妓馆就藏在这里。如果说重庆饭店是明的最热闹的场所，渝字楼就是暗的最热闹的地方，原先由黑帮势力把持、经营，杜先生到重庆后，血腥打压了黑帮势力，接管了这栋黑楼。黑室的“中美合作皮革研究所”公开的办公地就在这楼里。黑室在地球上是找不到的，但它又以中美合作皮革研究所的名义在这儿与外界联络、往来，招摇撞骗。

这栋楼里什么功能都有，一楼办公，二楼餐饮，三楼住宿，封闭的后院可以泊车，广告牌都挂得显眼。地面之下还有一个宽大的地下室，敌机来轰炸时可以当防空洞用，平时可以行刑逼供，杀人藏尸，天不知，地不知。

就在陈家鹄回家后的翌日上午，陆从骏在他的第二办公室，即渝字楼公开的办公室里，会见了林容容给他搜罗上来的几位破译师人选，其中有兵器部的赵子刚。

“你叫赵子刚？”

“是。”

“我看了你的资料，条件不错。”

“谢谢。”

“愿意到我们单位来工作吗？”

“你们是干什么的？”

“暂时你还无权知道。”

“不知道我怎么选择呢？”

“你没有选择权。”

“什么意思？”

“只有我选择你的权力，没有你选择我的权力。”

“听上去像个特权部门。”

“事实就是如此……”

同一时间，百步之外，在地下室里，老孙正在审问一个人：姓马，女，二十三岁。此人是冯警长的义妹，一年前，义妹回重庆时见过义哥，交谈中神乎其神地说及了她的工作：在一个极为重要的秘密机构。冯警长被两根金条打造成走狗后，急于报答少老大，又不知如何下手，便想到义妹的秘密工作。秘密就是情报，里面一定有货！为此他专程去了一趟长沙，找到义妹，想挖点货回来讨好少老大。义哥巧舌如簧，把前线战况和形势解说得头头是道，义妹听了，感觉几个月内偌大的中国必将四处插遍太阳旗。又闻义哥已经与日方达成合作，她毅然决定加盟。党国的忠诚卫士与卖国贼之间的距离并不远，说只有一纸之隔也不为过。

黑室里的贼就是她！

她是怎么露出尾巴的？首先是在木桶里洗澡这一关没过好，被所长作为六分之一揪出来了。就是说，三十四个人，通过洗澡洗出去了二十八个，剩下六个被所长盯上了。理由各个不一，比如这位马姑娘，有个怪动作，没有脱内裤。三十四个人，男女老少，就她一个人没脱干净。为什么？所长无法分析出具体原因，应该说有多种可能，但其中也许有一种可能，就是她心里有鬼，怀疑到这次洗澡是一次打鬼行动。她就这样被拎出来，成了六分之一。严格地说，仅洗澡这个环节她没有成为头号嫌疑人，顶多排中间吧。

她的问题出在第二个环节上：想上街。老孙布网，贴了个通知：所里决定周末安排四名代表上街购物，请有意者报名，云云。最后，全院共有九人报名要上街，六个嫌疑对象中只有两人报名。

这下好了，她成了二分之一。

只剩下两个嫌疑对象，可以派人二十四小时盯梢。盯了三天三夜，她的疑点步步高升，最后终于被锁定。她干了什么？这要从她的工作说起，她在破译处密电分析科工作，负责密电基本面的分析判断。按程序，侦听处抄收的电报首先要交给他们科室看，做基本面的初步分析、归类：空军的归空军，陆军的归陆军，例报归例报，突发急电归突发急电，并提供相应的敌情资料。有经验的分析员对有些常见的电报，甚至可以判断出电报的大致内容，提供一些破译关键词、关键数据。打个比方说，他们就像排球场上的二传手，是破译师的架子、搭档。破译师拿到的电报，事先都经他们看过，分析过。眼下，虽然没有破译师，但他们的工作照常在进行，那个把木桶幻想成男人的钟姓妇女就是干这个工作的。她有五个同事，包括科长在内。

科长姓刘，是个湖南人，四十五岁，经常生吃辣椒，吃得满脸通红，鼻头常年充血。陆所长安排他监视马姑娘后，那几天他的鼻头就更红了，像红辣椒似的。后来，眼睛也红了，因为他发现了马姑娘惊人的秘密：她看电报时居然在做手脚！

怎么回事？分析师看电报时，一般手上都捏着铅笔，发现个别数字写得模棱两可，会描一下。侦听员在抄录电报时，因为信号不好，或者报速太快，有些数字会写得不规范，潦草。分析师经常看他们的电报，熟悉他们的字体，对个别书写不规范的数字会修正一下，以免破译师猜错。刘科长在监视中发现，马姑娘不是在修正，而是在篡改：笔头一画，“0”变成了“9”，或者“6”；一勾，“1”变成了“4”，或者“7”。

这哪是传球，这是捣蛋，搅浑水！可想而知，这样的电报破译师是永远破不出来的，因为基本面被破坏了。她怎么会干这事？不言而喻，她不是党国的忠诚卫士，而是内奸，贼！

证据确凿，可以审讯了。

“知道为什么要带你到这儿来吗？”

“不知道。”

“那么你知道我们黑室有内贼吗？”

“不知道……”

毕竟没有受过什么专业训练，是临时拉入伙的，哪经得起审？说第二个“不知道”时声音已经颤了。审第七个问题时，恐惧的眼泪夺眶而出，招了，认了。老孙很开心，咚咚地上楼去报喜。他知道，今天陆所长在这里接待赵子刚等破译师候选人。

半个小时后，陆所长接待完人，和老孙一同下来，准备挖出内贼的上线或下线。开门一看，傻掉了，凳子四脚朝天，人的双脚也离地了，悬在空中，微微晃悠。举目看，眼睛睁得大大的，舌头伸得长长的，但永远不可能收回去——

也就是说，永远不可能吐字发音了。

她上吊了！不知是因为恐惧，还是因为忠心——对她义哥。冯警长就这么躲过了一劫，有点死里逃生的幸运，似乎暗示着他日后必将大干一番。

天堂巷和渝字楼相距不足三公里，这会儿陈家来了一位客人，没进门，就家鹄家鹄地喊。待走进院门，看见陈家鹄的父亲躺在廊道的凉椅上看书，便喊了声："陈伯伯，您好！"

来人叫石永伟，身上有股棉絮的味道，仔细看一定可以在头发里发现棉花屑。这跟他的职业有关，包括他说话总是提着嗓门，高八度，也属于他的职业病，要压倒隆隆的机器声呢。他是陈家鹄在日本早稻田大学的同学，可以说也是惠子的校友。石永伟看陈父手上捏着书，亮亮堂堂地说："陈伯伯，人都打仗去了，您还在做学问啊。"

陈父哼一声道："现在谁还有心思做学问，国难当头，学生们都忙着抗日救国，没心思上课。我一把老骨头，学校让我提前退休了，没事干，只能拿本书消遣消遣。"他晃晃手里的书，笑了，"这就是我一辈子打的仗，天塌下来了我也丢不掉，你是来……"

"看家鹄啊，"石永伟道，"听说他回来了。"

"回是回来了，可是……"陈父看看楼上，迟疑着。

石永伟是个急性子，又抢过话头，"可是出门了是不？该不会是去看我了吧？"

陈父支支吾吾，"嗯，不清楚……不知在不在家……可能出去了……"

陈家鹄一边从楼上下来，一边搭着腔："爸，我在家呢，谁来了？"

"家鹄，是我！"

"啊哟，是你啊！"

"说，我是谁？看你还认不认识。"

"石永伟！"

石永伟高兴地一把抱住陈家鹄："好，亏你还记得我。"陈家鹄对着他耳朵悄悄地说："不但记得你名字，还记得你的绰号，石板桥。"石永伟哈哈大笑：

“我也记得你的绰号，陈家鸟！”

有朋自远方来，不亦乐乎，笑声四起。石永伟的嗓门真是在机器声中练出来了，连个微笑的声音都响得在屋宇间乱窜。惠子本来在睡觉，被吵醒了，听到楼下有客人便起了床，准备下楼。走到楼梯口，陈家鹄母亲喊住了她。母亲在拆一件旧毛线衣，毛线散落一地，要绕成一个团子，确实也需要有人帮个手：一人拆，一人绕。母亲的房间正好对着楼下天井，楼下的声音传上来，惠子听得清清楚楚。

“李政说你去成都出差了。”

“是去进货，昨天夜里才回来，所以没去接你啊。”

“听说你当大老板了，手下有几百个人。”

“所以忙啊，人越多越忙。我哪有你的福气，人还在太平洋上，人家李政已经给你腾出了位置。”

“好吗？”

“当然好啰，干的是抗日救国的大业，但又在大后方，不会日晒雨淋，更没有枪林弹雨。别犹豫，兵器部的待遇好得很，李政现在又是大权在握，去了保你满意。”

“这些都是次要的，关键是他那边用得上我。”

“他下面有个武器设计研究所，有你的用武之地。”

石永伟突然想起，“哎，惠子呢，不是也回来了，人呢？”

陈家鹄说：“在睡觉，路上太辛苦了，我去喊她起来。”

石永伟说：“就是，我不但是你的同学，也是她的同学呢。”

惠子这才被陈母放下楼来，与石永伟见了面。往事并不如烟，但面前这个女人怎么也勾不起石永伟对往昔的记忆，她穿得这么朴素、老气，一件完全中国式的印染花布衬衣，像泥土一样抹在身上，顿时让惠子显得乡气、土俗。连陈家鹄都觉得怪异，不由得想发笑。衣服是陈母从箱子底下找出来的，惠子想融入这个家庭，讨老人家欢喜，结果搞成戏剧了。陈家鹄忍住笑，凑近她，从头到脚细细地观察她，像在观赏一件神秘的天外来物。终于还是忍俊不禁，以石永伟的口吻笑道：“惠子同学，你在搞什么幽默，黑色的还是蓝色的？”

“No！ No！不该叫同学了。”不等惠子回答，石永伟接住话头，对惠子说，“在早稻田时你还算是我的同学，现在摇身一变，成了我嫂子了，该叫嫂子才对，是不是？”

“你还是老样子，嘴巴这么快。”惠子红着脸说。

“可你变了，惠子，我要在街上碰到绝对不敢认你。”石永伟的眼睛绕着惠子转了一圈，对陈家鹄说，“哎，你发现没有，惠子的长相变了。”

“是穿扮变了。”陈家鹄笑道。

“真的，我看她越来越像你了。”石永伟认真地说。

“你胡扯什么。”

“我没有胡扯，这是有道理的，俗话说相由心生，这说明惠子心里装满了你。”

“你的意思是说我心里没有她，只有我自己。”

“你就是她，她就是你，你们已经合二为一。”

石永伟十分健谈，聊了半个上午才走。陈家鹄要留他吃午饭，说李政待会儿可能也会来。石永伟却摆摆手说：“不吃了，不吃了，我还有事，改天再聚吧。”他确实有事。他不是一般的老板，而是一家军用被服厂厂长，半个身子在前线，忙得很。

这会儿，李政在哪里是陈家鹄怎么都想不到的。这是个秘密：他在机房街七十号。这是八路军重庆通讯处的办公所在地，也是目前八路军在重庆的最高组织机构，负责人是个宁夏人，回族，组织代号“北斗星”，同志们都叫他“天上星”。以后，该处将与武汉八路军办事处合二为一，改组为八路军重庆办事处，下设六组一科。一科就是外事特工科，主要负责外情联络和地下组织发展工作，由天上星担任领导。这是个相对独立的部门，工作保密度高，需要埋名隐姓。为此，同志们延续了老称呼，依然叫他天上星。这是后话。

话说回来，李政怎么会在这儿？

李政其实是延安的人，是打入国民党内部的布尔什维克，发展他的人正是天上星。这会儿，李政和老钱正坐在天上星办公室里，等待天上星接见。天上星的秘书小童，正在给他们泡茶。他泡好了茶，递给老钱：“来，喝茶，天上星同志接个电话，马上就出来。”老钱象征性地喝了一口，笑道：“听说大首长最近在重庆？”大首长指的是周恩来，这段时间他经常在武汉、重庆两地跑。

童秘书笑着摇摇头：“这是秘密，我不知道。”

老钱说：“武汉要守不住了，我们可能都要过来了。”

正说着，高大、魁梧、黝黑的天上星从里屋出来，一见老钱，如见故人，很亲切，“你就是老钱啊，你好，你好，我们在电报上已经多次联络过，这次辛苦你了。”

老钱紧紧地握住天上星的手，“哪里，哪里，应该的，我没有完成任务，没能说服他去延安，惭愧哪。”

天上星请老钱和李政都坐，自己也坐下，慢条斯理地说：“这没什么，在我们的意料之中，组织上本来就没有这么乐观，安排你们接触他一下，主要是想试探试探他，看他对延安是个什么态度。”

老钱说：“态度是比较消极的，我感觉他对延安不是很了解。”

“不了解很正常。”天上星说，看看李政，“他离开祖国已经好几年了吧？”

“嗯，五年多了。”李政接过话头，信心满满地说，“我相信以后他会了解的。”

天上星指着李政对老钱说：“他是陈先生的同乡和老同学，这次陈先生回国他是引路人。”

李政对首长说：“我刚才都已经跟他说了。”

老钱看看李政，笑道：“你说迟了，我要早知道这些情况，就不会这么贸然动员他去延安了。”

天上星看看两位，“你们以前认识吗？”

两人点头。汉阳有三个兵工厂，是兵器部的老窝子，李政经常去，每次去都会跟武汉八办的人联系，帮他们弄点武器。老钱掏出随身的手枪，“这把手枪还是李处长送我的，你看，好着哪，德国货，声音小，射程远。”

李政接过枪，把玩一下，“你就是用这把枪救了我的老同学？”

“是啊，就是它。”老钱收了枪，“可惜我枪法差了点，让敌人跑了。”

天上星沉吟道：“鬼子反应这么快，还下杀手，我还真没有想到。”

老钱说：“问题可能在他身边的女人身上，她看上去文文静静的，但谁知道她的底细呢。”

李政说：“我听陈家鹄说起过，她有个哥哥，好像是在日本情报部门工作。”

天上星沉吟道：“问题可能就出在这儿，否则敌人的消息怎么会这么灵通呢。”

老钱说：“现在的问题是他的安全，他并没有意识到自己的安全有问题，他甚至怀疑鬼子对他下手是我们安排的，想吓唬他，骗他去延安。”

天上星笑道：“这说明他对我们共产党真的很不了解，我们不搞偷鸡摸狗的事情。”

李政笑道：“他数学这么好，也不算一算他的危险系数有多高。”

老钱说：“我觉得现在还是要派人保护他，尤其是开始几天，情况不明，还是小心为好，万一敌人跟过来呢。”

李政对老钱笑道：“你放心，我们领导早已经有安排了。”

天上星看看老钱，“是的，我们已经在他家对门租了房子，派了人在保护他。”

老钱自告奋勇，“我建议还是由我和小狄来负责保卫，如果敌人跟过来，我们毕竟还认识那两个家伙。”

“嗯，这个建议好。”天上星对老钱笑道，“同时我还要建议你，就留在这儿干好了，我跟山头领导说一下，我们这儿正缺人手哪。”

“不需要说，”老钱从身上摸出一封信，递给天上星，“你看，山头已经把我安排给你了。”

“哦，这太好了。”天上星当场拆开信看，看完了对李政吩咐道，“那就这样吧，你现在就带老钱和他的助手过去，把人换回来。确实，安全第一，当务之急是要保证他的安全，然后还是老计划，尽快让他去你那儿报到，上班。人在你身边，你可以慢慢地做他的工作，日积月累，潜移默化，最后我们还是希望他尽快去延安。”

“放心吧，”李政充满信心地说，“我一定会动员他去延安的。”

“我就要你这句话。”天上星立起身，边走边说，“要发展一个同志不外乎‘情理’两个字，现在在感情上你对他占了友情，唯一缺的就是个理，他需要一个说服自己去延安的道理。但理这个东西啊，除了诱导和说服之外，更多的还是要靠自己的觉悟，只有自己觉悟才能够透彻坚定。”

老钱说：“我感觉，让他有觉悟还要一定时间。”

天上星说：“是的，我们需要时间。事实证明，欲速则不达。所以，下一步我们要明确工作思路：第一，他现在不愿意去延安我们要理解，毕竟他对我们不了解，说实话我们对他也不了解。第二，不要气馁，要继续做工作。李政，这个任务就交给你了，今后主要靠你去影响他，引导他。”

“嗯。”李政认真地点点头。

天上星继续说：“第三，你现在的身份对我们很重要，暂时不要对他暴露你的真实身份，因为他现在的思想状态你并不了解，别弄巧成拙。”

“嗯。”李政再次点头。

陈家租的是一个古式小宅院，临街是一栋两层楼房，有三个开间，当中一间被打通，做了门厅和过道。穿过过道，迎面是一个小庭院，连着山坡，山坡

和正楼之间搭有两间临时平房，有点厢房的意思。以前，这里有两户人家，庭院两家人合用，过道右边是陈家，左边是另一家。两家人合住在一个屋檐下，自然有些不便，但在这年月的重庆能够租到这样的房子已属不易，是全靠李政的关系上下疏通才租到的。陈家鹄两口子回来前，李政又动用关系，把另一户人家调整走了。现在陈家在这里是独门独户，属于权贵级待遇。

陈家对面是一溜平房，六个开间，房东留用两间，出租四间，原先是四户人家。这两天相继搬走两户，新住进来的人都是清一色的大男人，一间两人，共计四人，都操外地口音。房东看他们，怎么都觉得不顺眼，大白天闭门不出，吃饭不开火，下馆子，看人不正眼，形迹诡异。越诡异，房东心里越不踏实。下午晚些时候，李政带着老钱和小狄来“换防”时，房东的女人想干涉，发现李政身上别着手枪，吓得不敢进门，灰头土脸地溜走了。如果她知道，李政带来的两个人，还有昨天晚上入住的另外两个人（黑室的小周及随从，就住在房东隔壁），身上都藏着枪，她一定要吓得逃走。

就这样，冷僻的天堂巷，因为陈家鹄和惠子的入住，暗流涌动。

天刚抹黑，老钱听到巷子传来脚步声，立刻躲到门背后窥视，看到李政立在陈家门前举手敲门，一边大喊：“来客了，开门。”睡在里屋床上的小狄霍地坐起身，问：“是什么人？”老钱走进来，对小狄笑道：“反应很灵敏嘛，没事，是李政。”

小狄说：“他不是才从我们这儿走嘛。”

老钱说：“这就叫小心。”

李政从老钱这里出去后，没有马上去陈家，而是上山去转了一圈，等天黑了才冒出来。虽然他不知道隔墙有别的耳目，但他的秘密身份已经让他形成了小心行事的习惯。

小狄想起床，老钱按住他，“要干吗？你睡觉。”

小狄说：“这么早，睡不着啊。”

老钱说：“必须睡着，否则后半夜你怎么站岗？”

小狄躺下，望着天花板感叹：“想不到一转眼成重庆人了。”

老钱抽出一支烟，笑道：“这不正好嘛，川妹子多漂亮啊。”

“我看他们家有个小女子，长得确实水灵灵的。”小狄说。

“知道是什么人吗？”

“什么人？”

“陈先生的妹妹。”

咫尺之外，陈家燕已经为李政开了门，正领着他进屋，一边欢欢喜喜地嚷嚷着："加筷子，加筷子，贵客驾到。"

李政看一家人都聚在庭院里，围着桌子准备开餐，乐得摇头晃脑，拿腔拿调地说："有道是来得早不如来得巧，我的口福怎么会这么好呢。嗯，好香，这些菜都是我爱吃的。"

陈家鹄把他拉在身边坐了，"我知道，你是算好时间来的。"

李政接过家燕给他的筷子，直接往一盘菜里伸，"呀，这菜色香俱全，看了就想吃。"

陈家鹄一把抓住他的手，"懂不懂礼貌啊，我爸妈还没有开筷呢。"说着先给父母亲搛了菜，请二老先品尝。

李政的大脑袋又摇晃上了，"对不起，对不起，伯父伯母，我是跟你们太熟了，忘了尊卑。"说着也想给二老拈菜。

陈母客气地挡掉了，一边说家鹄："你呀，哪来这么多名堂，人家李政跟我们吃饭的次数可比你要多。"

家燕学着李政的口气说："那也不能忘了尊卑。"惹得大家都笑了。母亲轻轻打她一下，"就你话多。"

话多的当是陈家鹄，他憋了一肚子话要问李政。昨天，李政在码头上当着陈家鹄的面不好与老钱相认，只是暗暗打了个招呼。所以把陈家鹄送回家后，李政没有久留，编了个说法告了辞，去找老钱他们了。今天李政又是姗姗来迟，陈家鹄心里压着好多问题，如鲠在喉，不吐不爽。吃罢饭，陈家鹄迫不及待地把李政拉进客厅，摆开架势，倾吐衷肠。

"李政，我很纳闷，我这次回国延安的人怎么会知道的呢？"陈家鹄表情肃穆。

"这有什么奇怪的，那你说鬼子怎么会知道你的行踪？那些搞情报的人是无孔不入的。"李政与老钱见过面，对陈家鹄的问题完全可以对答如流，已经打过腹稿的。

"他们对我的过去好像很了解。"

"什么过去？"

"我在日本的事。"

"你在日本的事本来就不是什么秘密，只要跟你一起留学的人都知道。现在延安有不少从外面留学回来的人，说不定还有你的同学呢。"

“现在国共关系怎么样？”

“很好，一家人，精诚合作，共御外侮。你刚才不是说了，他们明知道你要来重庆工作，可为了你的安全，还专门送你过来，这就是合作。”

“嗯。”陈家鹄点点头。

“爱才啊，”李政看看陈家鹄说，“共产党是最爱人才的。”

陈家鹄指着他笑道：“我看老钱他们该来动员你去延安才对。”

李政诚恳地说：“我是贪慕虚荣，吃不起那个苦，再说也没你那个才，否则啊……国民党派系斗争太厉害，干着太累了。”

“那你怎么还连写三封信动员我回国？”

“回国没错的，大敌当前，中华民族危难之际，你在国外待得安心吗？”

“确实不安心，说真的，没有你去信我也会回来的。这场战争毁了我当一个数学家的梦想，但我也不可惜。国破家败，如果还自顾自谈个人梦想，那才是没心没肺，你说是吧？”

李政说：“你将来的工作还是跟数学有关的。”

陈家鹄说：“研制常规武器充其量是个工程师而已，不是什么数学家。数学家是在天上飞的，做的是探索天外的事，不是应用工具，我回来就是当工具用了。”

李政试探地问：“那延安喊你去是干什么？”

陈家鹄听了一愣，似乎不想提这事，把话支开去了。

李政把话题又拉回来，“哎，我跟你说，像你这样的大博士，不光是延安要挖你，这里可能也会有很多单位要来挖你，你可不要见利忘义了。你要被人挖走了，我可没法交差。”

“放心，我就看中你的位置，走不了的。”

“准备什么时候上班呢？”

“刚回来，心神不定的，缓几天吧……”

陆从骏不想缓了，他本来是想让小周暗中盯上几天，看看动静再说。但这天晚上他失眠了。失眠改变了他。失眠使他的头脑变得出奇的清醒，于是不期而遇了一个念头，让他如获至宝，兴奋难抑。兴奋使失眠的时间拉长了，直到天光发亮他才迷迷糊糊睡着。醒来已经十点多，没有吃早饭，直接到办公室，桌上已经放着小周监视陈家一天的报告。

情况简单，只有两条：一、有两个人——石永伟和李政——分别去会过陈家鹄；二、昨天午后陈家鹄曾陪惠子去邮局打过一个电话，据查实，电话是打给美国大使馆的。

陆从骏看了报告喊来老孙，问他："这个石永伟是什么人？"老孙说正在调查，"好像是西郊三二〇被服厂的。"陆从骏抬头瞪他一眼，"什么叫好像？这些话不应该是你说的，你可以说正在调查，别把好像的东西拿来当情况汇报。"老孙低下了头称是。显然，马姑娘的上吊自杀对老孙来说是一大败笔，他的身份跌了一大截。现在，他时常从所长的目光中看到严厉和拷问。

"安排车子，跟我走。"陆从骏吩咐，"我们去会会陈家鹄。"

半个小时后，车子停在天堂巷口。老孙关了发动机，下了车，东张西望地拾阶而上，敲开了陈家的门，走了进去。出来时身后跟着陈家鹄，手上捏着一张名片。

陈家鹄跟着老孙来到巷子口，左右四顾，看不见人，"哎，人呢？"

老孙谦逊地笑笑，"我们所长在渝字楼里等你。"

"渝字楼在哪里？"

"不远，开车过去也就是十分钟。"老孙请他上车。

"还开车？"陈家鹄又看了下名片，"我家里有事。"

"这就是你今天最大的事。"老孙依然满脸堆笑，打开车门，上来拉陈家鹄上车，"走吧，陈先生，车去车回，很快的。"

陈家鹄在老孙的连请带拉下，犹犹豫豫地上了车。

可以说好事成双，也可以说坏事成堆。老孙的车刚开走，又一辆黑色轿车接踵而至，停在几乎就是老孙刚才停车的地方。看车牌照，是美国大使馆的车子。车上下来的人叫萨根，是美国大使馆的机要员。他中等个头，四五十岁，戴眼镜，大胡子，但看长相又有点像东方人。他下车后，也像老孙一样，径直往陈家走去。

躲在对面不同房间里的小周和老钱，都从窗户里看见，萨根一边看着手上的地址，一边满怀欣喜地走过来，最后立在陈家门前，小心翼翼地敲门。

陈母闻声出来，见是外国人，一时发愣，问他："请问你找谁？"

"夫人，你好。"萨根的中文说得不错，"请问这个地址是这儿吗？"

陈母看了地址，露出警觉，"是这儿，请问你要找谁？"

萨根说："我找小泽惠子，我是他父亲的朋友。"

陈母哦一声，努力地挤出笑意，"请进，请进。"一边大声喊惠子出来会客。

昨天石永伟来访的事，让惠子多少觉察到母亲对她见外人有顾虑，所以刚才听到有客人来访，她知趣地准备去楼上回避一下，听到喊声又回头了。她没有马上认出萨根，倒是萨根一下认出她来，“惠子，不认识我了？你昨天给我打过电话的。”

惠子惊喜地冲上来，“哎哟，是萨根叔叔，您这么快就来了？”昨天陈家鹄陪她去邮局打电话，找的就是这位老外。

萨根掏出一封信，幽默地说：“是它要我快来的。”

惠子看着信封，“是我爸爸的信吗？”

萨根说：“是，令尊的信一个月前就来了，而你却姗姗来迟，一定是战火拖住了你们的后腿吧？要不你们应该早到家了。”

惠子说：“是的，我们在路上不是很顺利。”

萨根笑道：“真没想到，在这儿还能碰到你，用一句中国话说，这就叫缘分啊，有缘千里来相会。”

惠子乐陶陶地给萨根拉来椅子请他坐，顺手把信塞进了自己的口袋里。

萨根指指她口袋，“哎，这是给我的信哦。”

惠子这才反应过来，不好意思地把信还给萨根。

萨根笑道：“我今天回去就给令尊拍电报，告诉他已经见到你了，也许要不了多久，你就会收到他的信。这封信嘛，还是物归原主。”说着，把信收了起来。

老孙领着陈家鹄走进渝字楼，过堂走梯，上了二楼。二楼左边是个饭馆，正是午间，热闹得很。右边是个喝茶的地方，相对要清静一些。陈家鹄亦步亦趋跟着老孙走进茶馆，老孙熟门熟路地带他走进一个小包间，迎面即见陆所长正在里面品茶阅报，优哉游哉的。

“陈先生好，冒昧打搅，请勿见怪。”陆所长起身相迎，彬彬有礼地请陈家鹄入室。

“您是……”

“陆从骏。”

“他就是我们陆所长，”老孙介绍道，“刚才我已经给过你名片。”

“你就是陆所长，”陈家鹄背诵道，“中美皮革技术合作研究所陆从骏所长。”

“幸会，幸会。”陆所长热烈地握住了陈家鹄的手，“久仰，久仰。”

陈家鹄仿佛闻到一股异味，心里有种不祥之感，手握得非常僵硬，话也说得直通通的，“不知陆所长有何吩咐？”

“岂敢吩咐您？”陈所长笑声朗朗，“您是留洋归来的大博士，大名鼎鼎的大人物，我陆某区区一个所长，岂敢吩咐您。来，坐，坐下聊，我们边喝茶边聊。”陈家鹄坐了，估摸着对方的动机，说道：“陆所长这话我听着不知怎么的，总觉得话里有话，带刺带角的。我看，虽然初次见面，但咱们不必绕弯子，直说无妨，我洗耳恭听。”陈家鹄下的是猛药，准备速战速决。

陆所长不急，“还是先喝茶。”他辞退了服务生，亲自为陈家鹄斟茶，一边对老孙指指两边的包间，吩咐道，“去看看，有没有人，有人就请劳驾一下，我要跟陈先生说点小话，不便让外人听见。完了你就守在门口吧，这战争把人心都打坏了，还是小心为妙。”

老孙出去，合上门，去查看了两边包间，见无一人，便回来立在包间前，脸上不无疑惑。他心想，咫尺之外就有办公室，你不去，非要到茶馆来谈事，而且你一个皮革商人搞得这么神神秘秘、威威风风，谁信嘛。

“来，陈先生，喝茶，喝茶。”

“陆所长不把话说明，这茶我可能是喝不下肚的。”

“陈先生见外了，莫非我有什么话是黑的，不是白的，要专此澄清道明？”

“恐怕连这片子上的东西都是黑的吧。”

“先生是明白人，好眼力。这样吧，陈先生，咱们打开窗来说亮话，名片上的头衔果然是假的，我的真实身份是吃军饷的，官级不大不小，某部情报处处长。”

老孙在门外听到这里，吓得脸都绿了，连忙警觉地四顾。

“非常感谢陆所长坦诚相告，不过……”

“不过什么，说来听听，我既然与您坦诚相见，您也不必藏藏掖掖。”

“我乃平民百姓一个，有什么好藏可掖的。我在想……陆所长系军中要人，对我来说如同天外之人，所以更加不解您找我来是为了哪般？”

“目的只有一个，招贤纳才，希望您到我那儿去工作。”

陈家鹄愣了一下，突然大笑道：“原来是来给我送饭碗的，谢谢，谢谢。可是你了解我吗？陆所长，你招贤纳才，我有何德何能来捧您的饭碗？谢谢您的赏识，陆所长，情我领了，但是有名无实的利禄本人实在不敢冒领，你还是另请高明吧。”

陆所长浅浅一笑，“我当然了解你。”然后从容不迫，娓娓道来，“陈家鹄，现年二十八岁，浙江富阳人。早年就读南京中央大学附中，后因学业出众，连跳两级，直接保举升读大学。大学期间，您代表国人东渡日本，参加菲力斯亚洲数学竞赛，名列亚军，载誉而归。大学毕业后，被公派赴日本早稻田大学留学，投寄一代数学宗师炎武次二门下，攻读数学博士。后因故与日本国政府交恶，改赴美国耶鲁大学深造，年前获得博士学位。从古都南京，到异国他乡，您在数学上的才华，尽人皆知。”

陈家鹄摆摆手，“够了，看来你为了我真是费尽心机了，打探出这么多事情，不愧是情报处长。”

陆所长说：“请先生不要介意，我们了解这些只是工作需要，没有别的意思。”

陈家鹄说：“不介意。不过我这人有个毛病，不喜欢被人打探，也不喜欢打探别人。您的门下我是无心寄身的，因为您干的就是打探别人的事。”

陆所长说：“现在是大敌当前，全民为兵，有识之士都在为抗日出谋出力。陈先生学贯中西，见多识广，正是我们急需的良才。我们需要您，希望先生不要拒绝。”

陈家鹄说：“国家兴亡匹夫有责，我陈某此时回国正是心怀报国之志，但陆所长的诚意实在不敢领受。”

陆所长劝他，“你不要这么快拒绝，现在没有想好我可以给您想的时间，一天，两天，都可以，不必这么贸然拒绝。”

陈家鹄摇头，“绝非贸然，贵处的门槛太高，我陈某实在不敢高攀，请陆所长谅解。”

陆所长看着外溢的茶水在茶几上蜿蜒而下，无语，直到陈家鹄欲起身告辞方才阻拦道：“且慢，陈先生，且慢。既来之则安之，不必如此性急，我们再谈谈。”

“没必要了。”陈家鹄断然拒绝。

“您认为没有谈的必要，而我觉得恰恰相反。”陆所长又给他添了茶水，笑道，“我觉得我们很有必要谈下去，您刚才也说了，国家兴亡匹夫有责，您心怀报国之志，我那里正是实现你理想之所，又为何拒绝？”

陈家鹄说：“条条大路通罗马，报国并非只有你这边一条路。”

陆所长问：“我这条路有何不妥？”

陈家鹄犹豫一会儿，“恕我直言，我对您这种部门没有好感。”

陆所长笑道：“您认为我这是什么部门？”

陈家鹄指指名片，“还用我说吗？这张片子就已经说明一切。你看，改头换面，埋名隐姓，秘而不宣，疑神疑鬼。”指了指毛玻璃外面老孙模糊的身影，又说，“他此刻的模样就是您这种部门的特点，人无面目，只有模糊的影子。也许您并不叫陆从骏，是吧？”

陆所长爽朗而笑，“这都是为了安全的需要。”

陈家鹄道：“换句话说，也就是您的工作缺乏安全感。”

“所以您害怕来？”

“不是怕，而是不感兴趣。对不起，我难以从命，要先走一步了。”

“不妨三思。”

“已经三思了。”

陈家鹄起身往外走，陆所长也不再强留，“俗话说，强扭的瓜不甜，既然先生执意要走，我祝先生一路走好。”拉开门，喊老孙，“送陈先生回家。”

陈家鹄对老孙说：“谢谢，不需要。”

陆从骏说：“他听我的。”

老孙打一个手势，“陈先生，请。”

陈家鹄不从，扬长而去。老孙追出去，陈家鹄回身挡住他，“听我的，留步，我的脚走遍了世界各地，还走不回家吗？所长阁下，强扭的瓜不甜，喊他回去吧。”

陆从骏这才把老孙唤了回去。老孙回头看所长喜滋滋的样子，拉上门，不禁发问：“所长，你今天是怎么啦，怎么一开始就跟他兜了底牌？”陆所长仰头望着天花板问：“我跟他说我们工作上的事啦？”

“你不是说……你是情报处处长……”

“情报处处长多着呢，你知道我为什么要这样说吗？”

“不知道。”

“那我问你，如果他今天很爽快地答应了我，你会怎么想？”

“你一定就要他了呗。”

“哼，没长脑袋！如果他今天很爽快地答应了我，我才不要他呢！”

老孙沉思一会儿，恍然大悟，“你在试探他……”

是的，陆从骏在试探他，这就是他昨晚失眠获得的“灵感”。可以想象，如果陈家鹄是日本间谍，你让他来军方搞情报工作他一定高兴坏了。现在好了，他断然拒绝，至少说明他是清白的，可以任用。

老孙说：“可他不愿意来啊。”

所长说：“只有我们不要的人，没有我们要不来的人。”想了想又说，“再看几天吧。倒不是看他，关键是他身边的女人，你叫三号院给我们好好查查她的情况，不要又是一个川岛芳子哦。”

老孙点头称是。

陈家鹄和客人不欢而散，惠子这边的情况也好不到哪里去，虽然开始相谈甚欢，但潜伏着不欢而散的危机。萨根是带着秘密的使命来的，有些话不便当着陈家鹄的家人说，便约惠子出去走走。天气晴朗，空气热腾腾的，山上吹下来的风倒是略有凉意。两人出门后自然往山上走去，边走边说。

“萨根叔叔，你是什么时候来中国的？”

“两年前。可以这么说，你什么时候别了父母，去了美国，我就什么时候离开了美国，来了中国，这个战火连天的地方。”

“您在使馆做什么工作？”

“做这个。”萨根做了个发报的手势。

“发电报？”

“也抄报，”萨根解释道，“报务员，属于使馆里的蓝领，干活的，身上只有秘密，没有权力。正因为身上有秘密，你要替我保密哦。”

“不会的，在这里我想泄密都找不到人。”

“是啊，你这叫背井离乡啊。”萨根深情地看着惠子，“真想不到会在这里见到你。去年，就在这场战争爆发前，我曾去过日本，见了你父亲，大概知道了一些你的情况。可我还是想不到，你都长得这么高了，这么漂亮了。我们该有十年没见面了吧。”

“是啊，十年了，我能不长高嘛。”

“该，应该，女大多变，你现在完全是大姑娘了。”

“什么大姑娘？我都结婚了。”

“你们结婚了？”萨根止步不前，浑身都是惊讶。

“干吗这么吃惊？”惠子满不在乎的样子。

“我是很吃惊，”萨根走近一步，看着惠子说，“你父亲还叫我来劝劝你呢。”

“劝我离开他？”

“是的。”

惠子咯咯地笑，一边继续往山上走，“那迟了，我们就怕有人拆散我们，包括他的父母也不想要我这个儿媳妇呢。所以，我们在回国前举行了婚礼，用我先生的话说，这叫先斩后奏。”

萨根跟着她往前走，“你很喜欢他是吗？”

“当然。他很优秀的，是你们耶鲁大学的高才生，你们国家好多单位都想留用他呢。”

“那你们怎么回来了？”

惠子叹口气说：“是这场战争把他叫回来的，该死的战争。”顿了顿又说，“他觉得他的国家正在遭受灾难，他的父母亲年纪也大了，需要他照顾，他不回来心里过不去。”

“难道你不知道战争的双方是谁？”

“当然知道，所以我们才悄悄结婚，就怕双方父母不同意。”

“你父母至今都不知道你们已经结婚？”

“我没跟他们说，但他们应该知道吧。”惠子侧目看了看萨根说，“我跟我哥哥说了一下，他在上海。”

“你哥在上海？”

“是。”

“他还在军队工作吗？”

“没有了，”惠子肯定地说，“他离开军队了，要不我才不会跟他说，他讨厌我们国家发动了这场战争，和我一样。”

“嗯，”萨根沉吟道，“他现在在做什么？”

“当老板，做生意。”

“什么生意？”

“开药店。”惠子不乏欣慰地说，“有人在杀人，他在救人，我哥皈依佛陀了。”

萨根哦了一声，不知为什么地回头看了看，狭长的巷子里一个人影都没有，好像不在人间。此时他们已经上了山，视野开阔起来，明晃晃的阳光下，远处的一片坟地，反射出一些凌乱的光点，不知是什么。

“你跟你哥见过面吗？”萨根把目光从远处收回来，看了看惠子问。

“没有。”惠子说，“我们没到上海，是从武汉过来的。”

“他知道你到重庆了吗？”

“应该知道的，我在香港给他发过电报，但在这儿没法联系，电报和信都不行，断邮了。”

前方的路边出现了一棵树冠庞大的小叶榕树，铺出一地林荫，树下有一张石桌子，还有四个石墩子。“累了吧？”萨根拂了拂石墩子上的尘土，让惠子坐下，自己却站在旁边，莫名地叹气。

“怎么了？”惠子抬头问他。

萨根摇了摇头，“我很遗憾你爱上了一个中国人。”

惠子撅着嘴说：“中国人怎么了？”

萨根耸耸肩，怪怪地笑道："是啊，中国人很好，勤劳、善良，但同时也愚昧、懦弱。在国际上，中国人除了享有'东亚病夫'的'美誉'之外，还专门充当别的国家的看家犬。"

惠子有点不高兴地说："你这是在侮辱中国人，我看到的中国人根本不是这样。"

萨根弯下腰，凑近脸去，"那么请问，惠子小姐……"

惠子瞪着他，"我不是小姐。"

萨根笑了笑，说："好吧，我的中国夫人，那么请问既然中国人那么优秀，你的祖国又为何要发动这场战争？"

"那是政治家的事，跟我无关！"

"我看你也应该学学做一个政治家。"萨根意味深长地看着惠子，说，"你父亲在信上专门交代我，希望我劝你离开你的中国朋友，回日本去。"

惠子大声说："他是我丈夫，不是我朋友！"

萨根依然和蔼地笑着，说："其实，丈夫也是可以离开的。惠子，相信你的父亲，也相信我，你现在的选择是不明智的，你应该尽快离开他，回到你父母的身边去。你只要决定走，其他事情我都会安排的。"

惠子生气地站起身，瞪着萨根，"谢谢你的好心，我的决定是不走！对不起，我失陪了。"说罢惠子转过身去，咚咚咚地往山下跑，样子像个生气的中学生，又像一个受了委屈的小媳妇。

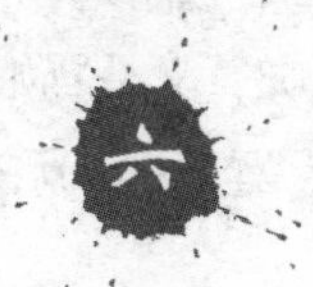

陈家鹄从渝字楼出来，心里闷闷的，便晃晃悠悠地往前走，漫无目的。不经意间，竟来到了石永伟的被服厂。他看着漫天飘飞的棉花丝，听着轰隆隆的机器声，想进去找老同学说说话，解解闷，却被一个门卫模样的老头拦下了。老头问他找谁，陈家鹄说找他们厂长。门卫又问他是什么人，陈家鹄开玩笑地说："我啊，谁也不是，就想要一批货，跟你们做一笔生意。"本以为这样必定会让那人来劲地去叫厂长。结果那人反而更加冷淡，严肃地问他："你是哪个部门的，有批条吗？"

陈家鹄愣了，他哪里知道，现在是战争年代，被子、服装是最紧俏的物资，早被军管了，没有管理部门的批条休想拉走一件。谁敢在私下交易，那是犯法的，要坐牢的。陈家鹄束手无策，好在石永伟在办公室的窗户里看见他，急忙跑出来，解了他的围，同时将盘问他的门卫狠批一顿，像煞一个发了横财的暴发户，蛮不讲理。陈家鹄看不下去，劝他走，“你骂人家干什么，人家也是有责任心嘛，应该表扬才是。走，带我参观参观你的天下。这花絮满天飞，机器隆隆响，看上去生意很兴隆嘛。”

石永伟说：“我这发的是国难财，生意越兴隆，说明前方战事越大，死的人越多啊。”说着领陈家鹄在厂里大摇大摆地走，见人指指戳戳的，大声喊着叫着，吩咐这，吩咐那。

正要带陈家鹄去车间里参观时，防空警报突然拉响，像催命的符咒一样，在天空中呜呜地刮旋着，把人的汗毛都旋得悚立起来。车间里的工人蜂拥而出，像决堤的河水一样往防空洞跑。陈家鹄发现，那些人头上、衣服上，甚至眉毛胡子上都是白色的棉丝、棉花，像从雪堆里钻出来似的。石永伟见陈家鹄傻愣着，一把拉起他，跟着工人跑。

陈家鹄甩手挣脱，说：“我要回去。”

石永伟瞪着他，“你疯了，半路上就把你炸了。”

陈家鹄冷静地说：“没这么可怕，我父母亲有个三长两短那才可怕哩。以前不在身边是管不了，没办法，现在不行，我必须回去。”

石永伟说：“你怎么回去，除非你真是一只鸟！”

陈家鹄扭头看见墙边停着一辆摩托车，便朝石永伟笑笑，然后猛冲过去，骑上摩托车就跑。他果然变成了一只鸟，一只脚踏风火轮的大鸟，顶着呜呜的警报声，风驰电掣般地往他家飞去。石永伟在后面气得又是跺脚，又是骂娘。可跺脚有什么用？骂娘有什么用？还能把日本人的飞机跺回去，骂回去？无奈之下，石永伟只得跑进车库，开出一辆吉普车，去追陈家鹄。

整个城市突然空了，看不到人影，空荡荡的大街上，只有石永伟一辆吉普车在奔驰。一些草屑和纸片被车轮卷起，受了惊吓似的，四散飞逃。天空中已传来了飞机的引擎声，由远及近，由弱到强，像天边的闷雷，轰隆而至。

陈家鹄赶回天堂巷，发现家里空无一人，只有一壶开水正在煤炉上嗞嗞地冒着热气。石永伟把水壶从炉上拿下来，安慰陈家鹄：“没事，他们一定都去防空洞了。”

陈家鹄问：“附近有防空洞吗？”

石永伟说：“多的是，比粮店还多。”然后偏着头，尖起耳朵去辨听飞机的轰鸣，“看样子，今天不像是来轰炸的。”

陈家鹄走出门去，仰望天空，果然看见两架飞机正在盘高、远去。

石永伟跟出来，看了看飞机，“走了，没事了。”

“是来侦察的？”

“鬼知道，可能就是来吓唬人的。”

“经常来吗？”

“反正时不时会来一次，转一圈，这一定跟政府迁都重庆有关。武汉已经守不住了，你看李政他们这些核心部门都已经过来了。”

“可政府主要行政机构还在武汉。”

“那是做给人看的，稳定军心，头脑机关都退完了，前线的人会怎么想？”

陈家鹄点了点头，他有太多话想说，多得无话可说。石永伟把目光从天空收回来，看着陈家鹄，“敌人也在打心理战，时不时来转一下，炸你一下，就是要告诉你，你迁都到哪里我都打得到你。”陈家鹄忿忿地说：“可对平民实行轰炸是违反国际法的。”他在美国和学院里待了太长时间，书生气十足，用石永伟的话说：“你太天真了，鬼子还跟你讲什么法理。”

飞机飞走了，两人在屋檐下的石阶上坐下来。城市仿如吓死过去，依旧静寂无声，悄悄的，仿佛缩小了，只剩下天堂巷。令人窒息的死寂里，阴沟的水流声汩汩传来，有如地狱的呓语。

陈家鹄落寞地望着天空，不由得叹息道：“难怪我爸妈他们对我娶惠子有看法啊，这年月我娶个日本女人，真是太天真了。但惠子真的是无辜的，她对我们中国很有感情。”

石永伟笑道：“我感觉出来了，我看伯父伯母恨不得藏着她，不见天日，连我都见不了。那天我只跟她说了几句话，我对她的印象还停留在她当年暗恋你的时候啊。”

陈家鹄说：“我那爸妈呀，都是读书人，可在这件事情上他们变得跟个乡民一样没见识，把她当个耻辱看。”

“这样吧，”石永伟想了想说，“我来出面安排大家吃个饭，以给你们接风洗尘的名义，给你们补个婚宴，如何？”

陈家鹄顿即高兴起来，紧紧按住石永伟的肩头，“好啊，我一直希望我父母能够请人来聚一聚，吃个饭什么的，也算是给惠子一个名分。我看也不要请太多人，就我们三家人，你、我、李政，家里人都来，好好地热闹热闹！”

石永伟见陈家鹄兴致颇高，不觉也来了兴头，慷慨地说：“好吧，包在我身上，大家好好聚一聚。我厂里的事实在太多，忙忙乱乱的，也好久没有和李政见面了。”

石永伟万万没有想到的是，他出于对老同学的这点关心和好意，却差点办出一个天大的坏事，把陈家鹄的性命悬在了一根线上。

坏事就出在两天后的婚宴上。

石永伟本打算在朝天楼为陈家鹄和惠子补办婚宴，但事到临头又变卦了，把地点改在了重庆饭店。朝天楼是一家普通酒楼，就在朝天门码头附近，虽显嘈杂，但菜做得好，又麻又辣，很合本地人的口味，也是本地人举办寿宴、婚宴的首选之地。石永伟之所以改变主意，不是他贪图重庆饭店的豪华虚名，而实在是被人所迫。

这个逼迫他的人，就是陆从骏。

就在石永伟去朝天楼联系宴席并预付定金的时候，老孙郑重地向陆所长汇报了一个来自三号院的重要情报：陈家鹄当年在早稻田大学里解答的那道暗藏着美军密码的超级数学难题，正是惠子拿到学校里来的，而向她提供这道难题的人就是她哥哥，当时正在日本陆军省情报部工作……陆所长听了这个情况后，着实吃惊不小，沉思良久，方抬头问老孙：“这情报可靠吗？”

“绝对可靠。”老孙言之凿凿，“据三号院那边说，提供这材料的人当时就在早稻田大学留学，与陈家鹄和惠子是同学。他说这事是公开的秘密，班上的人都知道。”

陆所长不放心，要老孙跟三号院联系，追查情报提供人的身份和地址。结果很快就查到了石永伟头上。那天石永伟刚从朝天楼回来，陆所长就带着老孙撵上门来，屏退办公室所有的人，面色严肃地追问陈家鹄和惠子究竟是不是日本间谍。

石永伟惊愕不已，提着大嗓门喊道：“不可能，陈家鹄绝对不可能是日本间谍！”

“为什么？”陆所长冷冷看他。

“为什么？”石永伟嘴里吐出一根棉丝，更是气急败坏，横着眼对陆所长说：“你不是来头很大嘛，你难道不知道陈家鹄在日本的情况？他当时就因为拒绝为陆军省服务，遭到了各种各样的报复，以致不得不离开日本，去美国重读博士。当时他博士都快毕业了你知道吗，可他们就是不给他续签证。这是很欺负人的，侮辱啊，跟当街脱你裤子一样，也只有这种强盗国家才做得出来这种欺人太甚的事。如果是你，受了这种侮辱还会给他们当间谍，可能吗？绝对不可能！”

“那陈家鹄跟这个女人是怎么好上的？”

“你是说小泽惠子？我觉得主要还是惠子欣赏陈家鹄的才华吧。其实惠子比我们低两级，我也不太了解她。”

“你觉得她……小泽惠子，有没有可能是鬼子的间谍？专门派到陈家鹄身边的，她哥哥不是在情报部门工作吗？”

石永伟挠了挠头，一副把握不定的样子，“这……难说，很难说。要说惠子人还是……挺不错的，对我们中国人很友好。我是说那时候，在学校的时候。但是现在的日本人啊，都中了邪似的，不好说。你们从其他渠道了解了解看吧，我能肯定的只有陈家鹄，他绝不可能是日本间谍，那样的话太阳就从西边出来了。”

问题不在陈家鹄身上，这一点陆所长已有基本判断，石厂长不过是让他更加坚信而已。问题是惠子，但对此石永伟无法提供确凿信息。陆所长见问不出什么名堂，准备告辞，在跟石永伟握手的时候，不忘交代：“不过我还是要提醒你，今天我们的谈话内容不能对任何人泄露，尤其是你那两个同学。”

石永伟笑道：“放心，只要对抗日有利的事我都乐意做，包括你以后还可能对我提出的要求，甚至是不光彩的要求。”

陆所长皱着眉头，不解地看着他。

石永伟一副洞察秋毫的样子，笑了笑，说：“难道不是吗？下一步你可能会让我去试探惠子，看她是不是日本间谍。”

陆所长摇头，“这个暂时还无必要。”

石永伟爽朗地笑着，“最好是永远没这个必要。说句老实话，我跟陈家鹄包括他父母的关系都很好，对惠子印象也不错，我可不希望她摇身变成一个鬼鬼祟祟的间谍，更不希望让我去证实。不瞒你说，我正在给他们张罗举行个小婚礼呢。”

陆所长的双眼顿即变成了两把锥子，紧紧地扎着他。石永伟赶忙解释：“陈家鹄娶了惠子压力很大，按说家里该给他们补个仪式，但他的父母至今都没有安排，我就安排了。”

陆所长眼里的锥子变成了花朵，舒然绽放。他拍了拍石永伟的肩头，笑逐颜开，“我给你提个建议，最好把婚礼安排在重庆饭店。”

“为什么？”

“不为什么，就算是对我工作的配合。”

“我需要知道为什么。”石永伟提高声音。

“如果你这被服厂还想开下去，就听我的。”陆所长压低声音，低得要将嘴巴凑到石永伟耳边。言毕转身而去，连个再见都不道，像个吃横饭的地痞。石永伟怔在那里，他看着脚步生风的陆所长，从他冷硬的背影上，感到了一种不容置疑的威慑和霸道。

婚宴就这么改在了重庆饭店。

重庆饭店是当时重庆少有的安全之处，有“废墟上的乐园”之称，住满了各国外交人员、记者和商人，墙壁上和楼顶上涂抹着国际通用的禁炸标志，鬼子飞机对它也另眼高看，从不往它的区域里扔炸弹。入夜后，整个重庆一片漆黑，唯有这里，享受着华灯璀璨的光明，有时还会传出软绵绵热腾腾的歌舞之声，仿佛置身于战争之外。于是乎，各路达官权贵和商贾富人云集在此，花天酒地，寻欢作乐；红男绿女，穿梭往来，珠光宝气，闪烁其间。

但有一个情况，一般人是不了解的，重庆饭店同时还是各国间谍心照不宣的集散地，牛鬼蛇神，魑魅魍魉，时常游弋于此。陆所长要求石永伟把婚宴改在这里，目的就是要利用这里鱼龙混杂的复杂情况，试探惠子，看她会不会露出一点马脚来。出于同样的考虑，同时也为了便于监视，宴席没有设在包间里，而是设在了大厅。

可自始至终，宴席都很正常，没出现值得怀疑的地方。陈家鹄带着惠子、父母、大哥和妹妹家燕来了，石永伟也带着他母亲和小妹来了，两家人显然早已熟识，见面打拱作揖，互相问好，酒桌子上也是一团和气，该敬酒的敬酒，该喝酒的喝酒，一切都按部就班地进行着，礼貌而又热闹。

只是有一个情况，引起了秘密监视的老孙和小周的注意，那就是姗姗来迟的李政。婚礼迟到，本没什么新鲜的，新鲜的是，李政在酒过三巡后，竟然送给陈家鹄一份独特的礼物：一把仿德国品牌的名贵手枪，把在场的人都吓了一大跳。

陈家鹄问李政：“你送我这个干吗？”

李政笑容满面，侃侃而谈：“有两层意思，第一，你现在是有妇之夫，梧桐树上停了凤凰啦，要随时擦亮你的‘枪’，争取百发百中，早得龙种！”引得大家哄堂大笑。李政接着又说，“这第二层意思嘛，现在重庆乱得很，什么牛鬼蛇神都有，你嘛，又是名贵珍稀动物，容易招事惹事，身上有一把枪可以防防身，以防万一。”

陈家鹄观赏着枪，“我又不会使，有它也没有用。”

李政比画着筷子说：“比使筷子还容易，等会儿我教你一下就知道了。”

陈家鹄把枪还给李政，“免了吧，说不定它还会给我惹事呢。”

李政拒绝不接，“收下，别傻了，这可不是一般的枪，在座的各位把身上的腰包掏空了，可能也只够买个准星。你看这是什么？”指着准星和扳机，“一个纯金，一个白银，都是真家伙，不是镀的，你就是当礼品也要收下。我们总共也只生产了三百支，这是我们部长特批给你的，老人家求贤若渴，对你刮目相看呢。”

陈家鹄拿起枪，端详一会儿，讥讽道：“这可能只能当个玩具枪把玩，瞄不准的。”

李政说：“怎么瞄不准？这是完全按德国 B7 手枪模型造的，绝对瞄得准！”

陈家鹄脸上依旧挂着讥讽的笑意，说：“正因为它是按手枪模型造的，所以才瞄不准。”然后就行家似的对着那把枪指指点点，品头论足起来，“你看这是什么材料，钢，比重为 7.87 的轻型钢。可能这也是这款枪设计的材料，但现在准星是比重为 10.5 的银，扳机呢是金，比重为 19.32。这样整把枪的重心就发生了变化，后重前轻，平衡点也随之发生了变化、移动。平衡点变了，整支枪的设计数据都混乱了，还能瞄得准吗？”

一席话说得大家惊异不已，屏息静气，瞪大两眼愣愣地看着他。李政听罢，来劲了，“先不说你说的对不对，就凭你这番话，你就该去我们那儿，绝对前途无量啊。收下吧，这是见面礼，也是你的身价。我们部长今天专门说了，让你马上报到，我们刚走了一个人，需要你尽快去发热发光。”陈家鹄笑笑，不答话。旁边的石永伟高兴地站起来，举起杯子说：“来，家鹄，这杯酒我们大家一齐敬你，祝你早日到李政那里去上班，为国家出力，为抗日出力！”

大家纷纷举杯起身。在众人的碰杯声中，李政又大着嗓门对陈家鹄说：“我先干为敬了，明天我就给你送征调令去！”

其实，此时危险已经悄悄来临，只不过所有的人，包括前来监视惠子的老孙、小周和前来秘密保护陈家鹄的老钱、小狄，都未察觉而已。之所以未能察觉，是因为这不是一次事先精心策划的暗杀行动，而是一次偶然又偶然的不期而遇，是狭路相逢。

就在李政等人兴高采烈地闹酒的时候，一个面色阴沉、身材粗短的男人，带着一个姑娘走进餐厅，并在服务员引领下，找好了就餐位置。男人被旁边的闹酒声吸引，抬起头无意识地将视线扫过去。当他的目光落到陈家鹄身上时，他猛地惊住了，两只眼睛顿时瞪得铜铃似的，像见了厉鬼一样。别人见了鬼，会心生恐惧，可那个男人见了陈家鹄，阴沉的脸上顿如夏季的热风喧腾而起，热辣辣地溜过一丝惊狂和喜悦。他赶紧摸出一张钱放在姑娘面前，起身说："抱歉抱歉，实在对不起，我有点事，明天我再来找你。"说完，三步并作两步，飞快地往饭店外面走去。姑娘是个妓女，拿了钱，又不需要身体上的付出，等于是白捡了个便宜，顿时高兴坏了，朝那男人挥着手说："谢谢，谢谢大哥，要记得啰，明天我等你的啰。"男人根本不予理会，转瞬就走得没了踪影。

这匆匆离去的男人并不是一般的嫖客，他就是在武汉曾经对陈家鹄实施暗杀的两个日本特工之一，名叫昭七次三。因在武汉的暗杀行动失败，他的同伴已被送到前线去打仗了，而他因过去立有大功，加之与惠子的哥哥素有的关系，被秘密派到重庆，接受少老大和桂花的领导与监视，以戴罪之身，继续完成暗杀任务。

事实上，那次暗杀是惠子的哥哥一手策划的。惠子的哥哥确实在上海开了家药店，铺子里烧着香火，供着观音菩萨，时不时还在门前架锅赠粥，救人于难。但这一切不过是掩人耳目的把戏而已。他的真实身份是日本在华特务机关长松本室孝良的干将。淞沪战争爆发前，他作为南本实隆少将的随从潜入上海，先后加入日本在沪特务组织"竹机关"和"梅机关"，秘密开展特务活动。他比任何人都早知道陈家鹄在破译上的才华，当初正是他执意要把陈家鹄召入陆军省破译机构，事败后也是他在暗中搞鬼，要把陈家鹄逐出日本。因为他发现自己妹妹被这个男人迷上了，他要拆散他们，棒打鸳鸯。哪知道自己妹妹不争气，丢人现眼追到美国去了，把父母气得翻白眼，撂下狠话：限期回来，否则断绝关系。惠子执迷不悟，一时间双方断绝往来。直到去年他开始在上海"大行善事"，惠子才开始与他书信往来，称兄道妹，恢复亲情。这次回中国前，惠子给哥哥专书一信，期盼一见，终因武汉战况吃紧而落空。

其实，惠子根本不晓得哥哥现在的特殊背景与身份。当他得知惠子和陈家鹄的行程后，立即策划了一起暗杀陈家鹄的行动。在他看来，于公于私陈家鹄都该死：于私，陈家鹄是他们家的仇人；于公，他是他们国家的敌人——如果他回国干起破译，必将对日本国造成威胁。这一点惠子的哥哥最清楚，干掉陈家鹄，一举两得！惠子的哥哥毫不迟疑，私自派出最得力的部下昭七次三赴武汉守株待兔，以为十拿九稳，哪知道半路杀出两个土八路坏了事。

惠子的哥哥知道凭自己的力量已经难取陈家鹄性命，便把陈家鹄的情况添油加醋地向南本实隆少将汇报，大肆渲染陈家鹄对帝国的危害。南本在重庆养有两条“野狗”，其一便是少老大和桂花的“夫妻店”，其时正受命要铲除黑室，暗杀陈家鹄的行动就这么落到了他们头上。谨慎起见，惠子的哥哥又将昭七次三派往重庆，配合行动。

昭七次三一到重庆就找到中山路粮店，投到了少老大和桂花门下。当少老大从昭七次三带来的照片上，认出陈家鹄和惠子就是几天前他和桂花在朝天门码头上劈面相逢的那一对年轻夫妻时甚感惊奇。他觉得这是个好兆头，说明这人真跟他有缘——孽缘。

“他到底是什么人？”

“一个要置帝国于死地的人。”昭七次三咬着牙，恨恨地说。

“干什么的？”

“手无缚鸡之力，却可以上天揽月。”

说得神乎其神，是为了让大家对他下面要说的话洗耳恭听。昭七次三继续说：“他是个数学家，曾经在早稻田大学数学系就读，对炎武次二先生的数学理论颇有研究。炎武先生是当今亚洲数学第一人，日本当代密码学之父，帝国当代密码学的理论是在他二十年前确立的炎氏二进叉一理论基础上拓宽发展起来的。东京认为，重庆一旦知道他回来，必定会想尽一切办法拉他去黑室尽职，这对我们极为不利。所以，必须找到他！干掉他！”

少老大听罢，惊喜不禁。他感到冥冥之中有神灵在帮助他，不仅要他灭了中国的黑室，还要他杀了帝国的心腹大患，建立奇功。这对于刚被皇军纳编授予少佐军阶的他来说，无疑是一针强烈的兴奋剂。他立即命令冯警长密切配合昭七次三，全力搜寻陈家鹄的下落，并给他们下了死命令：一旦发现陈家鹄的踪迹，格杀勿论！

可让昭七次三根本没有想到的是，他第一天出门，本意是想找个妓女解决一下生理问题，不料却与陈家鹄不期而遇。可以想象昭七次三心里是多么惊喜，他急匆匆地往饭店外面走的时候，右手已迫不及待地伸进了怀里，他握枪的手都在颤抖。

按规矩，昭七次三理应将这一情况紧急呈报少老大，可是他没有，原因有二：一，陈家鹄是从他枪口下溜掉的，他要亲手宰了他，将功补过；二是时间不容许,因为陈家鹄等人随时都可能筵终人散,消失在茫茫人海中。天赐良机,守株待兔的机会又来了，他不相信自己的运气会这么差，会再次失手。天黑下来了，昭七次三很容易地在黑暗中找到了理想的射击点：一辆带篷罩的黄包车。他提前给车夫支付了双倍的车钱，让车夫把车停在正对着酒店大门的一棵大树背后，既能打，又能跑。他甚至想好了，如果车夫到时临阵逃跑，他还可以自己逃跑。

他的右手一直插在怀里，紧握着枪，枪体已经被激动的手焐热。他望着灯火通明人声鼎沸的重庆饭店，想象着陈家鹄走出饭店，他拔枪射击的情景。他听见子弹呼啸着射入陈家鹄的身体，还看见镌刻着天皇头像的帝国勋章从天而降……

天上能降祥云，也降祸水，真所谓天有不测风云，人倒霉时喝口水都要呛死你：一个人用不要命的身体挡住了他通向天皇勋章的路，另一个人则用枪，打爆了他充满幻想的脑袋。

这个用身体挡路的人，就是小狄。当陈家鹄、李政等人喝得醉醺醺的，准备带着妻儿老小回家时，小狄在老钱眼神的示意下，抢先一步出了饭店。小狄的任务是侦察外面的环境，看有无异常情况。八点多钟，正是酒店人流高峰，吃饭的要回家，过夜生活的刚出来，门口不时有来来往往的人。小狄夹在人群中往外走，目光四顾，突然看到一个熟悉的身影坐在一辆黄包车上往外张望。他没有一下子反应过来那人是谁，只觉得有点面熟，多看了一眼。

适时陈家鹄等人已经从门内走出来，李政的军车鸣着喇叭开过来，停在酒店门前，刚好挡住了昭七次三的视线。陈家鹄的酒喝到位了，小狄听见他在背后大着舌头嚷嚷，执意不肯上车，要三位老人家先上车。转眼间，小狄有意无意地发现昭七次三的三轮车往前挪了位置，而且昭七次三的目光一直盯着陈家鹄,右手一直插在怀里,感觉有点不对头。他回头找老钱,看老钱刚从门里出来,便对他做了个手势，示意他过来。当他再回头去看昭七次三时，发现他已经掏出枪，准备射击。

砰——

枪响了，小狄几乎本能地一个飞身鱼跃，用身体迎接了子弹。中弹的小狄凭着信念的力量朝枪口猛扑过去，信念的力量居然这么强大，他像只大鸟一样张翅而飞，直扑昭七次三，令他惊惧失措。

砰——

枪声又响，小狄再次中弹，抽搐着轰然坠地。正是这一枪，让昭七次三暴露在老钱的视线内，他短暂的惊惧也给老钱赢得了宝贵的时机，及时射出了复仇的子弹。

砰——

又一声枪响。感谢老天，这一回老钱没有失手，子弹钻进了昭七次三的脑门，他最后凭天皇意志击发的子弹射向了天空，他的性命也像这颗子弹一样向天上飞去，不知去向。

遽然出现的枪声和血腥场面，让陈家鹄等人惊慌不已，一帮人惊叫着，混乱着，扶老携幼，纷纷往饭店里退避。现场人多，事发突然，加之老钱和小狄都是乔装打扮，陈家鹄和惠子难辨真伪。他们都不知发生了什么事，不知小狄和昭七次三是为家鹄而死。包括一直盯梢的老孙和小周也不知缘由，以为是一帮地痞在火并，没有去管，事后也没去追查。

只有陈家鹄父母，对喜庆的婚宴之夜大闹血光之灾，不免忧心忡忡。日后，当儿子和惠子的婚姻在凄风苦雨中不可避免地告终后，两位老人家总会想起这场突发而至的血灾，不时地喃喃自语：苍天在上，人间万事都是老天注定的。

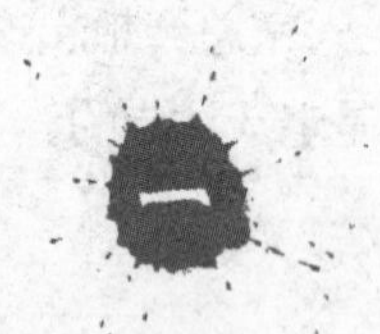

从重庆饭店回来，惠子心里暗自高兴，像在银行里存了笔秘密款子。她似乎从热闹、喜乐的酒宴中，从李政、石永伟等人敬酒的热情里，还有陈家鹄父母春风满面的笑容上，看见了自己融入陈家的希望。

次日，天刚蒙蒙亮，她就窸窸窣窣地起了床。旁边的陈家鹄睡眼蒙眬地问她："干吗呀，起这么早？"她将嘴巴附在他耳边，轻声说："你不是说，'精神'所至，金石'会'开嘛。"

陈家鹄睁了下眼，又闭了，"你说什么呀？"惠子翻身下床，笑着说："没什么，我要去帮妈妈烧早饭。"陈家鹄这才清醒过来，撑起半个身子说："不是'精神'所至，金石'会'开，是'精诚所至，金石为开'。"

惠子在房门口回转身来，妩媚地笑道："知道啦，精诚所至，金石为开。"朝他扮了个鬼脸，就咚咚咚地朝厨房跑去。

厨房里，陈家鹄的母亲正在烧早饭。锅里弥漫着蒸气，灶台一角的煤油灯在蒸气中一闪一闪的，屋顶上几块亮瓦漏下几缕朦胧晨光，母亲在这光影里，身影也是朦胧的。惠子弯着腰恭恭敬敬地叫了声："妈，你早。"母亲甚感意外，抬头望着她。惠子笑眯眯地走上前，接过母亲手上的家伙，"我来帮你烧早饭。"母亲惊异地看着惠子，不知说什么好。

惠子灶上灶下地忙活起来，一边忙活一边说："妈，我今后天天来帮你烧早饭。我……我要学着做陈家的好儿媳妇，做……做中国的好儿媳妇。”说着脸竟红了，眼里的两汪秋水在柴火的映耀下，羞羞地晃动着。“好，好，好哦。”母亲望着羞涩的惠子，脸上的皱纹漾开去，柔柔的，像外面的晨光一样，充满了怜惜与爱意。

这天早上，陈家人第一次吃到了惠子烧的早饭。大家都夸奖惠子的早饭烧得好，只有大哥家鸿苦着脸坐在桌角，闷着头扒饭，一声不吭。家燕看不过去，伸过筷子去敲他的碗沿，“哎，大哥，你吃了嫂子烧的早饭，怎么连一声谢都不说呀？”家鸿哼一声，丢了碗筷就走。惠子怔怔地看着家鸿的背影，脸上充满讶异和尴尬。母亲赶紧出来打圆场，对惠子说：“你大哥就是这个脾气，别理他，我们吃饭，吃饭。”

刚吃完饭，惠子正帮着母亲收拾碗筷的时候，李政风风火火地推开门，闯了进来。陈家鹄哈哈大笑道：“你这回可来得不巧，我们刚吃完。”

“我吃了。”李政一脸严肃。

“那是给我送征调令来了？”

李政看天井里人多，对陈家鹄使了个眼色，“进屋说。”陈家鹄这才注意到李政的神色不对，脸色像被霜打了似的。他凑上前，小声问：“怎么啦？”

“见鬼了！”李政低声骂道，径自朝客厅走去。两人匆匆来到客厅，未及坐下，李政就拉住陈家鹄，急急地问：“最近是不是有什么部门来要过你？”

“是啊。”

“什么部门？”

“说是什么情报机关的。”

“是不是姓陆的，叫陆从骏？”

“鬼知道这是不是他的真名，反正就是他。”

李政一拍大腿，“我猜就是他！”

陈家鹄并不了然，放松了身体，淡然地说：“怎么，你认识他？”

李政忿忿地说：“我才不想认识他，这种人，仗势欺人之徒。他才从我们那儿挖走一个人，现在又来挖你。今天一大早他就给我送来一号院的通知，说他们要调你，叫我们放手。”

陈家鹄这才重视，愣愣地看着李政。李政嘀咕道：“奇怪，他怎么知道我们要调你呢？”陈家鹄终于明白过来，神情肃穆地说：“他肯定在跟踪我。”李政点头默认。

其实，何止是跟踪，婚宴的地方都是黑室定的，其间一切谈笑风生、好言佳话、是是非非，都被老孙如数收集在案。当天晚上，老孙便赶回五号院向陆所长做了详细汇报：惠子那边明的暗的没有丝毫异常，倒是兵器部冒出事来了，他们要调陈家鹄。

陆所长不顾夜深，当即给杜先生打去电话，把傅将军对陈家鹄的荐词和自己一面之识的感受，以及兵器部要调他的情况，简单做了汇报。杜先生问他："你需要我做什么？"陆所长答："我们五号院需要他。"电话里只传来一句"知道了"便断了线，嘟嘟地响着，像一只潜艇正在秘密下沉。次日天刚放亮，一份密件就由值班人员送到了陆所长的床头。他命人将密件送到了李政手上。

到达的不只是密件，人也紧跟着到了。

就在陈家鹄与李政回避家人、在客厅里密谈之时，老孙拎着一篮水果，走进了陈家，彬彬有礼地向陈家鹄父母问好，并探问陈家鹄。陈家鹄闻声出来，冷着脸问他："又是你，找我干吗？"老孙对他的冷淡视而不见，依旧很有礼貌地问好。陈家鹄皱着眉头，语气很冲，"我本来是好的，见了你就不好了！"

"对不起，"老孙谦卑地笑着，"不是我想见你，是我的老板想见你，让我来接你。"

陈家鹄的情绪已经被李政刚刚提供的情况烘干、焐热，一点就着火，"我要不走呢？你是不是准备掏出枪来逼我走？"

老孙摇头，"不，不，陈先生见外了。"

陈家鹄说："少啰唆，回去告诉你老板——不，应该是处长吧，我不想见他。"

门外响起一阵大笑，陆所长款款地走进来，朗声说道："早知陈先生有脾气，所以甘拜下风，甘愿登门求见。"

陈家鹄先是惊异，继而马上不客气地回敬道："你不怕我们家门槛高吗？对不起，我不想见你，请走人！"

陈家鹄的父亲正在旁边整理一盆花草，见状，回头责备道："家鹄，你怎么这样不懂礼貌！"意外得了援兵，陆所长连忙走上前，对老先生一鞠躬，"陈教授好，学生多年前曾在同济听过您老的讲座，受益匪浅，至今不忘。"转而又对陈家鹄母亲鞠了一躬，"伯母好。"

"哦，你是同济的？哪一年的？"陈父有些惊奇地望着他。

"民国十年，那时候您每年都来我们同济开讲座。"

陈父说是是是，拉过一张凳子，请陆所长坐，把现场的气氛缓和下来。这时李政从屋里出来，陆所长见了，故作惊讶地招呼他，"这位不是李处长嘛，我们见过面的，我们刚从你手下调了一名干将，不错，不错，兵器部果然是藏龙卧虎啊。"

陈母解释道："这个小李啊，跟我们家鹄是同一天生，同一条街上长大的。"

陆所长对陈母点点头，"哦，难怪李处长要把令郎招至门下，可是……"他转头望着李政，声音变得生硬，"李处长，恕我直言，贵部的门槛儿低了些，不适合陈先生高就。"如此公然挑衅，令李政反感，唇齿间不由发出一声冷笑，"跟你的门槛比是低了一些，只怕我的老同学不愿意走高门槛。"陆所长淡淡一笑，"你放心，这是我的事。"

"别理他。"陈家鹄走过来，对李政说，"走，我送你走。"

陆所长在后面追了一句："要回来哦，我有大事要跟你谈。"陈家鹄根本不理睬他，亲热地扶着李政的肩头径直向外走去。场面有点僵，陈父为了打破尴尬，叫家鸿来给客人泡茶。闲谈中，陆所长知道家鸿以前在南京邮政局工作，现在赋闲在家，就表示他乐意张罗一下，或许能帮个小忙。这一下赢得了陈父陈母和家鸿的好感。

陈家鹄送完李政回来，即要上楼。所长见了连忙喊："陈先生别走，你我终究是有过一面之交，何必如此冷落我。我既然来了，总要谈一谈嘛。"

"谈什么？我们没什么好谈的。"

"还没谈怎么知道没什么好谈的。"

"那你说吧，我听着。"

"我们需要找个地方谈。"

陈家鹄瞪他一眼，率先进了客厅。陆所长跟进来，小声道："我们去外面谈吧，你知道，干我们这行的总是疑神疑鬼的。"陈家鹄反唇相讥，说："哼，你连我的家人都不信任，我们还有什么好谈的。"陆所长怎么会这么容易败下阵来，他答得更加漂亮，"不瞒你说，我连自己都不信任。关键是，我要对你的家人负责，我在这儿待久了不好，鬼子把我当成一个香饽饽，可能正在四处找我呢。"

陈家鹄这才正眼看他，显然是被点到穴位了。

所长劝他，"走吧。我知道，出了门往右，走五分钟，有一片乱坟岗，我们去那里谈吧。死人是不需要我们负责的。"说着出去，正好碰到惠子和家燕洗完碗筷，在擦桌子，便又相认了一番。客观地说，看惠子温良、安静得甚至带点儿羞怯的神情和举止，陆所长难以将她和一个间谍联系起来。但他马上又告诫自己，不能以貌取人，俗话说不叫的狗最会咬人，一眼识得破的间谍又怎么能当间谍？

正是盛夏时节，墓地里草长莺飞，蓊郁一片，蝴蝶翩翩舞，昆虫嗡嗡飞，嘉陵江的风越过无数屋脊，飒飒地吹来，在草丛间掀起哗哗的浪语，让人倍感清爽舒服。所长和陈家鹄一前一后向墓地深处走。老孙保持一定距离，若即若离地跟着。

所长边走边颇为抒情地说："这儿真好，死人听不见我们的话，听见了也不会说。我相信死人，不相信活人；我相信背叛，不相信忠诚；我相信阴谋，不相信爱情。有时候，我对自己的职业真是厌倦透了，可有什么用？除了死，没有解脱的途径……"陈家鹄不耐烦地打断他，"你别闲扯了，有什么事你就说吧，我可不想在这种鬼地方待久了。"

"好吧。"陆所长突然变得严肃起来，紧紧盯着陈家鹄，一字一句地说，"我们需要你，请你去我们那儿工作。"

"我要说不呢？"

"抗日救国的大事，我相信你不会说不。"

"我去兵器部也是抗日救国！"

"那对你来说是大材小用了，只有在我们那儿，你的才华才能得到充分发挥。"

陈家鹄不屑地说："据我所知，你们干的都是偷鸡摸狗的事，我又能为你们干什么？"

"你真想知道？"陆所长停下脚步，目不转睛地盯着他说，"死人听见了没关系，但你绝对不能跟任何一个活人说。"

"你就把我当个死人吧，知道了也开不了口。"

"不要说不负责任的话。"陆所长神色凝重，口气严厉，"严格地说，你现在还无权知道，但你恃才傲物，自鸣得意，我不让你知道恐怕也无法让你跟我走。实话告诉你，我不是什么情报处的，我是对日无线电侦听机构黑室的主人，我们请你去是要你破译日军密码。"

陈家鹄震惊了，以装糊涂掩盖内心的惊异，"你说什么？什么机构？我没听清楚。"

"别装糊涂，"陆所长知道，他需要用沉静的锐利去击败陈家鹄，"我要你去破译鬼子的密码。"轻声柔语，言简意明。

"破译密码？"陈家鹄目光炯炯地看着对方，继而又破颜而笑，"你找错人了！我怎么会干这个？闹了半天，居然是个天大的误会，哈哈哈……亏你还是个搞情报的，哈哈哈。”笑声比蝴蝶飞得还欢快。

“你笑什么？有什么好笑的。”

“我笑你，情报头目搞错情报了。”

“你笑我，死人在笑你！”陆所长眼睛里透出一束光亮，狠狠地瞪着他，脸上充满讥讽，“你以为这样能骗得过我？你太小看我了，若论了解你，我超过你的父母。”

“可惜了解的都是假情报。”

“难道你破译美国外交密电也是假情报？”

陈家鹄一惊，脸上瞬息万变，但还是故作轻松地说：“什么美国丑国、密电明电的，我没听说过。”

“想听吗？”

“想，说来听听。”

“说来话长。”

“没关系，我有的是时间，您慢慢说。”

“几年前你在早稻田大学读书时解过一道超难数学题，是吗？”

“是。”

“这道难题将早稻田大学里的所有数学教授都难倒了，包括你的导师炎武次二教授。”

陈家鹄看他一眼，“说，往下说。”

陆所长说：“据我所知，炎武次二是日本最有名望的数学家，他都解决不了的难题，而你竟然毫不费事地将它解决了。”

“你知道的还真不少。”陈家鹄冷笑。

陆所长说：“如果我们再谈下去，你会发现我知道得更多，甚至有些不该知道的我都了如指掌。”

陈家鹄故作镇静，“说啊，继续说，既然你知道得那么多。”

陆所长便继续往下说：“事实上，那道超难数学题是由一份美国外交密电置换出来的。当你解了那道难题时，无异于破译了那份密电。而之前，你从未接触过密码，这说明你有破译密电的天赋，奇才啊！”

陆所长看了看陈家鹄，见他不语，又说：“所以事后不久，日本陆军情报部门派人到学校要你为他们去服务，但遭到你的拒绝。是这样吗？”

陈家鹄觉得来者不善，而且一语击中了他几年前的旧伤，一股无名火忽地从心底蹿上来，不觉提高声音吼叫道：“是又如何，不是又如何？”

陆所长却显得很冷静，笑眯眯地说：“如果是，说明您正如我所料，也正如你自己说的，你有一颗赤诚的中国心，报国心。”

“你高看我了。”陈家鹄冷冷地说，然后抬腕看看手表，“对不起，我有事先走了，请你自便。”说完拔腿下山。

陆所长跟上来，颇具耐心和礼貌地说：“依我之见，一个英雄最怕的是没有对手，没有用武之地。你的才华正是我们民族解放事业急切需要的，我们那里正是你这样的英雄大展宏图之处，我真的不知道你为何如此固执己见？”

陈家鹄不闻不顾，依旧疾步而走。

陆所长紧追几步，又凑上去说：“你身为一代国士的后裔，如今国难当头理当挺身而出，岂有置之不顾之理？”

陈家鹄突然刹步，伫然而立。

“这是一条死亡之路！毁灭之路！自杀之路！不归之路！你休想把我骗去！”陈家鹄突然暴跳如雷，像机关枪一样对陆所长大声嘶吼，连发不止。

陆所长退开一步，轻蔑地说：“这样的话我曾不止一次听汪精卫先生说过，难道你也是求和派？”

陈家鹄稍稍平静了一下自己，喘息着说：“我不是求和派，要投降我又何苦回国？你听错我的话了。”说着就近找了块墓石坐下，一副心力交瘁的样子。

陆所长在他旁边蹲下来，“是啊，我也是这样想，求和投降只要有一张乖巧之嘴和一颗奸诈之心即可，身在异国也不妨，何必漂洋过海、风雨兼程地回来？既然不是和，就是战！而你将要去从事的工作就是为了战，为了战无不胜，为了歼敌于千里之外！”

陈家鹄埋头不语。

陆所长继续说：“兵家言，知彼知己，方能百战不殆。国军所以节节败退，绝非前线将士贪生怕死，而是——正如蒋委员长说的，我们是输在两样东西上，一是装备，二是情报。装备，是国力的象征，冰冻三尺非一日之寒，不过目前我们已从德国、苏联和美国采购了大批武器装备，组建了像第八十八师这样完全德式装备的铁师雄旅，还有特种坦克独立师、空战师，这些骁勇善战的尖刀部队，在中原与敌鏖战血斗，寸土不让，可谓初见成效。而说到情报，这也是一场战争，像破译密码，打的是智力战、人才战。我泱泱大国，人才济济，难道还不能迎头赶上？我们对你已有充分的了解，你是炎武次二的高才生，而现在日本军事密码就是从炎武次二的数学成就上建起来的，你是最适合来干这个的。你一定能够破译日军密码，为抗日救国大业建功立业。”

陈家鹄猛地抬起头来，冷冷一笑，“你说的比唱的好听，你了解密码吗？你知道破译密码是怎么回事吗？”

陆所长笑道：“不知道，所以才如此恳切邀你加盟。你若今天不答应我，我照样还会登门邀请，那样的话我就是三顾茅庐了，你就是诸葛先生了。”

陈家鹄瞪着他，“我永远不会答应你的，因为答应了你，等于是葬送了我的前程。”

“老弟此言差矣，”陆所长摇头，“投身救国救民的大业，怎么能说是葬送前程？”

陈家鹄高声说：“我说的是破译密码！你知道破译密码是干什么吗？是倾听死人的心跳声！你能听到死人的心跳声吗？听到了是不正常的，听不到才是正常的——这就是破译密码，世上再没有比这个更残酷的职业！你让我去干这个，不是葬送我的前程吗？”

“言重了吧，你不就曾经破译过密电吗？”

“那是偶然！”

“对你也许是必然。”

“没有必然的事！我刚才说了，密码破不了才是正常的、必然的，破了才不正常，才是偶然的。”

“就算是偶然吧，偶然有一，就会有二。你想过没有，只要你再有一个偶然，给我军破译一部日军密码意味着什么？意味着前线有多少将士将免于一死……”

他们背后突然发出一声异响，好像是一只铁碗触地的声音。所长顿时噤口不语，迅即起身去坟墓后边察看，发现有一个流浪汉正捧着一只脏乎乎的铁碗，在啃吃食物。从吃的东西看，显然是搜罗来的祭物。此人必是个盗墓贼，而且就栖居在此。一座坟墓已经被他挖空，改造得像个工棚，聊以住人。

陆所长立即冲上去，责问他是什么人，在这里干什么。流浪汉听不懂他的国语，只是一味比画着一双脏乎乎的手，呜呜乱叫。陆所长的脸黑得像锅底一样。他想了想，不再理会这个流浪汉，转过身去，朝远处的老孙招手。老孙跑过来，陆所长在他耳边悄语几句。老孙看看那个流浪汉，将嘴巴凑到陆所长耳边悄语。陆所长显出很不耐烦的样子，瞪眼吼道：“别问我，这你还不知道吗，你是干什么的！”

老孙诺诺地退开，向流浪汉走去。所长则招呼陈家鹄往山下走。陈家鹄扭回身去看老孙，他显然没有放下此事，不知道老孙会如何处理那个流浪汉，会不会把他带走？陆所长自语道："见鬼了，在这种鬼地方，想不到还背后有人。"

"他是本地人，听不懂你的话。"陈家鹄说。

"听懂了也可以装不懂。"

"他听懂了你会怎么样？"

"这不是我的事，是他（老孙）的，让你放下顾虑跟我走才是我的事。"

"你死了心吧，我不会跟你走的。"

陆所长笑而不答，默然往前走了好一会儿才开口："我该说的都说了，不该说的暂时还不想说。"有点威胁的意味了。陈家鹄才不吃这一套，"我倒想听听你不该说的是什么。"

"真想听？"陆所长微微笑道，"其实很简单，就是不管怎么样，你都得跟我走。"

陈家鹄告诉他："几年前那个像你一样的日本情报官也是这样对我说的。"

"不一样，我不是日本情报官。"

"对我是一样的，我依然是一样不想葬送自己的前程，面对的人依然是秘密组织的嘴脸，自以为是，过分地相信自己的权力和能力，不尊重别人的感情和意志。"

"不，不一样！"陆从骏提高了声音，每一个字掷地有声，"他是你的敌人、敌国！而我代表的是你的祖国和无数在前线浴血奋战的将士，无数的父老乡亲，无数的亲人姐妹！"

陈家鹄坦然应对，"是，你说得对，可我代表谁？我代表的是我，而不是你。你不能代表我，强求我去做一件我不愿做的事。"

陆所长拦住对方去路，厉声喝道："可你的国家需要你去做！"

陈家鹄看看天空，像个美国人一样摊摊双手，看似无奈其实无所谓地看着他，"你不必这么声色俱厉，我不是可以吓唬的孩子。正因为我不是孩子，我知道我应该选择什么路，对国家和对自己才是有益的！"陆所长默然不语，只有冷笑。这是他第一次对陈家鹄发出冷笑。陈家鹄也不想再跟他干费唇舌，迈开大步往前走去。

几百米之外，老孙和流浪汉，一个站着，一个坐着，都在抽烟，闷声不语。看样子，两人似乎刚吵过架，又似乎言归于好了。老孙看对方烟快抽完了，又递上一根，"再来一根吧。"对方也不客气，一手抽着，一手又接过了一根，夹在耳朵上。为表示感谢，他让出自己的座位，请老孙坐。老孙谢绝了，用本地话问："老乡，你在世上还有亲人吗？"

流浪汉说："啥子亲人，有亲人啷个会住到这儿来嘛。"

老孙摁灭烟头，起身立到坟头，看所长他们已经走出墓地，消失在一棵大树背后，于是准备行动了。他刚才抽烟，其实就是在等他们走远，好行动。这会儿他掏出手枪，拉开枪栓，把手放在身后，朝流浪汉走去。说来也怪，老孙的身上看上去好像什么也没有，但其实是要枪有枪，要刀有刀，也许还有迷香、毒药什么的。

老孙走到流浪汉身边说："老乡，对不起了。"说着朝他胸背开了一枪。枪口冒着丝丝热气，老孙吹了一下，把枪收了，仰望天空。他不想看见死者临死前的抽搐，直到脚边完全安静下来才收回目光。死者趴在地上，一动不动，生命已经化成一摊污血，钻进泥土。

老孙蹲下身，把死者翻过身，发现死者睁着眼，便帮他抹下了眼帘，对他说："老乡，你是为了保守国家秘密而死的，一路走好。来，我给你挪个位，我可不能让你像汉奸一样，死了都没人敢收尸，入不了土。"

老孙一边说着，一边把尸体往坟洞里拖。优质的坟洞据说是冬暖夏凉的，但对一个死者来说又有什么意义呢？死者知道冷暖吗？

有科学数据表明，在空旷无碍之处，手枪的响声可以传三千米远。老孙开枪时，陈家鹄他们至多相距五百米，陈家鹄不可能听不到。他刚才一直在思忖老孙会如何处置一个可能什么也没有听懂的流浪汉，当枪声打破坟地的清幽和阒寂，惊得无数的鸟儿扑翅飞起，陈家鹄已经猜到了处置结果。这个结果令他比鸟儿还要惊悸，他转身往山上跑去，要去看个究竟。

陆所长挡住他的去路，"你要干什么？"

陈家鹄急红了眼，"我要去看看，是不是你的人把他杀了！"

陆所长抓住他手臂，"你不要管，这不是你的事。"

陈家鹄想硬闯过去，哪知根本不是陆所长的对手。陆所长像棵大树一样巍然屹立着，脚步一动不动。陈家鹄想挣扎，陆所长稍一用力，他就痛得浑身软了下去。陈家鹄疯了似的吼叫："放开我！你们这些刽子手！"这可是陆所长最不想听的话，他手上略为用力，就将陈家鹄旋过身去，并顺势推他一把，"下山吧，那不过是个吃死人东西的盗墓贼而已，值得你管吗？"

陈家鹄回头朝他呸一声，大声说道："我再也不想见到你了，你这个杀人凶手！"然后掉头往山下疯狂地跑去。陆所长怔怔地看着陈家鹄消失在视线里。

老孙处理完事情，赶回陆所长身边。陆所长指着他鼻子骂道："你干的什么事！你不会不出声吗？！”老孙嗫嚅着说：“我想……想让他走得痛快些……”陆所长没好气地吼道：“他痛快了，我难受了，你没看见他刚才跟我急！”

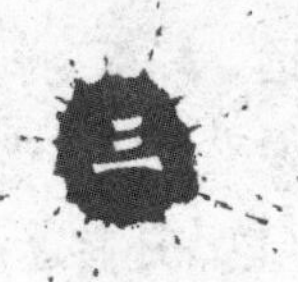

陆从骏急，李政也急。

陆从骏急的是，一个好端端的人才、奇才，他苦口婆心，语重心长，威逼利诱，磨破嘴皮子，似乎都不见效，现在甚至是翻脸了，疯了，绝了；李政急的是，他一手为延安准备的人才都到了家门口，却突然杀出个程咬金，活生生地把他劫了去。

别人能劫，难道他们就不能劫了？李政心里不由一动。所以离开陈家后，李政火速赶到机房街八路军办事处，向上司天上星做了汇报，并建议把陈家鹄藏起来。

天上星摇头，“依我看事到如今，没办法了，你把他藏在哪里都没用，他们都会找到他的。他们可以明着抢，但我们不行，除非你的同学现在主动要求做我们的同志，我们可以帮他忙，让他离开这儿。”

李政说：“这肯定不行，他还没有这觉悟。”

“所以就没办法，只有顺其自然了。”天上星说。可李政不甘心，又建议让陈家鹄自己去找关系，摆平杜先生。旁边的童秘书觉得这是个办法，可以一试，“他们陈家也算名门了，也许上面会有关系。”他说。天上星摇着头说：“难，估计难。那个姓杜的现在位高权重，他要调的人一般人是不敢去找他说情的。”然后又转脸问李政，“你觉得陈家鹄愿意去黑室吗？”

“肯定不愿意。”

“为什么？”

“我觉得主要是他不喜欢这工作，他说去那里面工作是下地狱，不会有好下场的。”

一旁的老钱也跟着点头说：“他跟我谈话中也表露过这个意思，尤其对破译密码深恶痛绝。”

天上星笑道：“他是个智者，知道这东西的深浅。”

李政叹了口气，说：“可能这跟他在日本的遭遇有关吧，他被这工作搞怕了。”

天上星说：“我看他怕也得去，没有回头路了。”

岂止是没有回头路，连旁门左道都被堵死了。

陈家鹄回到家里，还没来得及喘口气，陆所长又带着老孙来敲门了。陈家鹄无奈，只得去楼上躲着，让大哥陈家鸿去开门，并告诉陆所长，他不在家。老孙欲闯进门去，被陆所长拦住，后者知道，机会还在，不必急。他对家鸿说他们晚上还要来，请他转告家鹄，让他务必在家等候。陈家鹄在楼上听见了，气得咬牙切齿，对墙怒骂："见你的鬼去！"

当晚，天刚拢黑，陆所长如期而至。这次，是妹妹家燕开的门。家燕把门拉开一条逢，将自己的脸夹在门缝里，对门外的陆所长说："对不起，我二哥还没有回家。"

陆所长不客气了，令老孙强行推开门，闯了进来。陈家人聚在庭院里，刚吃完饭，一盏昏黄的煤油灯映照着满桌的狼藉，也映照着他们忐忑的脸。陆所长一看他们紧张慌乱的神情，就知道，陈家鹄不是没回家，而是走了，跑了！可当他转脸看见惠子时，心中的一块石头又落了地。他知道，惠子没走，说明陈家鹄不会跑远，他相信只要陈家鹄不跑出国去，就一定能找得到他。

陆所长在院中安闲地踱起方步，脸上挂着轻松的笑意，环顾着四周说："我知道他在躲我，其实没必要，有些事躲是躲不掉的。"他越轻松，陈家人就越紧张，全都不安地看着他。陆所长像个长袖善舞的戏子，长袖抛出去后又马上收了回来。他踱到陈家鹄父亲身边，弯腰礼貌地说："老先生，可否借一步说话？"陈父正有许多事要问他，便点点头，站起身，带着他往客厅走。陆所长竟疾步上前，去托陈父的手肘，样子像个谦卑的晚辈或学生。

院里的人都不觉惊愕地看着他，看着他扶着老先生进了客厅。一进客厅，陈父劈面问："你究竟是什么人？找我们家鹄去干什么？"陆所长不慌不忙地将陈父按在沙发上，说："我的身份是保密的，但先生是令人尊敬的，我也不妨违反一下纪律。"说着就掏出证件递给老先生看，"这是我的证件，你看了不要外传就是。"陈父只看了那证件一眼，就震惊了，"你……你是军委的？"

陆所长笑道："不是黑社会，你儿子手无缚鸡之力，黑社会也不需要他。但他在数学上的才华和成就正是抗日救国最需要的。说实话，他一个人的本事可以抵得上一个野战军！"

陈父惊喜不已，"真的？"

陆所长说："绝无戏言，只是他现在对我们有些误会，所以恳请我敬重的老教授替学生做做工作。"

陈父摆摆手爽快地说："我们家和鬼子于公于私都有不共戴天之仇。既然如此，你放心，我会把他找回来向你去请缨的。中华民族生死存亡之际，每一个国人都责无旁贷。老夫身朽，也甘愿为抗击日寇赴死沙场，他风华正茂更当如此，岂有不从之理。天地良心，孝为先，报国为上，他不从，首先老夫就不依不饶！"

老先生的通情达理令所长振奋又感动。辞别之际他已无担心，他深信，明天老先生就会告诉他，陈家鹄藏身何处。

果然，第二天一早，老先生搭乘电车，去石永伟的被服厂找到了"消失"的儿子。父子俩关在房间里促膝相谈，掏心掏肺，衷肠吐露，真相大白。

父说："家鹄呀，抗日救国是民族大业，你万万不可在这等大是大非上打小算盘，耍小聪明。"

子答："爸，我要是打小算盘就不回来了。我回来就是为了抗日，但他们要我干的事我没法去做。"

父问："他们让你去干什么？"

子说："这是秘密，他专门要求过的，不能对任何人说。这是一个国家的秘密，泄露了是犯法的。"

父说："这说明这工作很重要啊，你应该感到荣幸才是。"

子说："爸，你不了解，这种事……是个陷阱，谁陷进去了一辈子都可能一事无成。再说这也不是我的专业，我要去做，一切都要从头开始，我心里根本没底。"

父说："没底，你可以从头学嘛。"

子道："这不是学的问题。这……这根本就不是一个职业。爸，这是一个阴谋，是人类为了谋杀天才设计的屠宰场！"

父亲惊愕地看着儿子，不知道他在说什么。既然事关抗日救国大业，又怎么成了阴谋，成了谋杀天才的屠宰场？父亲不懂，但儿子懂。陈家鹄深知，破译密码是一位天才努力揣摩另一位天才的"心"，这桩神秘又阴暗的勾当，把人类众多的精英纠集在一起，为的只是猜想由几个简单的阿拉伯数字演绎的秘密。这听来似乎很好玩，像一出游戏，然而人类众多精英却都被这场"游戏"折磨得死去活来，甚至心智崩溃。密码的了不起就在于此，破译家的悲哀也在于此。

陈家鹄见父亲困惑地望着他，只得换一种方式对父亲说："爸，说实话，如果我不了解内情，稀里糊涂地去了也就去了。但现在我知道……我有几个同学现在就在干这个，他们无不悔恨莫及，我怎么能再蹈覆辙。有个同学曾这样对我说，你想一辈子都被废掉吗？就去干这个！你想一辈子都生不如死吗？就去干这个！爸，这是人类最残酷的事业，它把人类的大批精英圈在一起，不是要使用他们的天才，而只是想叫他们活活憋死，悄悄埋葬。爸，相信我，我不会给你丢脸的，我只是想从别的途径来报国救亡！”

父亲似乎懂了他的心思，长叹一口气说：“但你这样躲也不是个办法啊，他们迟早会找到你的。”

陈家鹄苦苦一笑，“他们已经找到了。”

父亲不解地望着他。

陈家鹄说：“是你带他们来的。”

父亲震惊不已，“你是说他们在跟踪我？”

陈家鹄肯定地点了点头。

父亲一脸的焦急，“那怎么办？”

陈家鹄苦笑道：“没办法。”

父亲拍着自己的额头，唉声叹气，“你看我，都老糊涂了。”

陈家鹄安慰父亲，“没事，爸，你不用自责。其实，躲是躲不了的，躲到哪里他们都能找到我。我这样做只是为了表明一个姿态，一种决心，他们看我坚决不从，也许会放过我的。”

陈家鹄想得太天真了，陆所长是干什么的？杜先生是干什么的？只有他们不要的人，没有他们要不来的人。他们既然决心要他，又怎么可能放过他？天真的陈家鹄啊，你终究跳不出黑室的掌控，正如孙悟空跳不出如来佛的掌心一样。

由于地处西郊，相对僻远，除了一些拉被服的卡车外，很少有其他车辆来石永伟的被服厂。可这天午后，却有一辆军用吉普车，在炙热的阳光下，径直开到了被服厂门前。

车上下来两个人，一个年纪稍大，一个年纪轻轻，下车就往厂里闯。老门卫拦住他们。那个年纪稍大的亮了证件，可老门卫并不理会，依旧拦着，伸手向他们要进厂的批条。这就惹恼了那个年纪轻的，刷地从腰间拔出枪来，抵在了老门卫的太阳穴上。老门卫顿时吓得脸都绿了，浑身颤抖着，赶紧放行。

俩人就开着吉普车，昂扬而入。

这就是老孙和卫兵队长小林，他们奉命来给陈家鹄送信。

陈家鹄拆开信，刚抽出信纸，咣当一声，里面竟然还掉出了一颗子弹！陈家鹄和在场的石永伟俱震惊不已，包括前来送信的老孙和小林也面面相觑，颇觉意外。显然，他们也不知情。

信很短，只有三四行，可字字见血，句句封喉，字里行间无不充满着透彻骨髓的威严和杀气。

信如是说——

有人给你送枪，我们送你子弹。殊途同归，都是为了请你高就。不同的是，我们这边没有退路，拒绝要付出生命和荣誉的代价。到此为止吧，再不要考验我们的耐心了！

陈家鹄怒火中烧，当即把信撕得粉碎，往老孙和小林脸上砸，“见你们的鬼去吧，滚！给我滚！回去告诉那个姓陆的，我不怕，几年前鬼子就这么威胁过我，老子不怕！哼，想耍流氓，耍啊，让我见识一下，有胆就拔枪把我毙了！”

老孙和小林任他骂，一副荣辱不惊的样子，石永伟则死死抱住他，不让他与老孙他们近身。陈家鹄挣脱石永伟，冲到老孙面前，指着自己的胸膛吼道：“来吧，有种的你就开枪！这儿，对准这儿，一枪毙命！”

老孙双手交叉放在小腹前，不动声色地说：“跟我走吧，我是执行命令的人，不要为难我了。”

陈家鹄嚷道：“我就是不走，我就是要为难你，怎么着？我再说一遍，要么你有种就把我毙了，要么你们滚！马上滚！”

老孙还是那样平静，“你不走，我们不可能走的。”

陈家鹄冷笑，“要我跟你走，除非你先把我毙了，带尸体走。”

老孙定定地看着他，抬起手去抠鼻孔，别人还没明白是怎么回事，他已快如闪电地摆动身形，突然冲上去，拿出手铐，以迅不可及的手法把陈家鹄跟他铐在了一起：“对不起陈先生，你违抗军令，我只有带走你了。”

陈家鹄气得发疯，猛甩着被铐住的左手大骂道：“你这王八蛋，你铐我算什么本事，你有种开枪啊！”

老孙略一使劲，将陈家鹄拉了个踉跄，“我的任务是把你带回去。”

陈家鹄极力挣扎，极力谩骂。老孙不闻不吭，默默发力牵着他走。陈家鹄顺手操起一个家伙，高举着威胁老孙，“你如果再逼我走，我就砸断我的手！”

老孙愣住了，不敢再逼他，正要好言相劝，陈家鹄瞪着眼说：“你给我闭嘴，我不会听你的，要跟我说什么先解开手铐，你以为我是坟地里的流浪汉，可以让你随便作践！告诉你，即使一个流浪汉你作贱了他照样要付出代价，你想作贱我还要再投胎一次！没见过就这么铐人的，你的政府是黑社会啊，黑道白道都要讲个天道，我今天一没犯法二没有伤天害理，你要铐走我，休想！”

老孙僵在那里。

陈家鹄举起他被铐住的左手，怒喝道：“我再说一遍，解开手铐，不解我就砸断我的手！给你五秒钟，我这就开始数数，数到五，你不动手我动手，我说到做到，不信试试看。”

“一。”

“二。”

“三。”

“四……”

见过不要命的，还没有见过这么不要命的。千钧一发，老孙不敢迟疑，乖乖地给他打开了手铐。陈家鹄二话不说，抬腿就走。走到屋门口，又转过身来，怒目圆瞪，对老孙吼道：“别跟着我，回去告诉那个姓陆的，我已经疯了，被他逼的。几年前我被鬼子就这么逼疯过，想不到我还有今天，被自己的同胞逼得寻死觅活。苍天哪，大地哪，你睁开眼看看，我在过什么样的日子啊！”

扑通一声，陈家鹄跪在门外，抱头伏地。

气得老孙呆立在屋中，喷粗气，翻白眼。

几天后事情有了转机。转机来于多方面：机房街顾全大局的疏通，绞尽脑汁的攻心，还包括陆所长的外围攻势——动用关系，在军人俱乐部给大哥陈家鸿安排了一个当放映员的工作。

机房街这边，李政从石永伟那里得知陈家鹄坚决反抗陆从骏后，为这位老同学的铮铮铁骨和凛然正气大为感动，同时他也觉得这是个绝好的机会，可以趁两边闹得水火不容之际做陈家鹄的工作，动员他另谋出路，去延安。

李政如是这般向天上星做了汇报，天上星沉吟片刻，觉得李政说得在理，“既然陈家鹄已经跟陆从骏翻脸，宁死不从，我们趁势而上，因势利导，也许有一定的成功基础，但成功率不会高，很小。不过你的建议很好，让我突然产生了一个新思路，我想见见他，跟他当面谈一谈。”

以什么理由请他来？天上星召集老钱、李政、童秘书开会，最后找到了一个最佳理由：请他来与救命恩人道个别，送个终。“小狄是因为保护他牺牲的，他应该来与他告个别，送个终。”老钱的建议立刻得到天上星赞同，“对，这个提议好，有些事情我们不妨借机告诉他，这既是为他的安全考虑，同时也便于他了解我们。我们是真正的为他好，即使他现在不领情，还有今后。”

就这样，老钱卸下伪装，戴着服丧的黑色袖箍，出现在陈家鹄面前。“是你，来来，进屋坐，”陈家鹄客气地迎老钱进屋，“我还在惦记你们呢，不知你们是不是回去了。”

老钱沉痛地说：“小狄出了事，他想最后见你一面。”

陈家鹄沉痛地立在小狄的棺木前，棺木上覆盖着鲜红的中共党旗，静静地停放在屋子中央。老钱指着棺材，对陈家鹄说：“其实，自从你来到重庆后，我们就住在你家对门，天天保护着你。”

随后老钱把小狄牺牲的经过向陈家鹄从头细细道来，时间，地点，情节，细节，一五一十，有凭有据。这下，陈家鹄不仅是惊愕，而是傻了，魂不守舍，双膝发软，如在云端。他如梦如痴地愣了好一会儿，突然抓住老钱的肩膀，在沉默中爆发，“为什么？你们为什么要这样做？是谁让你们这样做的？”老钱叹口气，说：“因为只有我们知道你的生命有危险。”

天上星适时走进来，边走边说：“这就是缘分啊，陈先生，我们偶然得知你回国，慕名邀请你去延安共谋抗日大业，不期巧遇你遭敌人追杀。不知则罢，知道了我们就要尽最大努力保护你，这也说明我们对你是诚心诚意的。”

陈家鹄疑惑地望着天上星。老钱给他介绍：“这是我们领导。”天上星上前握住他的手，“很高兴认识你，陈先生。”陈家鹄却不知说什么，只支吾了一下。天上星友好地拍拍他，“人死不能复生，跟他告个别吧。然后我请你喝杯茶，好吗？有些事我想跟你交流一下，我想和你做个朋友。”

天上星的秘书小童是福建南屏人，父亲是个三代相传的茶商，小童记忆里最早的形象是母亲背着他采摘茶叶，那漫山遍野的青绿，一片接着一片，如大海波浪一样翻腾着，无穷无尽。每天早晨，父亲总是坐在屋檐下，优哉游哉地，泡茶，倒茶，喝茶，一杯接一杯，茶香从门缝里钻进来，伴随着茶具碰撞的声音，使他的童年有一种隔世的感觉。生活在一个茶商身边，注定要与茶结下深厚因缘，现在他每天的生活就是从喝茶开始。

喝的是武夷岩茶，叶片粗乱无形，颜色枯黄，泡出来的茶水像黄酒。这对出生在富春江边、从小喝惯绿茶的陈家鹄来说，是一次陌生的体验，在没有入口之前，他不相信这是茶水，而是药水。他甚至担心喝下这杯东西，他也许会被迷魂架走，醒来时可能已经置身在像这杯茶水一样昏黄的大地上：陕北延安。但眼看主人率先两杯入肚，他也放开胆子，呷了一口，舌下顿时生津润滑，精神为之一爽。

好茶！

听话听音，天上星的开场白从茶起头，谈天说地，有理有节，有智有趣，率性随意，收放自如，让陈家鹄有理由放下一颗一直悬挂的忐忑之心。他甚至想，这次谈话有可能像这壶茶：从不安开始，由惊喜收场。

主人道："请容许我首先向你道个歉，由于我们求贤若渴，我们的同志贸然地走进了你的生活，也许给你带来了一些意外的麻烦和顾虑。"

客人答："首长客气了，是我给你们带来了麻烦，以致小狄都牺牲了。"

主人道："小狄为救你而死，死得光荣。我想他一定是走得无怨无悔的，因为保护你的安全是他的任务。"

"你们没有保护我的义务。"

"怎么没有？你是我们中国人的骄傲，你归国是为了抗日救国，以你的才智和学识，将来一定能在抗击日寇的战争中建立功勋，我们当然有义务保护你的安全，每一个中国人都有这个义务。"

"首长过奖了，学生不才，受之有愧。首长找我想必有事相商，不妨说来。"

"好，我们就言归正传，今天请你来主要有两个原因：一，从道义上说，我觉得你应该来与小狄作个别，毕竟他是为你牺牲的。"

"谢谢，理该如此。"

"第二呢，我们感到你对自己的安危缺乏足够的认识，今天告诉你事实真相的目的就是要引起你的高度重视。"

"谢谢。"

"别老说谢谢，不用这么客气。现在我要说的是，我知道你不想去延安，至少目前没有这个想法，我理解、尊重你的选择。但现在，你在这儿的安全受到极大威胁，我们无法保证你不受伤害，去延安我可以保证，那边虽然苦，但形势没这儿复杂。这儿有大批汉奸、特务，还有黑社会，很复杂。怎么样，是不是可以考虑一下？"

“如果我仅仅因为怕死去延安，这样的人你要吗？”

“你偷换概念了，不过你这么说我也就明白你的意思了。放心，我不会强求你去的，我只想告诉你，我们延安很需要你这种人才，比重庆需要，虽然大家都是抗日，但重庆人才多啊，你到延安去可以甩开膀子大干一番事业。”

“谢谢首长厚爱，很遗憾，我确实没有这个考虑，请首长原谅。”

“原谅谈不上，遗憾倒是有。不过没关系，来日方长，我相信我们的诚意你已经有充分的认识，哪天想去了，可以随时跟我说，我亲自送你去。”

“谢谢。”

“又谢谢了，哪有这么多客气，我可跟你不客气了，有些话，我得跟你直说。”

“学生洗耳恭听。”

“如果你非要选择留在重庆，我建议你去黑室。”

“首长怎么知道我要去黑室？”

“重庆就这么大嘛，杜先生又是我们的朋友，现在国共合作了，称兄道弟的关系，既是兄弟就要信息互通嘛。再说了，老钱他们天天跟着你，保护你，你有什么事能瞒过他们，他们都是训练有素的专业人才。”

“你为什么建议我去黑室？”

确实，天上星出了一张怪牌，不论是陈家鹄本人，还是旁听的老钱和小童秘书（他负责泡茶），还是在外面过厅里“偷听”的李政，都觉得不可思议。大家都盼着看他的底牌。神秘的底牌，是鲜花，还是陷阱？

天上星饮一口茶，一边亲自续茶水，一边慢条斯理地道来：“两个原因，也可以说是三个：一，与我们希望你去延安的初衷是一样的，就是为了你的安全，你去黑室就会有组织保护你；二，黑室是个极力主战的御敌部门，任务就是破译日军密码，需要你这种人才；这第三嘛，我了解杜先生这人，凡是他想要的人，他会想尽一切办法要到的。这就是我和杜先生的区别，可能也是共产党和国民党的区别。”

陈家鹄诧异地看着天上星，沉默不语。

天上星笑道：“等着吧，杜先生一定有办法把你弄去，到时候我们就后会有期了。”看看时间，准备收场。坐在外间听他们谈话的李政见他们要出来，连忙躲掉了。李政暂时还不能暴露自己的真实身份，自然不能在八路军这里与陈家鹄相见。

陈家鹄一走，李政就急不可待地跑出来，问天上星：“主任，你怎么建议他去黑室呀？”

“你没听我说吗？”天上星自问自答，“这是没办法的，首先，我们想拦也拦不住；其次，他的安全现在看来问题确实很大，鬼子已追到重庆，千方百计要杀掉他，去黑室对他的安全有利，我们没这么多人力长时间去保护他。”

“可进了那鬼地方，我们就很难跟他联系了。”

“争取嘛，”天上星笑道，“什么都可以争取的。我知道你的心情，留在你身边便于你做工作，好动员他早日成为我们的同志。可现在情况很特殊，我们也要随机应变，不要去硬碰，你执意留他，弄不好还会把你的身份暴露了。就让他去吧，来日方长，从大的方面讲，他去黑室也是抗日，当然从长远看，我们不要放弃他，有机会就要争取他。”

李政苦笑，“我买酒，别人喝了，这个买卖亏大了。”

天上星说：“我没有你这么悲观，不是有句话嘛，山重水复疑无路，柳暗花明又一村。李政同志，世界是圆的，山不转水还转呢。”

陈家鹄刚跨进家门，就觉出了异样，母亲、惠子，还有妹妹家燕，全都在庭院里坐着，却像被什么东西吓住了一样，噤若寒蝉。家燕迎上来，小声说：“哥，你去哪里了，来了位大人物。”陈家鹄皱着眉头问：“什么人？在哪里？”家燕伸手指指客厅。

客厅的门像被家燕的手指开的，陆所长收缩着身子走出来，面带笑容，举止拘谨，像有人押着他。陈家鹄不以为然，哼着鼻子冷笑道：“大人物，原来是你啊，怎么又来了，你以为这是你家吗？想来就来，又想来铐我走是不是？那你应该带一支队伍来！”

陆所长笑吟吟地说：“我是陪杜先生来的。”

客厅门大开，杜先生果然从里面款款走出来，还有陈家鹄父亲、母亲和大哥家鸿，亦步亦趋地跟在后面。杜先生瞟了陈家鹄一眼，问他父亲：“这就是你家老二？”

陈父点头称是，“正是犬子。”然后对陈家鹄喊道，“家鹄，你去哪里了，快过来向杜先生问好。”陈家鹄立在原地不动，父亲眉毛一扬厉声喝道，“过来，别没规矩。”

杜先生淡淡一笑，“不必了，认识了，我们走吧。”回身招呼陈父和陈母，“陈兄、嫂子，一块儿去。还有你，”指着家燕，“也可以去。”家燕诚惶诚恐地站起身来，频频点头应允，好像有枪押着她，把她修理得一下子懂规矩，知沧桑了。陈家鹄看看大家，问：“去哪里？”杜先生看都不看他，径直往外走，“去了你就知道了。”

去的地方是国防部军人俱乐部，今后家鸿将在这里上班，当放映员。这是杜先生下午即兴送给陈家的一份厚礼。所谓即兴，就是说他下午拜访陈家的本意不是来送礼，而是请他们（当然主要是陈家鹄）来这里看一部片子。由于陈家鹄外出，杜先生在陈家耽搁下来，闲谈中陆所长存心提起家鸿失业在家，请杜先生关照，后者便做了个顺水人情。

看的片子是一部日寇在南京实施大屠杀的纪录片。胶片不停走动，枪决，砍头，活埋，奸淫，抢劫，轰炸，放火……银幕上硝烟弥漫，刺刀闪闪，堆尸如山，血流成河……地狱般的阴森恐怖，惨无人道的血腥屠杀，惨不忍睹，让人痛心疾首。

影片放完，灯光亮起，可放映室里依然鬼气森森，仿佛刚才银幕上的噩梦降临在此。陈家鹄和他父母、兄妹惊魂不定地陷在座椅里，难以从刚才那场惨绝人寰的噩梦中缓过来。

杜先生率先立起身，踱到陈家鹄面前，平静、温和、冷冷地说：“听说你是在南京长大的，这就是你的故乡被日寇践踏的真实记录，如果你觉得心痛，就跟陆所长走。如果没感觉就算了，你走吧，但别待在中国，去你的美国、法国、英国，随你，天高任鸟飞。”

陈家鹄望着空荡荡的银幕，久久没有动弹。旁边的母亲眼里早已经噙满了泪水，转头望着他，泪花闪闪地说：“家鹄，你就答应杜先生吧，你都看到了，日本鬼子禽兽不如呀！你不晓得，你大哥的眼睛就是被鬼子炸瞎的，还有你大嫂……小侄儿……都是被鬼子炸死的……”

“石大哥的爸也是被鬼子炸死的。”家燕说。

“我们是碍于惠子的面子不敢跟你说实话。”家鸿说。

“家鹄，你就听妈的话，去吧。”母亲已经泣不成声。

“家鹄，”父亲最后站起来，长长地舒一口气，意味着他有更多的话要说，“如果你还是我的儿子，就听我一句话，不管是上刀山还是下火海，不管你是愿意还是不愿意，不管出于家恨还是国仇，你都跟陆所长走。国难当头，没有最好的选择，只有服从抗战的需要，我老了，如果……”

陈家鹄没有让父亲再说下去，他答应走，“但我有个条件。”对杜先生说。

“说吧。”杜先生双手抱胸，一副洗耳恭听的样子。陈家鹄请杜先生和陆所长走到一边，才说：“我妻子是个日本人。”

杜先生说：“这叫什么条件。”

陈家鹄说：“你们必须绝对信任她。”

杜先生问：“你信任她吗？”

陈家鹄答：“我绝对信任她，为了我，她已经跟家人决裂了，她把一生都交给我了，我要对她负责。我也可以对你们负责，她绝对不会有任何问题，希望你们相信我，答应我，不要对她有任何怀疑。”

陈家鹄知道，只要他们对惠子稍有嫌疑，他们的夫妻情就会被生吞活剥。他所以这么决绝地不愿意去黑室，或许这才是真正的原因。现在，他想把命运掌握在自己手里。

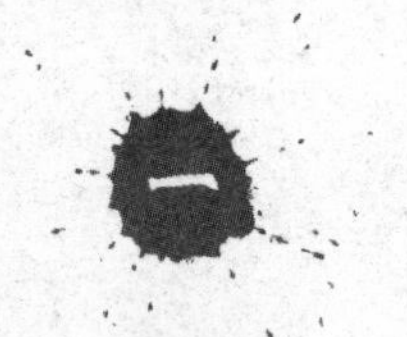

重庆。

雾都。

雾是重庆的魂灵。每天早晨，旭日晨曦降临，嘉陵江上的雾气也随之苏醒，随风起舞，白茫茫，晃悠悠，像一匹遮天蔽日的巨大白纱布，从河坎下漫起，漫向坡坡坎坎，漫向大街小巷，甚至还漫到屋顶，漫上树梢，漫进居民家的庭院和窗户，最后将整座城市和所有的人严严实实地掩起来，裹在一起。雾气中夹杂着一种生石灰的味道，还有浓厚的鱼腥味，再加上居民家潲缸里的怪味和阴沟里的腐臭味。因为雾，这些混杂的气味被久久地滞留，深深地嵌在丝丝缝缝里。旭日东升，晨光乍现，空气清新，小鸟啁啾，悠然见南山。一日之计在于晨。太阳每天都是新的。这些形容早晨美好的词句，对重庆来说犹如梦呓。拂晓时分，黎明时光，你若伫立在重庆阒无一人的街角、巷口，渔火零星的岸边、码头，含混不清的黏滞的光线、气味，甚至气温、潮气，都会使你的身体沉重、厌倦。

重庆的早晨犹如贫穷的街道一样，令人绝望。

陈家鹄就是在这样一个早晨，被陆所长和老孙从家里接走的。这是他到重庆后的第十三天，恰好又是星期五。这两个数字让惠子事后连续多日夜不能寐，她眼前频繁、拥挤地浮现出教堂的穹顶，受难的耶稣，慈祥的圣母玛丽亚，还有那个面容不清的犹大。这两个数字连接着出卖、背叛、苦难、牺牲。这一切都是因为她和陈家鹄的终身是在教堂定下的。

去教堂履行婚礼，倒不是因为信仰的原因，而是由于条件限制，不得以为之，有点土法上马的意思。客居异乡，举目少亲，时间仓促，如何让婚礼办得既简单有效又庄重神圣，教堂不失是个好地方。那里有擅长此道的牧师，有配套的程序，有天真灿烂的笑颜和优美唱诗的童音。最后，他们甚至欺骗了牧师才赢得了一场像模像样的婚礼。临行前的晚上，饱尝离别之伤的陈家鹄安慰惠子，他们投机取巧、贪图方便的行为只会触怒基督及其教徒，因此他们其实是远离了基督，而不是接近，更不是接受，所以那些古老而神圣的教义和规矩对他们不会产生效力的。

无心因而无效。

惠子当时是听进去了，才没有极力劝阻。但事后她又被后悔纠缠，她忧郁地想，丈夫并不是去参加什么比赛，或者某个时间特定的活动，不能改变行期。从某种意义上说，她完全可以借故拖延一天，甚至拖两天，拖过一个周末。她是想到了的，可就是开不了口。她不是个善于开口的人，她性情内向、温和、柔软，更善于默默地忍让。在黎明的黑暗中，她眼看丈夫乘坐的车子消失在迷雾中时，她终于忍不住，流下了滚烫的热泪，热度足以灼伤她的眼睛。

小车出小巷，穿大街，过马路，左弯右拐，爬坡下坎，径直向郊外驶去，向一片茫茫的大雾深处驶去。直到太阳初升，浓雾渐散，陈家鹄才发现，他们的车子已经行驶在一条坎坷不平、曲里拐弯的山径小道上。还是盛夏时节，山道两旁树木葱茏，花草繁盛，但车窗外了无人迹：看不见一座民房，不见一缕烟火。而且越往里走，越是空寂、荒芜、野僻，甚至有些野草都肆意蔓延到了路上，并且生机勃勃。

太荒蛮了！

陈家鹄不由得从车窗外收回目光，扭头问陆所长："要去哪里啊？"

陆所长和蔼地笑笑，道："我们有约在先，不该问的不能问，你问了轻则失约，重则就是犯规。干我们这行的，要学会多看，多想，少说。"然后友好地拍拍陈家鹄，安慰似的说，"没事，你会习惯的。"

陈家鹄哼一声，不屑地说："还是不要习惯的好。别忘了，你们对我也有约定。”

“忘不了。”陆从骏的目光移向窗外，淡淡地说，“我们必须绝对信任你的妻子，她虽然是日本人，其实比很多中国人还爱我们国家。”

“还有——”

“还有什么？”

“杜先生不是说，如果通过培训证明我确实不行，你就放我走。”

陆所长哈哈大笑，“你怎么可能不行？如果你都不行了，那还有谁行？”

陈家鹄瞪他一眼，“强盗逻辑。”

陆所长收回目光，看着他，“不是我不讲理，而是我太了解你，你不可能不行的，所以你不要打小算盘算计我。你是个汉子，男子汉大丈夫，不要搞阴谋诡计，那要掉你身价的。我也不是那些臭官僚，可以随便被暗算的。”

陈家鹄避开他的目光，闷闷地说：“我曾发过誓这辈子干什么都行，就是不干这个——破译密码。”

陆所长笑道：“你这话我已深有领教，不用再重复了。最近我调了那么多人，加起来都没有你这么复杂、啰唆。”顿了顿，又说，“这就是命运的无常，我们的命运都不是自己掌握得了的。不瞒你说，当初我也是不想干这个的，可还是一干就是十几年，而且接下来还要干，干，干完一辈子。在我身边，我听到最多的一句话就是：只有死亡才能让我结束这个职业。”

陈家鹄不想再跟他说话，他这都是在借机教育自己呢。不想领教！他扭头去看窗外，看树木旋转着向后掠去，看青山漫无边际。大约半小时后，车子终于拐下山道，拐进了一道围墙。这是一个建在峡谷深处的大院落，有十几栋平房散布在四周的山坡上，门口有持枪士兵守卫。陈家鹄知道，这就是他们所谓的“培训中心”了。

前来迎接他们的是五号院原临时负责人、现任中心负责人左立。山上空气好，事少，他似乎又长胖了，更像个日本鬼子，脸上肉嘟嘟的。他把全部学员都吆喝来迎接新同学，这些学员显然都认识陆所长，见了面都“陆所长、陆所长”地问好示敬。陆所长把陈家鹄推到他们面前，介绍道：“来，认识一下，陈家鹄，他是从大西洋那边回来的，耶鲁大学的数学博士。”

学员们鼓掌欢迎。

其实总共才五个学员，左立一一介绍：张铭程、吴华、李建树、赵子刚。最后介绍到一个女子，陆所长笑吟吟地把她推向陈家鹄，“还是你自己来吧。”

女子甚是活泼、干练，主动向陈家鹄伸出手去，且不乏调皮，“你好，晚到的新同学，很高兴认识你，握个手吧。”落落大方。陈家鹄伸手与她相握，发现她黑亮的眼珠里盛有自己的身影。这是光照使然，几率只有千分之一。陈家鹄想起，自己和惠子第一次见面时也出现过这种情况。

“听说我们所长三顾茅庐才把你请上山，好大的架子哦。

“俗话说，山不在高，有仙则灵，人不在叫，有价则俏，哈哈哈。

“还有，你的名字可让我出了一次丑，我把它念成‘陈家皓’，哈哈哈。”

滔滔不绝，自唱自弹，活脱脱一出独角戏。

她使人想起林容容。

她其实就是林容容。

林容容不是早进黑室了吗，怎么还来当学员？这就是黑室的德行，在哪里都要玩猫腻，既要明察，又要暗访。说白了，林容容是混在学员中的考官，是眼线。她会出各种稀奇古怪的考题，让你在不知不觉中被考试，被“称斤论两”。日后，赵子刚就是被她考败的，丢翻在她挖的陷阱里，被开除出局。

陆所长给陈家鹄介绍道：“她是浙大数学系的高才生，上个月还是杜先生的机要秘书，相当于杜先生的半只脑袋呢。现在我们急需破译人才，杜先生也只有忍痛割舍，把她送来培训，改行了。”

林容容自嘲：“我们都是国货，怎么能跟洋货比呢？”

陆所长笑道：“你也是洋货，日语讲得很好的嘛。”

林容容说：“我的日语是自学的，漏洞百出，只能唬唬不懂日语的人。”

陆所长说：“那以后就好好跟你的新同学学习吧，陈先生在日本留学多年，日语讲得很好。”

林容容便学着日本人的礼仪，对陈家鹄来一个九十度鞠躬，“陈君，请多赐教。”舒眉展颜，拿腔带调。她还想继续表演，见门口的卫兵急急跑来方作罢。

卫兵向左立报告：山下来了两辆车，一辆是高级轿车，可能是首座驾到。

所长和左立跑去大门口看，果然有两辆车正往这边驶来。所长认出其中那辆黑色高级轿车正是杜先生的，便对左立吩咐：“是杜先生来了。快，把哨兵都集合起来列队欢迎，把教职工都集合到教室里听候首座指示。”

杜先生上山，如晴天霹雳，一下子院子里的天都变了。

不一会儿，两辆车在两列哨兵的敬礼中驶入院内。前面的是警备车，车上有一挺重型机关枪，内有五个全副武装的人。车一停，他们即四散在院内，各司其职，一副训练有素的样子。后面的车尚未停稳，保镖即从车上跳下，左右四顾为杜先生打开车门，仿佛漫山遍野的树林里至少有东南西北四个杀手。

所长及时迎上去，“首座，您怎么来了？”

杜先生举目望着飘飘白云，“我想来就来，这一砖一瓦，一草一木都是我设计修建的，我来这里就像回家一样。”

“这地方是您选定的？”

“是啊，不好吗？”

“好，很好，秘而不宣，隐蔽安全，离神仙洞又不是太远。”五号院就在神仙洞。

杜先生看看两边的山，“关键是敌机来轰炸，这儿是个盲区，不信你上山去看看，两边都看不到的。”

山是凝固的浪花，亿万年前，重庆这地方一定是个波涛汹涌的风口浪尖。雾都之所以为雾都，是因为它首先是个山城，四面环山，山连着山，岭搭着岭，群山崇岭，吸风纳雨，故云雾肆虐。巴山以褶多著称，深山藏土匪，蜀道难，难于上青天。正是因为山多路险，天高地远，重庆才有幸成为陪都。大山既是天然屏障，又是养精蓄锐之地。但是现代战争又有所不同，鬼子的飞机，那一只只巨大的“铁蜻蜓”，凭空而来，腾云驾雾，翻山越岭，时不时轰鸣在巴山之上，盘旋在渝城之顶，扔下成吨的炸弹、传单，让城市颤抖，令人心惶惶。

作为五号院的人才基地，甚至也是备用的办公之所，安全是培训中心的不二选择。杜先生用“敌机盲区”来概括它地理的优势，使陆所长当天不辞辛苦登上了两边的山顶，得以满足好奇之心。

确实，这儿是山的一个胳肢窝，不论是登上左峰还是右巅，占地二十余亩的培训中心像变戏法一样，刚才还是历历在目，转眼间就消失无形了。正是由于杜先生精到的选择，培训中心成了森林中的一片树叶，人群中的人，寻找、发现它不但需要努力，还需要运气。

这是午后的事情，陆所长站在山巅，一边欣赏着山连山的波澜壮阔，一边回忆着杜先生在课堂上的精彩发言，心里头暗流涌动，是一种被热烈情绪鼓动的感觉，像远航的水手隐约看见了海岸线。

初创的培训中心一切都是简陋的，桌椅五花八门，讲台是一张不知从哪个庙里搬来的香案，黑板倒是新做的，漆黑发亮，但送上山时被坎坷的山路颠得裂开了缝。更寒碜的是，窗户的玻璃还没有装，形同虚设，挡不了风，阻不了雨。只有两样东西是郑重其事的，首先是人一个不少，学员、教员和行政人员，无一缺额；其次是大家的神情，肃穆，虔诚，热切，精气神十足，注意力极高。

当然，今天站在讲台上的人，像个传说一样神秘而又广为人知。

掌声经久不息，注目礼隆重不退。杜先生像面对千军万马，双手很有风范地举过头顶，往下压了压，示意大家安静、坐下。待大家坐定后，他才款款走上讲台，简短的开场白过后，朗朗开讲：

“我今天来给大家讲几点。第一，各位是我和陆所长千里寻宝寻来的，万里挑一挑来的。为何而来？为抗日救国而来。前线将士用枪、用炮、用生命、用血肉之躯打击日寇，你们不用枪，不用炮，一般情况下也不用身体和性命。用什么？知识，智慧，才华，天赋。他们在明处，我们在暗处，方式不一样，但内容是一样的，就是抗日救国！为党国效忠！为四万万同胞效命！所以，对党国忠诚——绝对忠诚，为此甘愿付出包括你们生命在内的一切，这是你们必须要有的一种精神。此精神即为你们之魂，之魄，之一切和一切的一切。

“其二，我刚才说了，我们在暗处。明枪好躲，暗箭难防，但如若暗箭不暗，明了，那难防的利箭也就成了废箭，一支竹签而已。到了这里，你们身上的秘密已经相当于一个军团司令，一言一行，一举一动，都涉及国家最高的机密和利益。所以，遵守保密守则，对你们来说如同对党国之忠诚一样重要；这两条是心和肝，是性和命，缺一不可，犹如魂魄。如果缺一，轻则受罚，开除出局，重则丧命，与这个世界作别。所以，这两条，务请各位牢记，要记在心上，不要一失足成千古恨。

“其三，俗话说，一人藏，千人找。都说破译密码是世界上最难最难的事情，为什么？因为藏这玩意儿的人都是世上的天才，人中之极品。对凡人来说，想破解他们的玄机妙想，无异于上天揽月，白日梦而已。但你们都是我们针尖对麦芒找来的天才，天才对天才，输和赢，就像南拳和北腿，要看自己的造化。天道酬勤，天道有时也不酬勤，尤其是破译这个行当。但是归根到底，天道还是酬勤的，因为机缘只提供给有心人。

“其四，属于大家的时间很短，只有三个月。三个月里，你们要完成两大转变：一是身份上，要从一个普通人转变成一个特殊的人，有特殊的工作、特殊的使命、特殊的权力；二是专业上，要从一个研究数学的人才转变成一个术有专攻的破译家。我不懂破译的玄妙复杂，但我知道这是一个天才的职业，是人世间最最高级的智力搏杀。有人说，在人类历史上，葬送于破译界的天才是最多的，我可不想看到你们被葬送，葬送了你们也就等于葬送了我。所以，我强烈地希望你们在这里要抛开一切，要心无旁骛，要竭尽全力地用好这三个月，为将来不被葬送打下坚实的基础。不瞒你们说，对你们，对这件事，最有心的人是蒋委员长，他亲自出面从美国给我们请了一位大破译家回来，现在人已经到了香港，不久你们就会见到他。在此，我要代表大家感谢委员长。”

说罢，杜先生弯腰，向窗外深深地鞠了一躬。

台下的人顿时全体起立，庄严地对窗户行举目礼，那些搞行政的干部和个别来自军营里的学员，甚至还将鞋后跟碰得嚓嚓响，一种发自内心的感动和激情在他们眼里燃烧，在他们脸上流淌。唯独坐在最后一排的陈家鹄，起身得迟，腰杆又没站直，双目无光，神情恹恹的，一副无所谓、无作为的样子。站在讲台旁边的陆所长见了，心中不由一紧一叹。

杜先生显然也看见了陈家鹄那副疲疲沓沓的模样，但没有生气，只是淡淡一笑，说："你们懂规矩我很高兴，不懂也无妨，只要将来能给我破译密码，就是躺着见我，我也不生气。"学员们都不觉地顺着杜先生的目光，扭头去看陈家鹄。

陈家鹄依然无动于衷，耷拉着眼皮，一副无精打采的样子。这是一个他不熟悉的世界，从一个普通的人转变成一个特殊的人，这是一条漫长的路，他才刚起步。甚至，在他心里，根本不屑于起步。这个世界他不仅仅是不熟悉，更叫人忧愁的是不愿接受。

陈家鹄一走，天堂巷明里暗里都冷清了许多，老钱撤走了，小周也不经常来了。小周没有退掉房子，是因为还有惠子。事实上，没有人会因为陈家鹄的保证或是对陈家鹄的保证，完全相信惠子的清白和良心。她内心有没有污点，身后到底有没有长尾巴，这还是个谜，需要时间和事实来验证。因此，陆所长对小周的吩咐是：没事还是给我盯着点。

就是说，有事可以放开她，没事还是要看着。

这个宽严有度的"新政"似乎透露出一点"信任"——对惠子。其实，信任谈不上，但是担忧已经大可不必。在陆所长看来，即使惠子长尾巴，窝藏蛇蝎心肠，暂时已经奈何不了陈家鹄了，因为她不知道后者置身何处。鸟儿飞走了，虽然近在眼前，但去向不明，如泥牛入海，消失无影。风趣地说，陆所长已经给惠子制造了一部密码：爱人身在何方？

家鹄，你在哪里？

这是惠子毕生都没有破掉的"密码"。

家鹄，你在哪里？家鹄，你在哪里？家鹄，你在哪里？家鹄，你在哪里？家鹄，你在哪里？家鹄，你在哪里……这是惠子以后天天念叨的一句话。有一天晚上，这句话被惠子抄写了一夜，写满了一本笔记本，写得手指头滴血，滚滚热泪湿透衣襟，眼睛都快瞎了。如果说开始这仅仅是一句代表思念的话，那么后来这实在是一句恶毒的咒语，每念叨一遍，惠子的生命之息就要少一口，短一截。这是一部置人于死地的“密码”，正如世上其他的密码一样，令人窒息，令人绝望，令人生不如死。每一天，每一夜，绝望吞噬着他们——破译密码者，他们天天徒劳地期待，入梦之前的象征和遗忘的浩渺。

太阳西沉，泥土色的云使天空显得粗俗。

开饭了！

开饭了！

大哥，吃饭了！

嫂子，下楼了！

家燕像只喜鹊一样喳喳叫，把全家人都邀到了饭桌上。尽管餐桌上少了陈家鹄，但惠子发现，每一个人脸上都是喜气洋洋的。可以不夸张地说，陈家鹄走比他回来那一天还让全家人高兴。唯有惠子，闷闷不乐。不只是孤独，不只是思夫之情，还有其他，其他一些说不清道不明的烦恼和郁闷。譬如，杜先生来访那天，最后把他们一家人都叫走了，唯独没让她去。她把着门框站在门口，望着他们的身影在小巷里渐行渐远，她突然有了一种“独在异乡为异客”的生分和苦涩。他们被叫去干什么？她根本不知道，陈家鹄回家后也不给她说，只是两眼发直地躺在床上，一副身心交瘁的模样。晚上，她想跟他亲热，可她的纤纤之手在他身上游弋了许久，从他的胸膛滑到他的小腹，又从小腹滑到私处，他竟然没有丝毫反应，竟然幽幽地叹出一口长气，把她的手拿开了。他们相爱多年，这是陈家鹄第一次排斥她的身体。

昨天晚上，陈家鹄几乎一夜都未睡着，老是在惠子身旁翻来覆去的，还暗暗地叹气。直到天快亮的时候，陈家鹄才突然趴到了她身上，紧紧地压着她，抱住她，把脸颊深深地埋进了她的颈窝里。“怎么啦？”惠子抚摸着他的脊梁问。陈家鹄将她抱得更紧了，用脸颊蹭擦着她的颈窝，在她耳边凄声说：“我……我要走了，不知道什么时候能……回来看你。”惠子惊愕不已，搂着他问：“你要去哪儿？”陈家鹄声音哑哑地说：“去为政府工作。”惠子这才放下心来，捧起他的脸轻轻地吻着，温柔地说：“去为政府工作好呀，你回来，不就是要为你的国家效力吗？”

陈家鹄忿忿地说：“那不是我想要的工作！”惠子问他是什么工作，他默然不语，甚至不敢正视惠子，眼睛和嘴巴都什么也不说。“离家远么？”黑暗中惠子的声音打着颤。也许是出于同情，也许是由于憋着气，他长叹一口气说：“我不知道，也许近在眼前，也许远在天边。”

这种答复比沉默还折磨人，惠子不禁陷入了沉思，她问自己：既是去为政府工作，怎么连地方远近都不知道？这究竟是个什么工作呀？丈夫就在身边，可感觉已经走掉了。她感到一种盲目的恐惧、担忧。今天一大早，陆所长和老孙来接陈家鹄时，陈家鹄不准她下楼去送，他在房间里紧紧地抱着她，久久不愿离去。老孙在下面催了又催，他才磨磨蹭蹭地下楼，跟着他们出发。他知道，惠子一定在窗户里目送他，等着他回头作最后的一别。可他就是不回头。不！像个绝情的丈夫，又像个倔强的受伤的孩子，义无反顾、勇往直前、坚定不移地离去，但足印里却透露出一份怨气和苦痛，令惠子忍不住泪流满面。

此刻，惠子看着大家兴高采烈的样子，她深深地觉得孤独，仿佛她与他们之间隔着一道黑色的屏障，冰火两不容。正是这天傍晚，天上笼罩着泥土一样乌云的时分，在同桌人喜笑颜开、胃口大开的餐桌上，惠子心里第一次听到自己寻找丈夫的声音——

家鹄，你在哪里？

这是一句有魔力的咒语，是从潘多拉盒子里放出来的，具有无限衍生的能力。它始于有时，终于无时，正如陆所长所言：只有死亡才能让你结束这个“开始”。甚至，连死亡也无法成为它的终点。

与此同时，几公里之外，在陈家鹄和惠子补办中国式婚礼的重庆饭店的咖啡吧里，收音机里正播放着欢快的美国乡村音乐，几拨外国人零散地坐着，在品香闲聊。战争也许是个少不了的话题，但人们也不会因为战争停止寻欢作乐。这个世界是混乱血腥的，这个世界也是情色迷乱的，男人和女人永远不会停止用身体唱歌，即便是毫无感情，身体依然不甘寂寞。

这会儿，萨根正与一个卖色女郎在窃窃调情。女郎姓吕，没有蛮腰，不是凤眼，不长小酒窝，眉毛淡淡的，头发黄黄的。但总的说还是蛮中看的，女人味十足，娇媚生动，显山露水，让人有感觉。这就是川妹子，局部看不咋地，整体看却有姿有色。首先是肤色洁白细嫩，所谓一白遮百丑；其次是性情温软又不闷，张弛有度，语言俏皮，表情丰富，让人颇有亲近感，如见故人。话说回来，像萨根这种“蓝领”人士，国色天香的哪轮得上他，吕女郎这模样已经够他受的了。尤其是看吕女郎胸前那两只大馒头，萨根乐陶陶地请人家喝极品蓝山，最贵的咖啡呢，害得吕女郎一边喝一边心绞痛。

冯警长一身周正，如约而至。他立在门口，左右巡视一番，看到萨根，径自走过去。萨根老远就注意到他来了，但装作没看见。直到警长杵在面前，他才啊啊地起身相迎，喜笑颜开。

“啊哟，冯大警长，你终于来了。你约了我又姗姗来迟，是为了表明你是警长，有特权？”冯警长赶忙致歉：“对不起，我临时有事耽误了一会儿。”然后指着旁边的女郎，“这位是……”他不希望有外人在场。

萨根落落大方地介绍说：“吕小姐，我们刚认识的，很漂亮吧。所以，这时候我其实并不想看见你。”

警长面色凝重地说：“我有事，请她走吧。”萨根却兴致很高地给吕女郎介绍起警长来，语气中有一种显摆，“这位是冯警长，本片区都属他管，以后谁欺负你了，可以直接找他。”然后拍拍女郎肩膀，让她走，同时又在她屁股上狠狠地捏了一把，哈哈地笑。

待冯警长坐下后，萨根做作地摸摸他的警服袖子，不无嘲弄地说：“按说你这身衣服的职责是治安，给我们增加安全感，可实际上反过来了，是我在给你提供安全。怎么样，在这里你感到很安全吧？”然后他端正了身子和表情问冯警长，“什么事，说吧。”

冯警长凑上前去，压低声音说道：“昨天我们开会了，你和助手都没去。”

萨根瞟着冯警长，依然响着喉咙，“听口气，是个重要会议。”

“是的，我们现在要找一个人，必须马上找到。”

“找人是你的事啊，我人生地不熟怎么找得到人？”

“这人刚从你们美国留学回来，老板认为他可能会跟你们大使馆接触，所以少老大要你多留心一下。”

说的自然是陈家鹄，先报名字，中文、英文，然后是介绍年龄特征、家庭情况。说着，警长从身上摸出一只信封，递给萨根，“详细资料都在上面，你回去看吧。”

萨根才不听他的，“难道就不能现在看吗？你越是搞得神神秘秘别人越容易盯着，我在这儿大大方方看反而就没人在意了。”说着，当场拆开信封，浏览起陈家鹄的照片和资料。“哦，小伙子长得挺帅的嘛……哦，他娶的还是个日本太太，现在也跟他一块回国了。”说到这里萨根突然被自己的话点醒了，一拍脑门，惊呼道，“哎，会不会是他？”

警长莫名其妙，“谁？”

萨根沉醉其中，“嗯，可能就是他。”

警长伸长脖子，“谁嘛，你认识他？”

萨根出神地点点头，自语道：“美国回来，日本太太，十有八九是他。哈哈哈，看来我要立功了，建功就得领赏，哈哈哈。”搞得警长一头雾水。雾水是甜的，像蜜糖。换言之，叫喜忧参半。

生活也许是由古老的魔幻弯曲构成，充满了目不暇接的纷纭和混乱，它有太多的定理格式，如日落月没，如生老病死，如瓜熟蒂落，任凭天打雷劈，兀自岿然不变。但有时它又没有规矩和格式，就像睡梦一样变幻不定，在漆黑的荒野中行走，既犹豫又大胆，某种机缘巧合像天外来客，像地下精灵，乘云而降，拔地而起，神奇又蛮横。

这天晚上，由于警长的“干扰”，萨根失去了吕姑娘，等警长走时吕姑娘已经消失无踪。这很正常，她们属于钱，有钱人都可以把她们领走。当然，有钱人也不会把她们久留在身边，拿了钱走人，天经地义。有一个人就是这样，刚拿了钱从楼上下来了，和正准备离去的萨根在咖啡厅门口劈面相逢。

天哪！她比十个吕女郎还要强。惊艳啊！塞翁失马，安知非福？今天真是萨根的好日子，警长不但给他白白送了一个功劳，还鬼使神差让他碰上这么大的一个艳福。

丢了芝麻，捡了西瓜——她姓汪。

萨根在汪女郎的陪伴下度过了一个十分愉快的夜晚，不仅仅是身体欲望的满足，更有对明日之行必胜的期待。十有八九，立功领赏。他品尝到了生活款待他的滋味。这滋味比汪女郎的身体更滋润他，满足他。因为，后者富有不劳而获的象征意义。

这天夜里下了一场暴雨，雨水沐浴了陈家鹄父母种在庭院里的几盆花，但也把山坡上的一些泥沙冲进了庭院，院中有一种拖泥带水的脏乱。吃过早饭，家燕上学去了，家鸿上班去了，陈父和陈母，还有惠子，忙开了。园子小，很快收拾妥当，陈父开始悠闲地侍弄几盆花草，拔杂草，修剪乱枝。

转眼间，陈父发现惠子踪影不见，只见陈母一人独自在一边泡脏衣服，准备洗。

“惠子呢？”

“她上楼去给家鹄写信了。”

“她知道家鹄的地址？”

“不知道。”

“那她信往哪里寄啊？”

“她说家鹄总是会来信的，来了信就知道地址了，所以先写着再说。”

陈父想笑，他觉得这就是女人干的事，大雪刚封山，就在想明年开春种子发芽的事。他看看楼上，想压低声音这么说时，听到外面有人敲门，便止住了。陈母放下衣服去开门，却是萨根不约而至，手上提着礼物，嘴里含着蜜糖，彬彬有礼的样子像是上门来相亲的。

一回生，二回熟，陈母客气地请萨根进屋，一边朝楼上喊惠子下来见客。在萨根和陈父陈母寒暄之际，惠子从楼上咚咚咚地下来，但看见是萨根，脸顿时阴了下来。

“你来干什么？”

“我来看你啊惠子。”

“我很好，不需要你关心。”

“可我感觉你并不好，满脸怒容，怎么了？”

萨根有备而来，不会被惠子这么气走的。“怎么了，受了谁的委屈了？”萨根是个老江湖，知道怎么来破掉僵局，“是不是公公婆婆亏待你了？”萨根有意把战火烧到两位老人身上，果然起到了立竿见影的效果，因为话题一下打开了。

总之，在新话题的调和下，惠子和萨根结束了对抗，坐下来聊天了。自然地，又说到陈家鹄头上。惠子以他不在家搪塞了之，萨根也没有追问他去了哪里。他只是问了姓名，哈哈，就是他——陈家鹄！只字不差。当然，中国人太多，同名同姓的情况常有，为保险起见，萨根又借故寻得了目睹陈家鹄照片的机会。

“我来两次都没有见到他，我还真想见识见识。”萨根小心翼翼地接近目标，“想必一定是个英俊才郎吧，让我们的惠子这样钟情。有他的照片吗？让我一睹为快。”

其实客厅的墙上就挂着陈家鹄的照片，但惠子觉得那些照片不能充分体现夫君的俊朗，她要让萨根叔叔为自己夫君的外表折服，所以专门上楼从箱子里挖出了她自己保存的照片，两大本。萨根从看第一张照片时开始乐，然后一直看，一直乐，乐，乐，最后简直乐坏了，下意识地去摸钱包。

对上了！就像卯和榫，对得严丝合缝。

萨根有理由相信，他的钱包又要鼓起来了。

萨根急不可待地离开陈家，随后直奔粮店。

粮店有一点点不祥的气息，因为新入伙的昭七次三死了。死了就死了，干这行，生死不是个吓人的问题。置生死于度外，这是混迹于谍海世界里的人的基本素质。问题是昭七次三死得蹊跷，不明就里，无人知晓他为何而死，死前有没有给他们留下麻烦。为此，少老大紧急召集大家连夜开会，但萨根没有到会。

他已经连续两次没有来开会，如果没有出事倒也罢，不满而已，但现在出事了，少老大不禁心有余虑。他对萨根的印象本来就不是太好，觉得他太张扬，爱显摆，“上下两个口子”都太松，欲望太强。

这种心情和形势下见到萨根不期而来，少老大的脸色难以松宽下来，阴沉得像窗外的雾气，“你怎么来了？该来的时候不来。”

萨根嬉笑道：“我是来邀功领赏的。”

少老大惊异，“哦，你已经把黑室地址搞到手了？”少老大不敢确定冯警长是否已将任务下达给他，所以根本没往陈家鹄身上想。萨根摊开手，“这个嘛，还是让冯警长去完成吧，我一个小小机要员实在难与国民政府高层接触上，难哪。不过，我把你要找的人找到了。”

“谁？”

“陈家鹄，或者说麦克。”

“真的？”

“我只对女人撒谎。”

“你怎么找到的？”

“重要的是我找到了，”萨根得意扬扬，“至于怎么找到的无关紧要。”

“怎么这么快？”少老大惊疑参半，“没错吧？”

“错不了，百分之百，就在这儿。”萨根递上一张纸条，“如果需要的话，我可以开车带你去认个路，虽然不近，但也不远。”

少老大在萨根言之凿凿的保证面前，阴郁多时的心忽然间明亮起来。人找到了，手无寸铁，除之如杀鸡。不仅如此，萨根还用“光辉的”事实和行为洗清了他模糊的面容（刚才少老大还在担心他的忠心）。少老大心头一热，出手很是大方，赠送了一对黄灿灿的金耳环。

不论是少老大，还是萨根，他们在借金耳环表达胜利的喜悦之时，都没有想到一个真正的事实：陈家鹄已经“不知去向”。

当——

当——

当——

上课的钟声在一只炮弹壳上响起，在周围的山野和树林里激起回音，嗡嗡嗡地响成一片。学员们都从各自的宿舍里出来，往教室快步走去。唯独陈家鹄，落在同学们的后面，手中捏着笔记本，不紧不慢，像个走马观景者，一边走一边四下张望。

他看见了一个稀奇的景象——那个敲钟人，背向他，立在院中那棵巨大的榕树下，一只手握着一把锃亮的铁榔头（肯定是日货），另一只手在随风飘，时而弯曲有形，时而垂直落下，像杂技一样。是什么人啊，太奇怪了！他定住目光望去，发现那竟然只是一只空袖管。

可以想象，他的手丢在战场上了。与那些不幸丢掉性命的战士相比，他无疑是个幸运者；与那些丢掉腿脚的人相比，他也是幸运者。

不，不，他不仅仅是丢掉了一只手，当他转过身来时，陈家鹄大惊失色：眼前的人没有脸！他脸上戴着一个黑布套，只亮出两只黑眼珠子，隐隐在动。可想而知，战火烧毁了他的面容，真实的面容一定比黑布套还要吓人。他还活着，但面相丑陋，不敢以真面目示人，这是幸还是更大的不幸？陈家鹄望着他，不由自主向他走去，不知是出于好奇，还是同情。

对方注意到他的企图，回头又敲了一下弹壳：当——

陈家鹄知道，这一道钟声是专门敲给他听的，在提醒他：别过来，快去上课！或者说，对方不想接受他的同情，或者满足他的好奇心。陈家鹄这才往教室快步走去，没有迟到，几乎和教员同步入室。

教员姓王，女，穿着朴素，五十来岁，上课的样子很是老到，对教学内容也是烂熟于心。但缺乏激情，慢声慢气，有点之乎者也。

她教的是基础课，从古老的《孙子兵法》下刀，游刃有余，“《孙子兵法》有道，夫未战而庙算胜者，得算多也；未战而庙算不胜者，得算少也。多算胜，少算不胜……”

文言不能太多，多则少矣。现在是白话年代，年轻人对文言一知半解，点到为止。王教员深悉时代特征，及时改用白话讲解：“这道的是何意？就是讲，两军对垒，倘若要胜券在握，必须要摸清敌人之情况。破译密码也是如此，对敌人的建制、编制、装备、驻地、兵力，以及各主官的职务、名姓等等情况，我们必须要掌握。掌握得越多越深，你就越容易抵达破译之彼岸。比如，像这次杜先生来这里视察，来之前可能会发出密报，通知我们做好接待准备工作。假如敌人截获了此份密电，但对首座的身份、职务、姓名等情况一无所知，那么要破译这份密电的难度显然加大了。反之，如果敌人对首座之情况很了解，身份、职务、名字都了如指掌，那么破译这份密电相对就易，因为在这份密电里极可能出现杜先生之名字、职务等相关文字。这等于有了突破口。破译密码，难就难在找不到突破口。有了突破口，你们之专业才华才有了用力的支点，进而才可能撬动整栋密码大厦。”

王教员讲得头头是道，下面人听得专心致志。只有坐在后排的陈家鹄，精力不太集中，目光几度从教员脸上游离开去，跑出了教室，散落在窗外。他的注意力可能还在蒙面人身上，他在想黑布之下的那张面孔究竟有多么丑陋、恐怖。当然还有种可能，是在想惠子……胡思乱想间，教员早已改弦更张，从空洞的理论转到两军对垒的作战地图上。王教员身材矮小，张挂图表不是件轻松事，但她为了让同学们切实掌握知识，挂了一张又一张。这会儿，她又挂出另一张图表，一边挂一边问下面：“我们再来讲讲日军第十四师团的情况，请问这支部队现在谁是指挥官？”

“土肥原贤二。”赵子刚答。

“对，就是他，土肥原贤二。”王教员解释道，“此人是个‘中国通’，曾在关东军里当过多年特务头子，此次出征……”说到这里，教员发现陈家鹄呆若木鸡，定睛一看，居然睡着了，坐得端端正正地睡着了！

王教员叫醒他，问道：“你这是在打坐还是上课？”

陈家鹄道歉道：“对不起，我昨晚没睡好，太困了。”

教员决定不轻易接受他的道歉，“那你今后可能每天都要犯困哦。”陈家鹄不知其意，欲言无语。教员晃晃一本厚厚的敌情资料汇编，有声有色地说：“因为——据我所知，他们为了将它了然于胸，不是凌晨三点钟睡觉，就是凌晨三点钟起床。而且我认为除此之外，别无他法。你来得迟，可能更要睡得迟哦，除非你是个异人，像刘皇叔（刘备）一样，有双手过膝、过目不忘之异秉。你有吗？”

陈家鹄注意到大家都回头在看他，便报之一笑。

按理，王教员那边吃一堑了，许教员这边应该长一智，别四处不讨好。但陈家鹄居然在许教员的课堂上悄悄写起了信，可谓放肆！好在是悄悄的，许教员激情澎湃，也许是因为眼睛近视没发现，也许是视而不见，给他个面子。

许教员是个西装革履的中年人，四十来岁，戴眼镜，蓄长发，有一种不修边幅的诗人气质。他讲的是密码专业知识。文如其人，讲课也如其人，他竟把那玄奥抽象的密码讲得跟诗一样。

“什么是密码？有人说，密码是风做的，除了风生风长的千里眼，谁也看不到真实。也有人说，密码是水做的，因为镜中花水中月最难捉摸。依我看，世间再没有比密码更难捉摸的东西了，即使悟透了世间最高级或最低级的谜也捉摸不透。无法捉摸就是密码的本质……密码是天书，是迷宫，是陷阱，是危机四伏的数学游戏……一个天才为葬送另一位天才而专门设计制造的……天才的智力是有害物质……天才总是干蠢事……密码专门残害天才而放过了蠢材，它听上去是游戏，实际上是人世间最残忍的职业……”

陈家鹄一边写信，自然是听得有一句没一句的。

林容容坐在他前面，教室里安静得很，她听到后面连续不断地传来纸笔的摩擦声，忍不住回头看，看到陈家鹄孜孜不倦地记着笔记，心里甚是安慰。她的角色决定她绝不会妒忌同学们学得比她好。她本来就在找机会想与陈家鹄聊聊天，看到他这么认真地记着笔记，机会便在心中孕育了。

吃过晚饭，从食堂里出来的林容容看陈家鹄在前面一个人走着，追上去，爽爽朗朗地喊他：“新同学，走那么快干吗？”

陈家鹄回头，还以幽默：“请问老同学有何吩咐？”

林容容说：“请你把笔记本借我看看吧，许教员讲话太快了，好多内容我都没记下来。”

“我没记。”陈家鹄说。

“新同学跟老同学撒谎就不怕被揭穿？我看见的，你记了好多。”

“你看我在记，其实我是在写信。”

“写信？你在课堂上写信？”

“那不是上课，是诗朗诵，一首关于密码的抒情长诗。”

“你觉得他上得不好？”

“我说他上得好，把密码课上得这样诗意绵绵也真是要水平的。”

“听说你以前学过密码，是吗？”

“看过一些书，知道一点皮毛。”

“你喜欢学吗？”

“破译密码不是靠学的，学不来的。”

“靠什么？”

“时间，和远在星辰之外的运气……”

两人边走边聊，距离一肩之宽。天色尚亮，林容容注意到陈家鹄后脖子上有一片手指印一样大的红色胎记。她想起家乡的一句俚语，是说胎记和痣的：

眉中有痣，必有酒喝，不论红黑；

前颈痣红，上吊跳楼，入土为安；

后颈黑记，拜师孔孟，讲台为岸。

那么后颈的红记呢？俚语里秘而不表，林容容想，应该是比黑记还要好吧，因为中国人是迷恋红的。分手前，林容容出于对秘密使命的负责，老话重提：“你说在课堂上写信是真的？”

答复是肯定的。

但林容容还是不大相信，认为这不过是他不愿出借笔记本的托词。

君子不窥他人之秘。

偷看他人信件，当属非君子之列。由此而言，左立不是君子，林容容作为左立的副手，又怎么可能是？中心所有人寄出的所有信，包括教职员工，包括一封普通的家信，都必须经过左立和林容容的审查，确认没有问题方可寄走。

亲爱的：

你好吗？必须好！离家几日，我今日方去信，实是身心疲惫、情绪低落，怠惰了，没有写信之精神。连日上课，尽是些无聊内容，难免令人烦躁，只想一走了之，但又深知这不可能，只好自己同自己说话，自己给自己解闷。

说什么话，解什么闷？答案只有一个，那就是你。几天下来，你的头发，你的笑容，你的身影和你的气息，无不缥缈在我眼前，“才下眉头，又上心头”。是的，每天晚上，独自一人枯坐烛光下，我都会取出你的照片看，看在眼里，装进心中，融入血液，须臾不忘。我相信你也一样。在这非常的年月，我们这样身份非常的夫妻，若没有非常的眷念，如何能够相濡以沫、搀扶前进？

我写这封信的时候，讲台上的人正在深情而陶醉地进行诗朗诵，感谢他的朗诵，唤醒了我对文字的激情，暂时压制了如麻的心乱，我才能提起笔，写下这无奈与想念。你是不是也要感谢他呢？哈哈，应该感谢。不过，退一步说，世上本无事，庸人自扰之，不满都是暂时的，你深知我不甘屈做庸人，故而不必为我心生烦恼。你且尽心替我照顾好父母、兄妹，为我解决后顾之忧，我也好尽快完成我的任务，早日回家与你团聚啊！

对了，你上次说想要一点我们中国的胭脂，我给忘了，有空的时候叫上家燕陪你去买吧。那玩意儿其实很便宜。你在家不要太拘谨，想要什么就跟家燕说一声，你是她亲嫂子，她不帮你还能帮谁？

盼你的回信。

爱你的家鹄

及：

1 1 1 11 23 5 69 10 14 2 20 34 1 99 41 60

这是陈家鹄上山后写给惠子的第一封信，内容平实，都是情感记事，绝无泄密之嫌。但林容容在审阅时竟有三大发现：

第一，此信没有封口，封口大嘴敞开，好像等着他们来看似的。“这说明他知道信要被我们审检。”左立的斗鸡眼一对，笑道，“可以说，他已经破译了一部密码了。”

第二，他用的信笺是上课用的笔记本上撕下来的。据此，林容容顿时想起他在许教员课堂上伏案奋笔的情景，同时明白了他对她说的话是真的。真的！林容容觉得不可思议，这么做也罢，还这么不以为耻——居然敢公然承认，磊落得好像在挑战什么似的。太荒唐了！这么儿戏。她气得差点把信对开撕掉。

第三，信末，林容容又发现一个“荒唐”。不是信的内容有问题，而是信的正文后面，有一个“及”字，接下来是一串莫名其妙的数字：“1 1 1 11 23 5 69 10 14 2 20 34 1 99 41 60”。

这些数字是什么意思？难道是密码？陈家鹄要向他的日本妻子透露这里的情况？

林容容赶紧叫左立看，左立看了也生出相同的怀疑。两人如临大敌，赶紧叫来许教员。许教员研究一番，道：“这肯定是一句什么话。”左立说：“我知道它是一句话，我要你把它破出来。”许教员将信的内容和那一串数字翻来覆去地看了许久许久，终是未能解读。

左立笑道：“看来你只能当老师，不能去当战士，连学生造的密码都破译不了。”

许教员不服气地说：“什么密码！密码是一门科学，这是什么鬼东西，乱七八糟，莫名其妙，毫无规律。”

规律肯定有，林容容想，只是没被发现。她想把信带回去研究研究，左立不同意。“你揽这个责任干什么？”左立说，“交上去吧，让陆所长去处理，让他去认识一下，他费尽心机挖来的是个什么大活宝。”

林容容说：“我觉得他以前可能在我们这种部门工作过。”

左立摇头，“谁知道呢，只有老陆知道，是他一手弄来的。听说他还死活不想来呢，要我说才不要他来呢，一个日鬼的女婿。”

一个日鬼的女婿，一个日鬼的女婿，一个日鬼的女婿……这天夜里，林容容反复念叨着这句话，深切地重温了失眠的滋味。苦的。生锈的。她曾憎恨池塘的死水，她曾厌烦傍晚的鸟鸣……今晚她感到可怕的静止，而她是这些静止的东西的讨厌的守卫……她徒劳地想摆脱自己的躯体，摆脱不眠的镜子——有诗人曾经这样描写过失眠。

这天夜晚，林容容就是这样熬过漫漫长夜的。

世上没有两片相同的树叶，却常常有两个相同的人。

这天晚上，在天堂巷巷口斜对面的一家客栈里，有一个人也被失眠的痛苦折磨着。他是个哑巴，或者说装得像个哑巴。你或许在武汉到重庆的长江客轮上见过他，或许在重庆某条街上撞到过他，可你肯定没有听他讲过话。今天一天，他都待在这家客栈里，虽然很少离开房间，但总归是见过人、跟人打过交道的，比如老板娘，比如服务员。他们一致认为，他是个哑巴。老板生动说，他跟我说话不用嘴，用的是手。

其实他不是哑巴，如果你跟他说日语，他的语速很快，吐字清晰。作为一个深入中国陪都的鬼子特工，他的缺点很明显，就是不会说中国话。但从另一方面说，有这么大的缺陷还派他来，说明他必有非凡之特长。他的特长是心狠手辣，刀枪都玩得一流，百步穿杨是他的拿手好戏，手起刀落、见血封喉是他的看家本领。那两个黑室的宝贝破译师漂亮地（不留蛛丝马迹）被暗杀在轮船上，正是他不久前的杰作。

他是少老大手中的王牌，名叫中田。

少老大从萨根手上得到陈家鹄的住址之后，即派出中田前来守株待兔。他非常乐意地接受了这项任务，像是前去约会一样，脸上带着一种兴奋的红潮。这家客栈正好处在天堂巷西北面，中田住的房间在顶层正中间，但凡进出巷子的人都在他的视野之内、目光之下。只要陈家鹄出入巷子，中田手中的带瞄准镜的狙击步枪决不会放过他，子弹将以一种狂热的精确击中目标的眉心，而且不会出声，因为枪上装有当今最先进的消音器。

事实上中田是昨天晚上入住的，美美地睡了一夜，养足精神，从今天早晨开始守望。下午三点半钟，在守望无果的情况下，他曾斗胆去拜访过陈家。当时陈家恰好无人在家，拜访也是无果。不，其实是有结果的——既然家里无人，说明陈家鹄肯定没在家。他就这么吃了定心丸，心想他总要回家。于是一直坚守着，守到天黑，又守到天亮，望眼欲穿之苦灼伤了他明亮的双眼。

一天。

两天。

三天。

第三天晚上，头昏眼花的中田气愤地放弃了阵地，走了。

中田来到粮店，对少老大发毒誓，说陈家鹄肯定不在家。怎么回事？怎么回事！中田用了一个个感叹号表示心中的愤怒和坚决的态度。少老大听了不由得急了，连夜派人去找来萨根，责问他究竟是怎么回事。

“中田连守三天，家里所有人都见了，就是没见到他！”少老大气势汹汹地瞪着萨根，那样子恨不得把他吃了。

萨根也很吃惊，“什么？这么多天你们还没见到人？我还以为你们已经送他上西天了，叫我来是领赏金的呢。”

少老大说：“这个赏迟早是要领的，但现在的情况是，你要设法尽快确定你说的人到底是不是陈家鹄，我觉得你可能搞错了。”

“我绝对没有搞错！”

“你见到人了吗？”

“挂在屋里的照片不是人吗？你想想，名字一样，照片一样，美国回来，日本太太，不可能有这么巧合的，肯定就是他！”

“那会不会已经离家出走了？”

“他刚回来，太太又在家，他能去哪里？”

少老大皱着眉头思索片刻，劝说：“看来你还得再去一趟，看看他到底是怎么了，为什么不露面？”

萨根想了想，说：“我看还是让我助手去吧，我老去不合适。”

“你是说黑明威，他怎么去？”

"他不是美联社的记者嘛，陈家鹄从美国名牌大学学成归国，他去做个采访名正言顺。"

少老大不语。黑明威是萨根介绍来的，他只见过两面，谈不上了解。于是问萨根："他可靠吗？他到底是哪个国家的人？"

萨根说："他父亲是贵国大和人，母亲是中国台湾人，他从小跟父母亲在印度长大。在他十七岁那年，他母亲被一个驻印度的中国军官骗取爱情后又把她暗杀了。我知道，他心里一直怀着复仇之心，我觉得他对贵国的忠心不会亚于你的中田。"

少老大听了，对了解不深的黑明威一下怀有好感，便同意了萨根的安排。"那就让他去吧，要尽快，这事情不能再拖了。夜长梦多，如果让黑室的人知道他在重庆，一定会拉他入伙的，那样的话我们就麻烦了。该死的警长，不知道一天到晚在搞什么鬼，至今都还没有打探到黑室在哪里，中国人都是滑头，跟泥鳅一样！"

不想萨根却因此调侃道："听说贵国政府现在跟中国第二领导人汪副总裁接触颇多，何不在汪大人身上碰碰运气？他该知道的。"

少老大的脸色陡然大变，狠狠地瞪着萨根说："我看你知道得太多了，这事情可远比杀一个陈家鹄重要，你的嘴巴最好要再上一把锁。"

萨根耸耸肩，摊摊手，做了个美国式的不以为然的动作。

黑明威的脸庞不是日本式的。日本式也是中国式，不是日本式也就不是中国式。换言之，黑明威脸上没有父母亲的特征，他鼻梁高耸、挺拔，额头、嘴唇均富有棱角，宽厚的肩膀，古铜色的肤色，都是印度式的，再联想到他母亲在爱情面前的轻率幼稚（儿子十七岁了她还被男人蛊惑、欺骗），把他推测为是他母亲与一个印度男人的偷情之果，也不失为抵达真实彼岸的路径。

可以进一步猜测，他从小没有得到过父爱。据说失去父爱的男人，容易得到某些女人的青睐。这些女人往往具有挑战男权的机智和勇气，她们像男人一样喜爱主动寻找猎物，征服异性。可以说，黑明威是一个等着被女人征服的英俊男人，一面之识，陈家燕对他的英俊外表留下了深刻难忘的印象。这从某种意义上说，至少是一种征服意识的苏醒。

尽管家燕客气地请他进屋，但真正要采访的主人非但没有见到，而且也很难从他家人的嘴里掏到什么有价值的线索——全家人都很警觉，凡涉及陈家鹄的问题，皆避而不谈。黑明威无可奈何，只得灰溜溜地回去。他住在重庆饭店301房间，经常出入咖啡馆，同样经常出入咖啡馆的萨根就是这样认识了他，发展了他。

萨根在重庆饭店的咖啡馆里喝着咖啡，当他听了黑明威无功而返的汇报后，不由得摇了摇头，“你啊，还是嫩了点。”

黑明威思量一会儿，沉吟道：“我估计他是去了黑室，否则他的家人不会这样疑神疑鬼的。”

萨根盯着他，用教训人的口气说：“大记者，估计没有用，我们要肯定，或者否定。如果他真是去了黑室，要干掉他就难了。”黑明威还想说什么，被萨根挥手拦住，“行了，你的任务到此为止，不要再去了，再去就是画蛇添足，成不了事，反倒会把事情搞砸。”

萨根摸出钱包准备付钱走人，“看来还得我亲自出马。”看看黑明威，摇头叹道，“你呀，就是笔杆子好。当然，你还有个好。”

“什么？”黑明威好奇地问

“钱多啊。”萨根笑道，“听说你的遗产有半条街。”

黑明威苦苦一笑，率先抽出两张钱，“还是我来吧。”

萨根欲起身走，猛然看见汪女郎正坐在吧台边，脉脉深情地望着他，立刻朝她招了招手，同时对黑明威说：“你走吧，我今天要放松放松。女人总是能给我带来好运的。”

黑明威将嘴巴凑到他耳边，“小心是个女间谍。”

萨根嘿嘿地笑道：“中国有句老话，有钱能使鬼推磨。只要你有钱，所有中国人都会为你服务的，他们没有信仰，他们信仰钱。”

萨根所言极不是!

别人不说，林容容就是一个靠信仰活着的人，她踏上了追求真理的大道，坚定的信仰穿透了她的胸膛，信仰成了她的第一生命，身体成了她信仰的影子。她严格恪守上司的指令，为了完成上级交给的任务，她可以置生死于度外，可以置荣辱于身外，可以欺骗，可以撒谎，可以……什么都可以。眼下，她的任务就是要去了解陈家鹄，引导他，鼓励他，给他信心和力量。陆所长听到一些针对陈家鹄的非议后，指示林容容要想方设法，寻找各种机会、借口去接近陈家鹄，看看他“葫芦里灌的到底是什么水”。

是泉水，又香又甜，沁人心肺。

令林容容没想到的是，通过她死皮赖脸地接触、了解，她非但没有探寻到陈家鹄有什么不好，倒是发现了他非凡过人的才华。这天黄昏，林容容和陈家鹄从外面散步归来，礼貌地邀请他进屋坐坐。陈家鹄略一迟疑，便大方地跟着她进了屋。进去之后，陈家鹄看见她床头和墙上到处张贴着敌情资料，便笑着奉承她："你很刻苦嘛。"

林容容谦虚地说："笨鸟先飞吧。"

陈家鹄竟然不客气地说："这确实是个笨办法。"

林容容用一双亮晶晶的大眼瞪着他，"聪明人的办法难道就是上课睡觉和写信吗？"

陈家鹄一愣，看着墙上的资料笑道："你在挖苦我。好，现在我也可以回敬你一下。"便指着墙上一页资料说，"你看，如果我没记错的话，清平真野的部队应该是31521人，而不是315211人。你因为睡眠不够，多加了个1，一下子就给敌人增加了283690人。哈哈，幸亏只是增加在你的墙壁上，如果是增加在我们国土上，岂不是祸国殃民！"

林容容惊愕了，因为陈家鹄在说这些时似乎是不假思索的，好像有备而来，一眼看出了她的笔误，而且把"315211减31521"的算术算得像是"31减3"一样简单容易。

她终于领教到了他的神奇，她出神地看着他，希望他坐下来好好聊聊。

陈家鹄似乎看出她内心之愿，很不领情地转身而去，一边居高临下地告诫她："早点休息吧，告诉你，大脑中有一种物质是需要充足的睡眠才能分解的，人睡眠不够将导致智商直线下降。为什么恋爱中的人智商都比较低，因为恋爱中的人总是缺少睡眠，哈哈。我今天晚上也要早点休息，因为听说明天要来一个高智商的人。"

林容容跟着出门，一边说："我听说他是一位大破译家，美国来的，叫什么海塞斯，你认识吗？"

"我怎么可能认识？"

"你不是美国回来的吗？"

"美国有一亿二千四百万人。"

"人家是大名人。"

"你认识蒋委员长吗？他也是大名人。"

"你这人真讨厌。"

"所以我该走了。"

一个前面走，一个后面跟。就这样，林容容跟着陈家鹄去了他的宿舍。两人经过几次接触，一回生二回熟，已经比较随便，可以开些不大不小的玩笑。陈家鹄看她跟进来，说他没有请她进来。林容容说现在请也来得及，虽然晚了一点，但她无所谓。陈家鹄说，那你先出去我再请。林容容说，我才不上你的当。说着，林容容拉开凳子先坐下。

宿舍是一样的，包括屋里的东西：单人床，写字桌，木板凳，床头柜，木箱子，甚至床上用品，都是一式一样的，像军营。这是林容容第一次进陈家鹄的宿舍，她第一眼就看到，写字桌上，台灯下，放着一个相框，里面是一个微笑的姑娘，看上去年轻貌美。

她当然就是惠子。

此时的林容容尚不知，命运之神将把她和照片上的这个女人在众人之中单列出来，组成神秘的棋局，排兵布阵，丢卒保车，杀声震天，演绎人间最凄惨酷烈的悲情故事。这天晚上，命运之神薄待了林容容，陈家鹄在林容容坐下不久即驱赶她，“快走吧，别忘了，明天有美国的大教授要来上课，我可不想因为睡眠不足，丢人现眼的在大教授面前打瞌睡。”

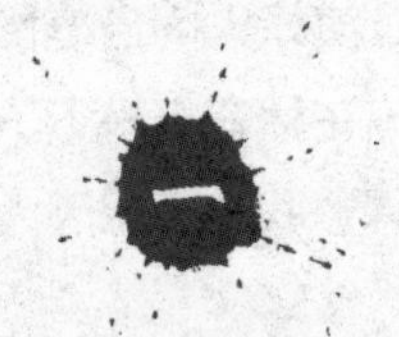

大教授叫让·海塞斯，听名字，好像是个法裔，但看上去，很像美国人。大块头，大脸盘，大胡子；胡子又浓又密，沿着宽下巴和两个腮帮子疯长，乱七八糟，杂乱无章。那年代的美国，硬汉作家海明威的形象并不比总统罗斯福让人陌生，刚从美国回来的陈家鹄初见海塞斯，以为是见到海明威了。事后他对几个人说：两人的外貌，惊人的相似。

这是陈家鹄上山一周后的事，酷暑正当头，武汉日渐告急，重庆的上空频繁地响起或正确或错误的空袭警报声。海塞斯上山途中，正好遇到空袭警报，耽误了半个小时（敌机没来，是误报），其间他和陪同他上山的陆所长在临时藏身的山崖下玩了几圈纸牌，陆所长输掉了随身带的所有钞票和子弹。海塞斯用赢来的子弹打了一路的山鸡野兔，居然还猎获了一只山鸡。

所以也可以说，海塞斯是和一只半死的山鸡一道来赴任的。

踏着上课的钟声，海塞斯不慌不忙地走进教室，却一言不发，自顾自在讲台上坐下来，且点上一支烟，旁若无人地抽着，用他那犀利、阴鸷的目光冷冷地罩着台下的学员。教室里鸦雀无声，所有的学员都正襟危坐，气氛凝固如冰冻。但在学员与海塞斯之间，似乎又飞奔着一团炽烈的气流，呼呼地从海塞斯的嘴里吐出，灌入每个学员心里，然后反弹于教室的每个角落。这是一场无形的较量，学员们谁也不敢懈怠，生怕一不留神便会被气流烤焦，化成灰烬。

海塞斯就是以这种奇特的方式，沉默的方式，开始上课。沉默中，他闪烁在烟雾后面的两道目光，变得更为犀利、阴鸷，透露出一种不容置疑的权威。刚开始，陈家鹄也是和大家一样，很认真又小心翼翼地在乎着海塞斯的一举一动、一个眼神、一缕烟雾。但后来不知怎么的，他放弃了这种小心和在乎，拔出笔，埋头在笔记本上胡乱抹画起来。

在众人的屏息敛声中，他那随意的举动显得十分扎眼。

连续烧完两支烟，海塞斯摁灭烟头，默默地走下讲台，走到陈家鹄身旁，问他："你叫什么名字？"

"陈家鹄。"陈家鹄抬起头，镇定地说。

"你想听听我对你的评价吗？"

"想。"

"你将来不是你们这些同学当中最优秀的，"海塞斯竖起大拇指，又伸出小指头，"就是最差的。"

陈家鹄略略惊讶地望着海塞斯，还想听他说下去，不料他却转身走到了讲台上，在黑板上飞快地写下自己的英文名字。"这是我的名字，让·海塞斯。"海塞斯昂着头，很骄傲地说。随后，他又请大家如法炮制，都上台在黑板上写下自己的名字。陈家鹄起身准备上来时，海塞斯拦住他，对他笑笑，"不必了，我已经知道了，你叫陈家鹄。"随后顺手举起粉笔，问大家，"请问这是什么？"

没人回答。

海塞斯指着坐在第一排的赵子刚："你，告诉我，这是什么？"

赵子刚大声说："教授，这是粉笔，白色的粉笔。"

海塞斯点头："对，这是粉笔，白色，中国生产。在我正式讲课之前，它就是一支粉笔，材料是石灰粉和黏性材料炭胶水，你，林容容，漂亮的小姐，头发是黑色的，皮肤白皙，如同白玉，与我有天壤之别。你，OK，赵子刚，男，三十五岁左右。你们，人人都一样，都有属于自己的名字和固定的属性。但是，我必须要强调，这是在我正式开课之前，我们面对的是一个常人的世界，现实的世界。现在……"

海塞斯看看表，报出一个精确的时间，"从现在开始，我的身份是教你们破译密码的老师。这意味着什么？我们已经告别现实世界，走进了一个神奇的变态世界、密码世界！到了这个世界，它——一支粉笔肯定不是一支粉笔，我——海塞斯肯定不是海塞斯，你——林容容肯定不是林容容，你——陈家鹄肯定也不是陈家鹄。包括我们眼前的这一切，黑板肯定不是黑板，桌子肯定不是桌子，窗户肯定不是窗户，包括外面的树木肯定不是树木，房子肯定不是房子，围墙肯定不是围墙，森林肯定不是森林，山谷肯定不是山谷，天空肯定不是天空，老鹰肯定不是老鹰。总之，所有的一切，在变态的密码世界里，都脱离了它原有的关系和属性……”

海塞斯就这样跟学员们见了第一面，上了第一课。他的声音和他所讲的“密码知识”，像一股巨大的气流，拔地而起，把学员们的身体托离了地面，在空中晕晕乎乎地飘荡……他奇特的授课方式让人没齿不忘。他就是国民政府花重金从美国挖来的大破译家。他是黑室遭重创后迎来的第一位主人，同时也在山上兼任教员，每周来授两次课。有了他，黑室又长了翅膀，而且翅膀将越来越硬，因为后继有人了。

听话听音，看人看样。海塞斯是委员长请来的菩萨，杜先生也不得不敬他三分。这日午后，杜先生在一号院他的私人办公室里接见了海塞斯，赠国礼郑板桥的画和成都蜀锦各一幅。同时参加接见的人有陆所长和海塞斯的助手阎小夏，后者是海塞斯十年前的学生，学成归国后一直在广东岭南大学任教。此次海塞斯点名要招他做助手，遂特招入黑室，属于特事特办。一个月后海塞斯后悔了，因为他发现十年前令他赏识不已的学生，如今已沦为庸碌之辈，小心眼，势利眼，狗眼（看人低），红眼（病）……身上平添了好多的“眼”，就是没有了十年前那种一针见血的眼力，和一个破译师必备的看云识雾的法眼。时势造英雄，时势也毁人。阎小夏回国，被贫穷和混乱以及岭南浓浓的世俗烟火气毁了。像一块鲜肉被烟火熏腌了，可以日晒雨淋，可以与蚊蝇为伍，貌似强大了，经久耐放了，实际上失去了本身独特的魅力和活力。

海塞斯收下礼物，没有向杜先生道谢，反而得寸进尺，要求更多的东西。“首座必须要给我配备一部测定电台方位的测向仪，两名演算师。为了配合教学，我需要有足够数量的密码学书籍、有关的字典和境内外各种报纸，还要有各种地图。地图的种类越多就越有利于教学，以便熟悉山脉、河流和城镇的名称。还有，有关每日战况简报必须要及时发给我们。另外，我还要了解日军和中国军队里军、师团两级的番号以及它们指挥官的名字。”

陆所长在笔记本上记下他的要求，保证回去一一落实。

“还需要什么？”杜先生问海塞斯。

“我希望您从武汉前线司令部里给我派一个人来，这个人的任务是，不断地给我在作战地图上标绘新的战况。”

杜先生看看陆所长，后者连忙答应：“好的，我会去落实的。”

海塞斯这才躬身向杜先生道谢。杜先生上前亲热地拍拍他肩膀，主动说：“也许我还应该给你配一辆汽车和司机。”

海塞斯笑道：“这需要找您吗？我觉得这个问题陆所长应该就可以解决。”

陆所长本来也许是解决不了的，但现在可以解决了，因为杜先生隆重地接见了海塞斯。这犹如刘备给赵云牵马出征，牵马是假，放话是真。中国古老的王权术，上至权贵大臣，下到黎民百姓，都懂。浅显易懂。越是私密的接见，将越是广为人知，而且越是被赋予象征和特权。

果然，当天下午，一辆墨绿色的美式吉普车开进了五号院，停在了破译处楼下。汽车引擎的噪声把正在午睡的海塞斯吵醒，他从窗户里探出头，看见一群人正围着汽车唧唧喳喳。其中一个胸脯饱满的姑娘对着后视镜在照镜子——是蒋微，后视镜把她的面容变形了，变胖了，她似乎很生气，在朝镜子伸舌头，做鬼脸。海塞斯看着笑了，心里不无幽默地想，我应该跟杜先生再要一个中国姑娘才对。他似乎相信只要他提出来，杜先生一定会答应，把某个中国姑娘就像这辆美国吉普一样，送到他楼下。

哈，这是美国人的天真了，后来的事实证明，这是不可能的。不论是杜先生还是陆所长，不论是出于工作考虑，还是道德压力，他们都严禁海塞斯“在窝边吃草”，更严禁他去外面采摘“路边野花”。

然而，再后来的事实又证明，令人发指地证明：这是极其错误又错误的，错误的程度相当于毁了半个黑室。

海塞斯凭窗窥探楼下之时，陆所长已经咚咚地上楼，来送车钥匙。之前陆所长曾多次来过楼上，但哪一次都没有现在这样让他心里踏实。这楼上以前一直空空如也，这儿空，相当于整个院子都是空的。楼下报库里的电报已堆积如山，侦听处还在以每天近百份流量的增速，源源不断地送来。每一份电报里都可能藏有上好的战机、胜利、阵地、鲜花、掌声、荣誉、升迁……但没有破译师一切都无从谈起。一切都是废纸，是嘲笑，是耻辱，是梦想。连日来，陆所长做的梦都是同一内容：楼上有主了！

如今，梦想终于成真，陆所长从自己上楼的咚咚声中，仿佛看见了前线将士像古人一样在作战，战鼓敲得地动山摇，万马奔腾，刀光剑影，杀声震天……但是，陆所长请海塞斯破译的第一份密电，显然不是为了前线将士。他在把车钥匙交给海塞斯的同时，递给海塞斯一封信，笑道：“在你正式破译敌人密电前，先请帮我看看这个，这也是一份‘密电’。”

海塞斯打开信，粗粗一看，见是一封书信，问：“这是一封私人信件？”

看陆所长点头，海塞斯生气地把信还给他，说了句英语。后者一时没听懂，但可以想见是一句指责的话。

这是陈家鹄写给惠子的信。第一封——以后还有很多，内容各各不一，但格式完全一致，信末均翘着一根“及”字尾巴。陆所长指着“及”字后面的那一串数字，底气十足地说：“教授，你看，这不是一封正常的私人信件，这里还有密电码呢。”

“这说明人家就怕我们偷看，我们就更不能看了。”海塞斯敲着信，义正词严地教训所长，“要知道，偷看私人信件是违法的！”

“教授，”所长笑笑，安慰道，“你知道干我们这行的，保密是第一生命，他们新入行，不懂规矩，我们检查一下没什么错的。”

“错！这是不人道的。”

“其实这是最大的人道，”陆所长深信自己有足够的理由说服他，“难道不是吗？我们是在为他们的安全负责。你想过了没有，教授，如果他们在信上说了什么不该说的，是要直接威胁到他们的安全的。”

“那你可以事先跟他们讲明呀。”

“讲是讲，做是做。教授，要知道，这是中国，不是贵国，敌人的飞机随时都可能出现在天上，扔下成堆的炸弹，让你离开人间去地狱。天上有敌机，地上还有特务、汉奸，经常搞暗杀。告诉你，敌人正在四处打探我们这个机构和我们这些人，包括你，教授。我们的安全受到了严酷的威胁，我们必须严格保密，必须这样做。”

彼此各执一词。

海塞斯觉得这太荒唐，根本没兴致跟他啰唆，立起身，离开座位，对所长下通牒令：“要看你找其他人去看吧，本人是坚决不会帮你这个忙的。”

“那好吧，”陆所长说，“我只有把这封信烧了。我不可能把一个内容不祥的东西发出去，尤其是这封信，是寄给一个日本女人的，她哥哥就在日本陆军情报部门工作。”

海塞斯一怔，没想到他的学生中还有这么一个人，便问那信是谁的。陆所长说是陈家鹄的。海塞斯一听这名字，眼里不觉地放出光芒，“哦，是他，我记得他，他可能是你那些人中最优秀的。”不等所长表示什么，又紧跟着说，“也可能是最差劲的。不要问我理由，我是凭直觉，没有理由。”

陆所长不解地望着海塞斯，“他可是你们耶鲁的高才生呀。”

海塞斯摇头道：“这不能说明什么。怎么，你怀疑他是日方间谍？”

陆所长想了想，沉吟道：“不能说怀疑，有些东西不可言传，只可意会。我相信陈家鹄，但有些东西需要证实。你如果希望陈家鹄的妻子收到这封信，就请你帮我解开这个谜团，否则，我只有把它烧了。”

“荒唐的逻辑！”

“不荒唐，谨慎而已。我们必须谨慎从事，包括你，教授，今后绝对不能随便走出这个院子，你有事要出去必须报告，不能单独出门。”

“你放心，我不会一个人出去的。这个城市像个垃圾场，要公车没公车，要路标没路标，我出门就像个瞎子，哪里都去不了。”

陆所长见他情绪缓和下来，又拿起信，递给他，“劳驾，就算帮帮我，也可以说是帮帮陈家鹄，让他太太能够收到这封信。”

世上很多事情都是语言造就的，奥匈帝国皇储的一句话，可以引发一场世界大战；李煜因为迷恋语言（作诗）而丢了江山，一代君主成了阶下囚；张居正的侄子因为“不会说话”全家遭锦衣卫屠杀。人的语言含风蓄水，可以改变世相本来的风水。陆所长最后这句话有力挽狂澜之功，是真正说到位了，只留给海塞斯发发牢骚的余地。发完牢骚，他不可能有第二个选择，他只会接过信，坐在沙发上看起来。

看着看着，海塞斯忍俊不禁，独自大笑起来。

“你笑什么？”陆所长问。

“因为我看到了好笑的事情。”海塞斯笑着将信丢给所长，“行了，你现在该做的就是尽快把这封信寄出去。这个陈家鹄啊，有意思。”

“他说什么了？”

“你无权知道。”

“我要寄它首先要知道他在说什么。”

“你不是担心它泄密才扣压下它的吗，那么我现在告诉你，它没有泄密。如果说泄密，泄露的也只是他陈家鹄个人的隐私，跟你工作无关。所以，你也无权知道。寄吧，没问题的，有问题我负全部责任！”看陆所长不表态，海塞斯振振有词地嚷开了，“怎么，你连我也不信任？你只信任自己？先生，这可不好，信任是双方的。相信我，这信没有任何问题，我告诉你也没有任何意思，不过是男女之间的调情而已，我都羞于开口。”

陆所长奇怪了，他想自己曾多次看过这封信，并没有发现任何引人发笑和羞于启齿的片言只语。到底是怎么回事？

海塞斯羞于开口，那么只有让惠子来告诉你。

这天晌午时分，姗姗来迟的信终于到了惠子手上。当时惠子正在厨房里洗碗，听陈父说陈家鹄来信了，她系着围裙从厨房里冲出来，见了信，两只手在围裙上蹭来擦去的，不知所措。

陈母指着她身上的围裙说："快，把围裙脱了，去看信吧，家鹄说什么了？"

惠子哎哎地答应着，慌忙解了围裙，接过信就往楼上咚咚跑，躲进房间，急不可待地拆开（陆所长代封的），读起来。

亲爱的：

你好吗？必须好！离家几日，我今日方去信，实是身心疲惫、情绪低落，怠惰了，没有写信之精神。连日上课，尽是些无聊内容，难免令人烦躁，只想一走了之，但又深知这不可能，只好自己同自己说话，自己给自己解闷。

说什么话，解什么闷？答案只有一个，那就是你。几天下来，你的头发，你的笑容，你的身影和你的气息，无不缥缈在我眼前，"才下眉头，又上心头"。是的，每天晚上，独自一人枯坐烛光下，我都会取出你的照片看，看在眼里，装进心中，融入血液，须臾不忘。我相信你也一样。在这非常的年月，我们这样身份非常的夫妻，若没有非常的眷念，如何能够相濡以沫、搀扶前进？

我写这封信的时候，讲台上的人正在深情而陶醉地进行诗朗诵，感谢他的朗诵，唤醒了我对文字的激情，暂时压制了如麻的心乱，我才能提起笔，写下这无奈与想念。你是不是也要感谢他呢？哈哈，应该感谢。不过，退一步说，世上本无事，庸人自扰之，不满都是暂时的，你深知我不甘屈做庸人，故而不必为我心生烦恼。你且尽心替我照顾好父母、兄妹，为我解决后顾之忧，我也好尽快完成我的任务，早日回家与你团聚啊！

对了，你上次说想要一点我们中国的胭脂，我给忘了，有空的时候叫上家燕陪你去买吧。那玩意儿其实很便宜。你在家不要太拘谨，想要什么就跟家燕说一声，你是她亲嫂子，她不帮你还能帮谁？

盼你的回信。

爱你的家鹄

及：

1 1 1 11 23 5 69 10 14 2 20 34 1 99 41 60

亲昵的问候和甜蜜的话语，顿如骀荡的春风，在惠子脸上吹起阵阵幸福的涟漪。看罢正文，她同样被“及”字后面那一列莫名其妙的数字困惑了。她蹙起细细的弯眉，又往信封里看了一下，以为里面有什么暗示或提醒。

没有。

手摸，眼看，抖甩，里面什么也没有。

惠子想，没有提示，就是让我猜。她一点也不苦恼，她知道家鹄不会把她难倒的。她趴在桌上，偏着头，望着那串数字寻思开来，乐在其中。知陈家鹄者莫如惠子，夫妻嘛，总是有些默契的，这是其一；其二，惠子及时想起了他们刚谈恋爱时曾经玩过的一个游戏，就是“报数读《飘》”。是这样的：一人任意报一个数字，另一人依数翻到这一页书，如果这页书中有亲吻或者类似的情节和意思，报数者就有权亲吻对方，否则换一个人报数。如此循环，周而复始，爱情故事又多了一曲浪漫的篇章。

正是这个游戏给了惠子灵感，让她轻易破掉了陈家鹄的鬼点子。事实上“密码”很简单，就是跳着读，跳的规律由数字来定：是什么数就跳多少个字。比如开头的“111”，就是此信开头的三个字：亲爱的；接下来的“11”，是从上一个字起，跳过十一个字，读第十二个字，然后又从下一个字起，依数往后揪出再下一个字。

依此类推。

就这样，惠子用铅笔在信纸上画起圈来：一个，两个，三个，四个，五个……她前后圈出了十多个字。她把这些圈出的字连起来从头往后读，刚读完，她的脸腾地绯红了。

亲爱的，我之上头和下头都非常想你啊！

是这么一句话，属于枕边言，岂能让人看？难怪海塞斯知羞。

亲爱的……我想你啊！惠子看着，看着，一种晕眩的幸福感霎时弥漫了全身，像陈家鹄第一次亲吻她，像他们第一次做爱，像他们将又一次做爱……她受到了挑逗，想起了陈家鹄的“下头”，想起了他们在一起的那些如胶似漆的夜晚。天哪！不行了，她一头扑倒在床上，钻进被子，蒙着头，抱着枕头，家鹄家鹄地喊，如醉如痴，情不自禁，像陈家鹄早已藏在被窝里……天哪！家鹄……天哪！天哪！家鹄，家鹄……家鹄，你在哪里？

此刻，大哥家鸿也在呼天喊地。

家鸿呼天喊地，不是因为虚拟的快乐，而是出于真实的苦楚。陆所长给他上了一个套，让他上也不是，下也不是，很难受。就像数学上的“正无穷大”和“负无穷大”是同一个“数”一样，难受和快乐到“无穷大”时，人的表达方式往往是一样的：膜天拜地。

陆所长今天本来是要给惠子来送信的，多好的机会，看看惠子，与她拉拉家常，谈谈家鹄，也许会感受到一些信息。但车子经过军人俱乐部时，所长突然间改变了主意。

“停车。”

“怎么了？”老孙问。

“回头，送我去军人俱乐部。”

“不去送信了？”

“你去送。”所长把亲自封好的信交给老孙，“我要去看看家鸿。”

“看家鸿？”老孙思量着，“干吗？”

“我给他找了一份新工作，去跟他谈谈。”

“什么工作？”

“当你的眼线。”

他决定让大哥家鸿监视惠子——虽然他只有一只眼，但正因如此他恨透了鬼子，包括惠子。这个主意当然不错，既利用了家鸿的情绪，有操作性，又利用了家鸿独特的位置，可以“贴身监视”，无人能替代。但也挺馊的！名不正，言不顺，以致当他面对家鸿后，一时竟有些尴尬，不知道该跟他从何说起。最后，他还是决定先声夺人，跟陈家鸿打开天窗说亮话。

所长说：“家鸿，你现在已经是半个军人了，我呢也是个军人出身，我把丑话说在前，今天我们所谈的内容涉及军事机密，你一边听一边要忘掉它，走出这个门绝对不能传，否则当以军法处之。你能接受吗？接受我们就往下说，不接受你现在就可以走人。”

陈家鸿甚是惊异，不安地望着陆所长，他想到事情可能跟他弟弟有关。

所长说：“是的，你很聪明，想到了。确实，事关你弟弟的生命安全和荣誉。”

事关如此重大，怎么可能不接受，“好，我接受。”

所长说：“你要向我保证，我们今天的谈话仅限你我两人知道。”

“我保证。”

"好。"陆所长松了口气，慢慢道来，"首先我要告诉你，你弟弟今后将有可能从事我们国家最机密的工作。人一旦有了秘密，就像有了财富，人身安全就会受到威胁。要消除这种威胁，我们先必须要把这种威胁无限地扩大，对任何人都要有一种警惕之心、防范之意，包括你的弟媳妇惠子。我现在希望你能配合我，如实回答几个问题。第一，你弟弟走后的这些天，你有没有发现她跟什么人接触过？有没有人来找过她？"

"没有。"家鸿摇头，"至少我没有注意到。"

"二，她有没有收到过什么信件，或者包裹？"

"没有，应该没有。"

"三，你觉得她有没有什么不正常的举动？比如经常单独出门？"

"没有，她倒是经常陪我妈出去买菜。"

"她晚上出过门吗？"

"肯定没有，我这些天晚上都没出门，可以肯定。"

"那你平时有没有发现……她在关心重庆饭店呢？比如打问它的地址、电话什么的？"

"没有。应该说……她还是……"

"很正常？"

"嗯，"家鸿点点头，可想了想，又说，"要说不正常，我觉得……她对我父母包括我和小妹都很好。太好了，好得有点不正常。"

所长也点了点头，说："尽管这样，我们还是不能消除对她的警惕。不瞒你说，据我们了解她哥哥在日本是个情报官，曾经和你弟弟有些瓜葛。我们现在没有确凿的证据可以证明，她嫁给你弟弟完全是个人行为。所以，今后有什么紧急情况，希望你能及时向我通报。"

就这样，所长拐弯抹角又冠冕堂皇地给陈家鸿布置了"任务"，后者没有马上答应。他觉得这件事太黑，太狠，太歪，不厚道，在丈量他的良心，考量他的品德。但他最后还是答应了，由衷地。当家鸿与所长分手后，他不停地问自己为什么会真心答应陆所长的这个馊主意，是因为他给自己找了这份工作，为了感谢他，还是由于自己内心对鬼子积蓄了太多仇恨的缘故？

重庆的黄昏别有一番风韵，因为是山城，立体感强，房屋错落有致，抹上昏黄的夕阳，画面感特别足。家鸿来重庆已经半年，却从来没有认真留意过这个城市的风景。不是因为少了一只眼，欣赏不了，而是少了一只眼，有碍观瞻，他懒得出门丢人现眼，即使出了门也总是埋头低眉，行色匆匆。

这天不知怎么的，也许是心情复杂沉重，怕回家看见惠子吧，他的双脚像得了软骨病，没力气，没信心。走到一半，他觉得不行了，走不动了，便在路边找个僻静处坐下来歇脚。

于是，夕阳中的山城便在他面前肆意铺张开来。

他看见西沉的太阳靠在山梁上，感觉就像自己，疲惫，慵懒，无精打采；江对岸，那些零零散散坐落在山谷里、山脚下、山坡上的土墙草屋，白壁黛瓦，红砖破垣——各式房屋，被漫天铺洒的斜阳照亮，闪耀出令人昏沉沉的黄光白芒，倒是有一种山里或乡下的人间烟火味道与日暮乡关的平和与宁静。这个傍晚，家鸿心里平添了一个去乡下生活的念头，砍柴、挑水、种地、喂鸡……闲来无事就独倚柴扉，观看斜阳。但也仅仅是一念而已，等他歇过脚，依然往城里走去。

他还要回家去完成陆所长交给的任务呢。

家鸿走进家门时，小院里静静的，夕阳的余晖已经爬上墙头，正在静静地退走。家鸿的父亲躺在一把椅子上，正将老花眼镜当做放大镜，对着报纸，一行一行地看着。

“妈呢？”家鸿问。

“买菜去了。”父亲答。

“她呢？”家鸿又问

“谁？”父亲看看儿子，“你是说惠子？跟你妈在一起。”

正说着，外面传来惠子与陈母回来的声音，家鸿迅速丢下父亲，上楼去了。

母亲走累了，一进家门就在老伴身边坐下来，一边捶着腰杆喊累，一边抱怨着市场上飞涨的物价。她指着菜篮里一条巴掌大的鱼对老伴说：“你看看，就这么一条鱼，五块钱，简直成金鱼了！”回头看看已经走进厨房在准备泡茶的惠子，笑着嗔怪道，“她孝顺你呢，我不要买，她非要买，说是你爱吃鱼。”

陈父道：“我是爱吃鱼，可五块钱也确实太贵了。”

陈母说：“现在什么东西都贵，就这么一把小菜也要五毛钱，再这样下去，我看只有什么都不吃了。”

陈父瞪她一眼，不满地说：“别危言耸听，我刚看报纸，政府已经组织了车队，准备从成都调运大批粮食和蔬菜过来。只要鬼子打不过来，日子只会一天比一天好过的。报纸上也说了，鬼子的进攻又受挫了。十万大山，两百万正规军，鬼子要想打过来，我看难！”

陈母却有些担忧，摇着头说：“那飞机不是说过来就过来了，你没有去外面看，炸得到处都是焦土、烂房子。”

陈父突然生气地扔下手中的报纸，“那都是暂时的！”

这时惠子已泡了两杯茶从厨房里端出来，看见老两口在打嘴仗，连忙拦在中间，请二老喝茶。陈母提起菜篮子往厨房走，“惠子，我不是你爸，天塌下来都有福享，我哪有时间喝茶哦。”惠子赶忙上去夺过菜篮子，“妈，您先休息吧，等我把菜洗好了，您再来烧，好吗？”惠子将陈母按在椅子上重新坐下来，拎着菜篮子去了厨房。

陈母看惠子走进厨房，笑眯眯地对老伴说：“说实话，惠子这孩子真是不错的，我们家鹄啊，没有看错人。”

陈父得意地笑道：“我们家鹄什么时候看错过人？他满脑子都是算盘，只有人看错他的，他哪会看错人。”但想了想，又忍不住叹了口气，说，“家鹄这孩子就是心气太高，凡事总想着自己，有时不太考虑别人的感受，以后说不定会吃大亏的。”

“可惜她不是个中国人啊。”

“谁说的？她做了我陈家的媳妇就是中国人。”

“唉，那是你说的，虽然看是看不出来，可一张嘴说话还不照样……”

都是木楼板、木板壁，隔音效果很差，父母亲的话，在楼上的家鸿听得清清楚楚。这会儿他甚至听到父亲叹气的声音，然后说道：“而且我看家鸿怎么也过不了这个坎，刚才一听你们回来像见了鬼似的，溜了。”

“他去哪里了？”

“在楼上。”

家鸿的想法是，他真想溜了，离开这个家，远走高飞。可去哪里呢？他的眼前又浮现出江对岸那些土墙草屋，那些人家，那些袅袅炊烟，那些叫人昏沉沉的黄光白芒，那些倒映的青山，那些肮脏的水洼子，那些与世隔绝的宁静。他突然厌倦起自己和这个家，包括父母亲：他们谈论惠子的那种话，那种既欣赏又担忧的情绪，都让他心生厌恶，烦！

陈家鹄的烦恼也是说来就来，下午他上课回来，惊愕地发现门缝里塞了一只信封。他以为一定是林容容搞的鬼名堂，可打开信一看，不是的，写信人没有留下名字，甚至试图连笔迹都想抹杀，字体歪歪扭扭，好像是三岁小孩写的。这里面没有小孩，可以想见主人是用左手写的。为什么要这样？看内容知道了。

你有志报国令人起敬，但你进错门了，你应该去延安，而不是在重庆。这里混迹着一群官僚、政客、奸商，以抗日救国为名，中饱私囊为实。延安欢迎你！

是谁？

陈家鹄心中不觉一阵恍惚，忍不住想起在武汉客栈的奇遇来，想起那个长得很粗犷的叫老钱的人，那个为他牺牲的年轻小伙子（小狄），那个劝他上山的“首长”……他们希望我去延安。可在这儿，这铁板一块的地方，怎么还会出现这样的纸条？这儿也有延安的人？他是谁？难道真像人们传说的那样，延安的人无处不有——野火烧不尽，春风吹又生？陈家鹄一边想着，一边掏出笔来，把纸条涂得一抹黑，之后又用指甲把它切成碎片，揉成一个个的小纸团，在桌上滚来滚去地玩着。他在做这些的时候，没有丝毫的神秘感，也没有什么鬼祟感，更没有恐惧感，就像一个上课不太专心的小学生，在下面搞着玩铅笔、橡皮擦之类的小动作。

后来，陈家鹄又想，这人的胆子也够大的，难道就不怕我交上去？他想，只要我把它交上去，上面一定会追查，山上就这么十几二十来人，追查起来不会太难的。

他越想越觉得对方胆子真大，大得有点鲁莽。

不知怎么的，他首先怀疑到赵子刚。赵子刚就住他隔壁，他决定去看看，试探一下。过去看，赵子刚宿舍门敞开，屋里空的。再往外面看，发现赵子刚拎着水桶，正往水井那边走去。

山上没有自来水，所有用水都靠一口井。这会儿，王教员和林容容正在水井边打水洗衣。赵子刚远远看见两人正合力又吃力地打水，跑上去帮她们把水拎上来。

赵子刚拎上水，分别给两人的盆子倒上水，一边笑道：“我建议咱们应该分个工，像这种力气活儿就由我们来做，你们……”

林容容打断他：“像洗衣服这种事，就应该由我们来负责？”

赵子刚说：“是啊。”

林容容说：“不干。王教员，你干吗？你要不干，就让他把水倒了，我们自己来。”

赵子刚拎着水桶，假装要回井边，“那我真倒了？”

林容容说：“倒啊，倒，别以为我们拎不上来。”

赵子刚把水桶放下，“听说你今天收到家书了，怎么还跟个小辣椒似的。”

林容容说：“这说明报的不是喜讯呗。”

赵子刚关切地问她：“怎么了，家里有什么事吗？你家在哪里？”

林容容哼道：“不跟你说，保密。”

赵子刚笑道：“怎么，还没上班就得职业病了？嗳，说真的，给我们写信应该寄到哪里啊？这地方有地址吗？”

林容容说：“你还想寄到这儿？做梦！”

赵子刚说：“不是在问你吗，应该寄到哪里？”

林容容说：“五号院。重庆市 166 号信箱。”

陈家鹄远远地看着赵子刚跟林容容说说笑笑的，越发觉得他是延安的人。他甚至觉得他有点像老钱，老钱也是个爱说爱笑的人。想起老钱，跟着又想起了他们从武汉来的一路，想起了小狄为救他而牺牲了自己。想到这里，他觉得不能把纸条交上去，他对自己说：你虽然不选择去延安，但延安的同志对你还是真心实意的，是朋友，你不能出卖朋友。只是他不明白，都说现在国共是一家人，亲如兄弟，为什么重庆对延安的人意见这么大？后来想起美国，民主党和共和党之间经常吵吵闹闹，互相诋毁，又觉得这是正常的。后来，他心里突然冒出一个从未有过的念头：政治真复杂，政治家都只会把世界复杂化，用斗争解决问题，跟科学家恰好相反。科学家是用智慧解决问题的。

就是这一天，他在心里种下了一个念头：今后要远离任何政党。

同时他告诫自己，以后要少跟赵子刚来往，免得搅出什么麻烦事。

几个小时后，赵子刚是延安人的想法还没有在心里焐热，到了晚上，又冒出新的嫌疑者来了。当时陈家鹄正在水井边冲澡，井水很凉，一桶水哗地浇下来，冷得他跺脚。突然，背后冒出个声音：“这是山泉水，能这样冲澡吗，小心感冒！”把他吓了一跳。回头发现，是那个蒙面人，在黑暗中像个没脸的鬼，他顿时起了一层鸡皮疙瘩。

“你好……”陈家鹄跟他打招呼，声音也有了几分颤抖。

“我怎么可能好呢。”蒙面人冷冷地说，“这水不能冲澡，要出事的。”

“没事。”陈家鹄镇静下来。

“等凉气钻进了你骨头，你就比我还要废物了。”蒙面人说。

“不会的，”陈家鹄说，“我冬天都洗冷水澡，练出来了。嗳，请问您贵姓？”

“问我名字？”蒙面人哼一声，“亏你还是知识分子，我脸都没有了，还要名字干什么？我无名无姓。”

说罢，没有招呼，径直走了，令陈家鹄甚是惊骇。黑暗中，陈家鹄一直放肆地盯着他的背影，越看越觉得身上冷飕飕的，仿佛他一语成谶，凉气已经进了骨头。

就在背影行将被黑暗吞没之际，那只空袖管突然出现在陈家鹄眼里。

他没有右手！

难道是“他”？

如果是他，说明歪歪扭扭的字不是出于计谋，而是由于被迫。这种可能性有多大？陈家鹄觉得大于赵子刚。虽然这个结论不乏勉强，但陈家鹄找到了自圆其说的证据。陈家鹄想，如果这个人很有计谋就不会这么胆大，采取这么简单甚至是鲁莽的手段，他所以这么胆大，可能是对自己有一定的了解，知道自己不会揭发他。这么想着，赵子刚的可能性就只能屈居其后了。

萨根最近背运，两次来找惠子都没有踩着点，一次是铁将军把守大门，一次是惠子陪老人家出去买菜了，只见着陈父。陈父是不大喜欢洋鬼子的，三两个回合下来，硬邦邦的热情消散殆尽，就侍花弄草去了，让萨根坐立不安，只好告辞。事不过三。这次来之前，萨根想如果要再续前缘，不管谁在家，不管如何坐立不安，他都要就地死等，把糟糕的孽缘撑破，使它脱底。为此，他也准备了一个非常具有说服力的理由。但事后看，正是这个无可挑剔的理由，给他惹了事生了非，进入了黑室的视线。

绝地一搏的决心和雄心结束了背运，今天萨根来，惠子正在楼上练字呢，照着《红楼梦》练毛笔字，抄每一回开始的四句诗。听楼下妈在喊她下楼接客，她准备赶紧下楼来，急忙中不小心把墨水碰翻了，欲速则不达。上次见面，惠子开始给了萨根一定的难堪，事后陈母专门找了个机会对她说，他们陈家虽然不是什么显赫权贵之门，但也算得上是个书香门第、诗礼之家，所以做事一定要有礼有节。特别是对待上门的人，进门就是客，不管含冤有仇，礼遇是面子，是无论如何要给的，云云。惠子记在心上，今天有机会贯彻，萨根受到了惠子热情周致的接待，嘴上喊，手上忙，又递烟，又泡茶，反而把一心想带惠子出门的萨根搁下来了。

茶过一巡，陈母提着新烧好的开水壶从厨房出来，看萨根的茶杯半空，遂上前给他续水。萨根谢辞，一边道出真情，“陈先生，陈夫人，我是无事不登三宝殿，今天我来是想请惠子去替我办点私事。”什么事？萨根早打好腹稿，“是这样的，下个月是我和太太结婚二十周年的纪念日，她几次来信要我给她买两套中国旗袍，我就想趁这个机会给她买了，了她一个心愿，也是多一份纪念。可……这事还真把我难倒了，几次去商店看了，都下不了手，不知道买什么样的好，所以想请惠子帮我去参谋参谋，不知方不方便？”

这是多简单的事嘛，而且是成人之美的事，何乐不为？陈父爽快答应：“这有什么不方便的，去吧，惠子，就当出去走走，散散心。”陈母也附和，“对，惠子，你老一个人闷在家里也不好，跟你萨根叔叔去走走，顺便也可以给自己看看衣服，天快凉下来了，你也该置备一点换季衣服了。”说着要上楼去给惠子拿钱，却被萨根拦住了，“夫人，不必了，我身上带着钱呢。”

就走了。

去哪里？

重庆饭店。

醉翁之意不在酒，萨根哪是给夫人买旗袍，他是要探听陈家鹄的下落，所以重庆饭店是不二的选择。这儿是萨根的第二个家，熟悉。人在熟悉的环境里身体放松，思维也会敏捷，手气也会变好。这里，一楼买东西，上楼喝咖啡，自然转场，不牵强，不刻意，惠子不会有其他想法。这不，就是这样，萨根带着惠子在楼下商店里转一圈，随便选了两件旗袍，给惠子倒是购了一大堆，穿的、吃的、用的，都有，让惠子既歉疚又感动。这时请惠子上楼去“喝一杯”，顺理成章，不会旁逸斜出。

音乐潺潺，香气飘飘。两人坐在窗边，一边透过玻璃窗看着街景，一边品呷着咖啡。战时的重庆街头，虽然人来人往，但所有人都步履匆匆，行色里透出一种紧张和不安，甚至还有人不时地把手挡在额头上，抬头去望天空，不知是厌烦太阳的毒辣，还是担心鬼子的飞机突然凌空。

一切都是精心预备好的，不会马上打问，也不会迟迟不问。合适的时机，萨根会以合适的方式切入主题。这不，萨根出动了，他像忽然想起什么似的，从窗外收回目光，对惠子说：“嗳，惠子，你的博士先生为什么不愿见我？该不是你给他说了什么吧，他讨厌我？”

惠子放下咖啡杯子，笑道："没有，怎么会嘛。"

萨根盯着她，假装生气，"怎么不会？你看，我都登门几次了，他一直避而不见。其实，我……怎么说呢，我也是站在你父亲的立场才那样说的。"

"我知道。"

"所以他不该生我的气。"

"没有，他没有生你的气，他什么都不知道。"

"那他干吗不见我？"

"他不是不见，而是……"惠子迟疑了一下，"他没在家。"

"嘿嘿，嘿嘿，"萨根头摇得像拨浪鼓，"去一次见不着叫不凑巧，两次也可以勉强这么说，可我已经去了三次，总不会次次都不凑巧吧？你是学数学的，有这样的概率吗？"

惠子笑，"你就是再来三次也照样见不着他。"

萨根将身子倾过去，关切地问："怎么了，你们……闹矛盾了？"

惠子摇头，幽幽地说："没有，他出去工作了。"

萨根来劲了，像浑水摸鱼，摸到了鱼尾巴，但更要小心，切忌冲动，下手太快。此时一定要沉住气，不妨以退为攻，来个大包围。"那好啊，你们刚回来他就找到了工作，好事啊。你不知道现在这城市里到处都是失业的人，有个工作不容易啊。好，你定个时间，我请你们吃饭，庆贺一下。人逢喜事精神爽，有好事要庆贺啊。"

惠子脸上顿即泛起一种难言的苦衷与郁闷，"好是好，可是……他这个工作啊……其实我都不知道他什么时候能回来。"

鱼儿蒙头了，该收拢包围圈了。"怎么？"萨根盯着惠子，"他没在重庆？"

惠子苦笑道："我也不知道他在哪里。"

包围圈可以继续缩小。萨根用手指着她，不满地说："你看看，又在搪塞我了。狗有狗窝，猫有猫道，鸟有鸟巢，都有去处，哪有他工作了还没个地方的。"

惠子很诚实地望着萨根，"真的，我真的不知道他在哪里。"

搪塞也好，作假也罢，只有深挖下去才能见分晓。"你总不会说，他双臂一擎飞天了，连个通信地址也没有？"

终于撞到南墙。惠子直言："通信地址倒是有。"

好！分晓就在眼前。萨根一拍手，"那不就行了，有了地址哪有找不到地方的。是什么地址呀？"

惠子犹豫了一下，最终还是道出陈家鹄的通信地址：重庆市166号信箱。

犹如石头砸进池塘，扑通一声，萨根心里顿时迸溅起无数惊喜的水花。他凭感觉就知道，这166号信箱，肯定是个重要的神秘的单位，不然为什么不用街牌号，而要用信箱？可能就是黑室！一举两得呀。梅花香自苦寒来，这种好事像小提琴的琴弦上飞出小鸟，你不耸肩缩脖练个几年哪能行，嘴上没毛的黑明威肯定不行，自以为是的冯警长也不行。这是鸿门宴，走钢丝，惊险和精彩都在脚跟手掌上。

萨根对自己今天的表现评价是：心有多大，天下就有多大。

大功告成，撤！急急忙忙将惠子送回家，又急急忙忙赶回大使馆，萨根躲在自己的寝室里，给少老大打去电话，汇报了他今天的重大收获。激动之下，他竟忘了两人之间的雇佣关系，拿出美国人惯有的架势和语气，颐指气使地说："你马上让冯警长去查一下，看看这个166号信箱究竟在哪里，是个什么单位。我估计这肯定是个秘密机构，说不定就是我们正在找的中国黑室！"

重庆晴空丽日的日子不多，但不是没有。这天就是这样，天高云淡，日头分外旺。时近中午，炙热的阳光直直地洒落下来，将屋顶的片片青瓦晒得干焦发白，亮晃晃地腾起一团团氤氲的热雾，直扑人的脸面，同时也将围墙脚下的夹竹桃烤得蔫头耷脑的，像一个被岁月抽干了精血的女人，在烈日下垂头枯立。

惠子提着萨根给她买的旗袍回到家，见母亲正坐在屋檐下的阴凉地里择菜，便从提袋里拎出旗袍，在身上比画着，笑眯眯地问母亲好不好看。母亲丢下菜，退后两步，上下打量一阵，拍着手连声道好："哎哟，惠子，你穿我们中国旗袍真好看，比你照片上穿的那些和服好看多了。"

适时家燕放学回来，一见惠子身上那件漂亮的旗袍，禁不住扑上前，拉着她转来转去地看，赞叹道："哎哟，你看这花色，这样式，真好。嫂子，你在哪里买的？"

"重庆饭店。"

"谁陪你去的？"不等惠子做答，家燕睁大了眼，"我二哥回来了？"

"没有。"

"那是谁陪你去的呀？挑了这么好看的旗袍。"

家燕又是观看，又是手摸，爱不释手，满口赞誉："啊哟，你看这料子真好，绝对不是本地货，这花色你看，颜色多正。看，这做工也很考究啊，针脚好细密好匀称。”

陈母看女儿这么喜欢，笑道：“这么喜欢啊，现在好好读书，将来自己挣钱去买。”

家燕问惠子：“多少钱，一定很贵吧？”当然不便宜，二十美金呢。家燕听了惊叫起来：“哎呀，都够我买几年衣服的了。嫂子，你真舍得嘛。”

“不是我付的钱。”惠子笑。

“谁付的？”

“你问这么多干什么？”母亲上来干预，“快去洗手，准备开饭。”

家燕掉转头，矛头直对母亲，“妈，是你付的吗？你好偏心哦妈，你对嫂子这么好，我妒忌！我妒忌！”

老人家也关心这么贵的旗袍钱是谁付的，惠子遂实话相告：是萨根。先一步回来的家鸿，此时正在楼上房间里看报纸，自听到楼下传出“重庆饭店”的信息后一直竖着耳朵在偷听，这会儿又冒出个“萨根”和“美金”什么的，觉得这可能是个情况，记在心里。下午去了单位，家鸿犹豫再三，想给陆所长打电话，最后还是没有打。

凡事开头难。

何况是一口锅里吃饭的，更难！

有一句谚语，说的是重庆的天气：早晨大雾出太阳，两个太阳一场雨。由于山多，水汽很容易下沉，所以雾多。如果早晨大雾弥漫，说明高空中的云层已经很薄，所以要出太阳。但是总的说山里水分太足，加上四周环江绕水，太阳一猛水汽迅速升空、积聚，到了夜晚，太阳走了，温度下降，带着热度的水汽迅速化作雨水，所以容易下雨。

这天白天的太阳出奇地猛烈，预示着雨水将加速形成。果然，天一黑，雨水便淅淅沥沥下来了。五号院本来就静，下了雨更静。看门的德国牧羊犬伏在门卫室的屋檐下，瞪着幽蓝的眼睛，注视着老孙办公室的一窗灯光。它是老孙从杜先生身边带过来的，跟老孙感情笃深。老孙因为它立功多次，又是雌性，给它取名叫“功主”，谐“公主”之音。

门卫室的电话突然大作，“功主”顿时跃起，冲到门卫室前，看到门卫已经接起电话。门卫放下电话，对“功主”说：“喊你孙大哥来接电话。”“功主”心领神会，冒雨跑去，到老孙办公室窗外狂吠。

老孙从楼里跑出来，对它招呼，“行了行了，别叫了，我这不去接了嘛。”

“功主”摇头摆尾地跟着老孙进了门卫室，抬头看着老孙接电话。老孙放下电话直奔陆所长办公室报告情况。电话是家鸿打来的，他在经历了白天的痛苦折磨之后，夜色似乎遮蔽了他一些良心和亲情上的顾虑，终于鼓足勇气给这边打来电话。

“什么事？”陆所长问。

“今天惠子去了重庆饭店。”

“去干什么？”

“买了些衣服。”

“她有钱嘛，去那儿买衣服。”

“是萨根陪她去的。”

“萨根？是什么人？”

“美国大使馆的一个工作人员，家鸿说这人已经来过他家多次。”

“有没有发现什么情况？”

“事先不知道，没有盯。”

“小周呢，干吗不盯着？”

“你不是喊他没事才去盯嘛，今天他这边有事，没去。”

“从现在开始，给我死盯。这个马虎不得，重庆饭店这鬼地方全都是贼！好啊惠子，我就怕你没长尾巴。还有这个美国佬，让三号院去调查他一下，可别是只披羊皮的狼。”

陆所长正是由此开始重视萨根这人，其实之前萨根首次上门找惠子，小周监视到后就把情况向他汇报过，但没有引起他重视。他觉得陈家鹄从美国回来，美国大使馆的人去找他，没什么不正常的。直到后来，萨根的面目彻底暴露，陆所长才后悔不迭：他居然多次忽视了萨根的嫌疑！

否则，他们本是可以轻易捣毁设在粮店的少老大这张间谍网的。

这会儿，少老大正在接受桂花传统的日式服侍：泡脚。不是一般的用热水泡泡脚，而是用蒸气泡。专门有一只特殊的木桶，木桶的腰部加有隔板，脚就放在隔板上，下面是热气腾腾的滚烫的开水，木桶口子用湿毛巾捂着，有点专给脚蒸桑拿的意思。故乡在远方，重庆又不是南京，在这里，没有日式餐馆，没有日式澡堂，没有歌伎，没有和服，没有樱花……故乡的一切在这里都是忌讳的。只有到了晚上，桂花会穿上和服，迈着樱花碎步，哼着家乡小调，给思乡心切的夫君忙碌一次，就是泡蒸气脚。有时情绪好，桂花也会摆几个歌伎的舞姿，逗夫君一个开心。

今天，桂花心情不好，因为约定的冯警长迟迟不来。

来了，来了，终于来了！

警长并没有因为迟到表现出应有的歉意，反而大大咧咧地入座，掏出香烟递过来一支。少老大接过烟，猜他这么随意一定是因为手头有货，便道："看样子手头有货，不过最好是鲜货。"

"绝对是好东西。"冯警长头一昂，底气十足地说，"听说戴笠从美国弄来了一位破译专家，招了不少人在秘密集训。"

"是吗？"少老大着实一惊，吸了一半的烟又吐了，"哪儿来的消息？"

"就是那人。"

"那个神秘的姜姐？"

"嗯。"

说到这个姜姐，少老大就没心情蒸脚了，他曾多次从冯警长嘴里听说过她，好像是他发展的下线，而且身居要位，在杜先生的辖地：渝字楼。所以，他几次要求警长带她来相识，共谋同略，但警长总是推三托四，不贯彻，消极抵制。究竟为哪般？思来想去，少老大只想到一个缘由，就是：此人是警长的姘头，他想金屋藏娇。为什么要藏？无非是怕他以权谋私，横刀夺爱。小人之心！想到这里，少老大气不打一处来，鼻子出气，嘴巴出声，而且声音明显高八度："嗳，我不是让你带她来见我嘛，什么意思？还要我租轿车去接！"

警长说她不愿意："她说了，她只为我干，不加入任何组织。"这不是又当婊子，又立牌坊嘛，笑掉大牙！不，她才不是婊子，她上街目不斜视，每天读书看报，谈人生理想，吟诗寄情，作画抒意。扯淡！天下个个女人都是婊子，只要男人给的好处够数对路。有的女人认钱，有的女人认情，有的女人认弱，有的女人认坏——像桂花，典型属于男人不坏她不爱的那种贱坯。

"实在不行，让桂花见见她行不行？"少老大先退一步，是为了让警长断绝退路。哪知道警长仍不领情，头头是道，据理力争，"她为我干活，还不就是为皇军干嘛，你们何必非要见她。有道是，强扭的瓜不甜，赶鸭子上架，吃力不讨好。"搬古论今先生状，振振有词理当先，气得少老大直翻白眼珠。好在桂花在场，笑意浓浓，左挡右堵，方使夫君怒气引而不发。

桂花对夫君说："你还是跟警长说说正事吧，你喊他来不是有事嘛。"怕他又高八度说话，再溅火花，桂花临时决定自己来说，"是这样的，我的大警长，下午萨根打电话来说，他已经从惠子口中得知陈家鹄已经在一个单位工作。什么单位不知道，地址也不清楚，只有一个信箱——重庆市166号。我们在想，这会不会就是黑室哦。”

“就是黑室。”警长蔫蔫地说，“我今天来本来就是要说两件事，刚才说了一件，第二件就是这个。”

少老大霍地站起身，责问：“你听谁说的？”

“就是她。”

“姜姐？”

“嗯。”

“她怎么会跟你说这个？”

“你不是要找黑室嘛，我找她打听，她就找来这个地址，通信地址。”

少老大还赤着脚，桂花上前扶他坐下。少老大一屁股坐下，神情木木地自语道：“这就麻烦了，进了那鬼地方要杀他就不那么容易了。”当初以为杀他如杀鸡，顶多中田在客栈守个通宵而已，所以他对南京夸下海口：快则三天，慢则十日，陈家鹄一定命归西天。想不到，陈家鹄转眼进了黑室，而黑室在哪里？至今只有一个抽象的信箱。

“我不要信箱！我要地址！地址！！”少老大在沉默中爆发，抓住警长的肩膀怒吼，歇斯底里，有一种让人陌生的威严和丑恶。做狗的也是有脾气的，何况如今又是大警长，脾气已经越养越大，虽然明知有主仆之分、提携之恩，但在尊严和脸面丢尽之际，冯警长忍无可忍，以失控告终，气咻咻地拂袖而去，任凭桂花怎么追喊都没有回头。

蒸脚的好处是可以提高睡眠质量，入睡快，睡得死。结果可想而知，这天晚上少老大的脚是白蒸了，气愤，担忧，焦虑，不安，随着夜色潜入他心底，令他充分体验到一种提心吊胆的感觉——心像被一只无形的黑手拿捏着，血液从心脏出发，噌噌地往头脑里冲，眼睛闭着都亮晶晶的。

床前明月光，疑是地上霜……

其实，这天晚上没什么月光，是失眠冲淡了夜色，放大了夜光。

失眠也有好处，让少老大想明白了几件一直悬而未决的事：一，冯警长养在黑室里的内线久不露面，说明极有可能是出事了；二，黑室地址久寻未果，说明对方在重创之下已经高度警惕，保密措施严密，常规的办法已经难以奏效，他必须另辟蹊径；三，现在他手上一时还打不出更高级的牌，相比之下萨根是目前最可能给他建功的人选，因为他手上毕竟有陈家鹄妻子这张底牌；四，陈家鹄进黑室的事必须如实向“宫里”汇报，不能再捂，再捂只会让自己难堪。

所谓“宫里”，指的是日本陆军设在南京的最高特务课。

众念在心中盘旋，如梗在喉，不吐不快。少老大不惜叫醒桂花，将这些想法和盘托出，征求她的意见。桂花睡眼惺忪，但意识很清楚，她认为“宫里”在重庆肯定还有其他组织，她建议丈夫应该把他们现在面临的困难如实甚至是夸大地向“宫里”反映，争取更多力量的支援，共同来完成这项艰苦的任务。会哭的孩子总是长得快,因为哭了就有奶喝。桂花力劝丈夫不要硬撑,要学会哭。

“实在不行，”桂花坚定地说，“我一个人去一趟南京，我去哭。”

少老大不同意，坚决不同意。现在武汉的仗打得很凶，路上太危险。这么好的老婆他是丢不起的，他恨不得含在嘴里呢。难怪他要生冯警长的气，把姜姐藏着，怕他染指。怎么可能呢？他前心后背都爱着她，他左手右手都需要她。他决定天亮后去找萨根聊聊。

事实上，此时天光已经发亮，山岭的那一边已经透露出新一天的曙色。

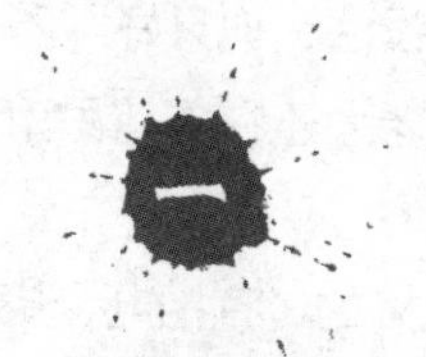

美国大使馆是一座巴洛克风格的高大建筑，矗立在城东区一排浓绿的梧桐林中。每天早晨，当重庆这座西南腹地的大都市从黑夜中醒来时，第一缕阳光总是首先洒在它米黄色的墙体和洁净明亮的玻璃窗上，整个楼体都熠熠生辉，放射出刺眼的亮光。于是，这座具有异国情调的高大建筑，便从周围那些低矮灰暗的土墙黑瓦的民房群中脱颖而出，拔地而起，像整个二战期间的美利坚合众国一样，到哪里都有一种鹤立鸡群的非凡气势。

少老大约萨根在茶馆见面，茶馆开在使馆后门的一条街上。老板是冯警长的一个老上司，退休了，开了这家茶馆，蛮高档。中田便在茶馆里当伙计，店里的人都叫他“哑子”，就是哑巴的意思。萨根和少老大要了一壶苦丁茶喝，因为少老大有急事要他做，茶没喝够，匆匆别了。回来后，萨根直奔使馆宿舍楼，一头扎进自己寝室，打开床铺后面的一个翻板，踩着窄窄的木梯子，迅速钻了下去。这是一间用来储酒的地下室，里面放了一些散酒和几只酒桶。但萨根并不是来取酒的，他从墙角的箱子里和酒桶里翻出一些杂七杂八的零件，熟练地鼓捣起来。

他在组装电台。

中山路粮店一直没有设电台，这完全是出于安全方面的考虑。因为使用电台会发出电讯信号，一旦被中方侦测到，就会引起巨大的怀疑。而设在萨根这里就不一样了，一则他本身就是报务员，发报和收报技术都很娴熟；二是他在发报时就是被中方侦听到也能蒙混过关。因为这里是美国大使馆，需要随时用电台与国内联络，出现电讯信号属于正常。

这也是当初少老大不惜出重金收买萨根的原因之一。

现在，萨根就奉少老大之命，准备向“宫里”汇报陈家鹄的情况，并请求上峰援助。萨根组装好电台，调试好信号，开始发报，嘀嘀嗒嗒的发报声，一下将这间杂乱的屋子变得神秘、离奇起来。

可萨根的电报刚发了几组讯号，悬在头顶的电灯泡子就突然暗了下去，变成了一根红丝，瞬间又猛地亮了起来，炽如闪电。萨根惊愕地抬头，可还没来得及拔掉电源，电台就哧的一声，迸溅出了一团刺眼的火花，随后一股黑黑的烟雾升了起来，满屋都是呛人的焦臭味。

电台烧坏了！

萨根气得跺脚，摘了耳机在地下室里团团乱转。可急也没法，他只好踩着小木梯子，爬出来，迅速去向少老大汇报情况。他知道，少老大还在茶馆里耐心地等他的回电呢。

少老大一听电台烧坏了，急了眼，厉声呵斥道：“你怎么搞的，竟把电台烧了？”

萨根擦着额头上的汗水，没好气地说：“这鬼地方的电压比婊子的心还不稳定，我有什么办法？”

“这可怎么办？”少老大急得团团转。

“立刻派人去成都买零件。”

“这太慢了！”少老大小声惊道，“陈家鹄进黑室这么大的事，我必须立刻向‘宫里’报告！”他提出更好的方案，“你不是报务员嘛，就用你们使馆的电台悄悄给宫里发个报，不行吗？”

“那怎么行！”这下轮到萨根惊叫了，声音压不住的大，“如果让大使知道了，我就犯了通敌罪，要送我去坐牢的！”

“他不会知道的。”

“他百分之百会知道。”这个深浅萨根是明白的，决不会退让，“你以为是写封信啊，机器是要出声的，再说机要室是双钥匙，没有我的头儿同意我根本就进不去。”

“怎么办？这可怎么办？”急火攻心啊，清热解毒的苦丁茶算是白喝了。

“你不是在成都还有个站嘛，”萨根建议道，“马上派人去成都，租一辆好车去，今天出发，明天就可以到的。”

“谁去？你能去吗？”

“这我来安排。”

半个小时后，萨根急急地走进重庆饭店，直奔三楼，嘭嘭地敲开 301 房门，出来的人是黑明威。美联社的年轻记者在中国至少是个省长待遇，里外两间的套房，外面是接客室兼书房，里面是卧室。

“你马上去一趟成都。”萨根进屋，一边关房门，一边忙不迭地说。

“干吗？”黑明威的英式英语听上去总带有点乡气，哪怕只是一个单词。

“去找这个人，”萨根给他一封信，“你就说是我们少老大的朋友，让他立即代我们给‘宫里’发报，要说的事情上面都写着。”

“什么事？”黑明威显然不高兴被人小看，让他干活又不明就里。

“现已查明，陈家鹄已经被重庆军方招入黑室工作。”萨根实话实说，是因为知道瞒不了他。信在他手上，举手之劳即可洞穿秘密。

“是吗？”黑明威突然觉得手上信沉甸甸的。

“肯定。”

“你怎么知道的？”

“你怎么话这么多，“萨根瞪他一眼，“快准备走。”

“你说嘛，我想知道。”年轻人总是因为好奇而露出幼稚。

“哼，快收拾东西！”萨根率先帮他收拾打字机，并告诉他，“第一，他的女人亲口告诉我，他现在本市 166 号信箱供职；第二，冯警长已经查明，这个地址就是黑室！”

“我说嘛，他一定在那儿工作，否则他家里人不会那么警惕的。”

“你是口说无凭，现在才是确凿无疑。”

“那下一步怎么办？”

“这不让你去成都发报嘛。”

“你不是有电台吗？”

“他娘的烧了……”

两人一边收拾着行李，一边说着。楼下，少老大已经在出租车行里租好一辆美国吉普车，花了他五十美金，令他心痛如绞。他不知道，车行老板是萨根的同乡，平时经常一块喝酒泡妞，属于一丘之貉。萨根已经私下跟他打过招呼，让他大开狮子口，狠狠宰他，五十美金将来至少有二十美金是要人萨根的囊中。说白了，萨根为少老大卖力，与汪女郎为他卖身是一回事，都是信仰钱。一个小小的使馆蓝领，不甘心过枯燥乏味的生活，要经常出入高档娱乐场所，品咖啡，听音乐，打台球，抽烟，喝酒，泡妞，身体的每一个汗毛孔都不甘寂寞，怎么办？

只有把《圣经》丢进厕所。

现在的萨根，只有在梦中才能听到教堂的钟声，那是他童年最熟悉、亲切的声音，现在却成了他的噩梦。如果给他权力，他一定会毫不犹豫地割舍自己的童年，因为那成了他多余的尾巴。回想自己曾经是那么爱听牧师布道，经常深夜挑灯苦读《圣经》，胸怀天下人的疾苦和高尚的理想，追求人生的真善美。可现如今，过去的操守荡然无存，天天沉浸在酒色中，而且不以为耻，反以为荣。

人生如梦，往事如烟，日光之下一切皆为虚妄……人生苦短，真理太假，荣誉太重，牧师是人间最滑稽的小丑，身体是世上最大的上帝，眼里有万物，嘴里有百味，身体里有无限的能量……萨根一边送黑明威下楼，一边胡思乱想。到了二楼，两人作别，黑明威继续下楼，萨根进了酒吧。

一辆美式吉普车已经等候在楼下。几分钟后，萨根从酒吧的窗户里看到黑明威乘车而去，目光还没从窗外收回来，不知从哪儿冒出来的汪女郎已经悄然坐在他对面：一身香气袭人，一脸笑容灿烂。萨根禁不住感叹道：这就是我要的人生，有人为我卖命，有人为我卖身。

在对女人的贪心和用功上，冯警长和萨根可以一比：两个人，一个半斤一个八两，都是见了有姿色的女人脚步要慢下来、心眼要打歪。说好听点，是性欲旺盛，说难听了，就是好色之徒。但是，在为少老大卖力、卖命的事情上，冯警长和萨根是不大一样的，后者单纯是为钱，前者既夹杂着一份感激之情（少老大用金条为他谋了这个位置），又掺入了一些投机的心理。当初，他去长沙游说义妹（马姑娘）加盟，他的一番话——中国必败论，大部分是他衷心的见识。这也不是他一个人的见识，四万万国人中少说有几百万吧，甚至包括汪精卫、周佛海、胡兰成等在内的一大批高级官员和知识分子，都认为国人抗战无异于以卵击石，除了劳民伤财外，不会有第二个结果。武汉，长沙，重庆，成都，昆明，贵阳……这些现今的国统区，要不了半年，顶多一年，均将纷纷成为上海、南京、北平等地的翻版。识时务者为俊杰。冯警长委身于少老大，少说有一大半是他识时务，是他明智的选择。

所以，昨晚的事情他是后悔的。小不忍则大乱啊！

为此，今天他的心情像这天气，一直阴沉沉的，灰暗如土，糟透了！他处于深深的自责和莫名的恐慌中。越是自责，越是想戴罪立功，把黑室的地址尽快搞到手。可他出身卑微，警长才当不久，高层和军界都没有关系，缺乏圈子，思来想去，没有一只可以牵拉的手。他坐在威风凛凛的警车上，东转转，西转转，最后又转到渝字楼下。他知道，这里是杜先生的地盘，是他可以接近黑室最近的一隅。关键是，这里已经有一只他可以牵拉的手，而且是温软的，高贵的，性感的。她会敞开雪白的胸脯拥抱他，和他做西式的爱，也会衣袂飘飘，弹琴吟诗。她端庄起来，像个才女，上知天文，下晓地理，出口成章，口若悬河；她放肆起来，像个妓女，脱得精赤赤的，在房间里款款来去，如入无人之境；高兴起来，她且歌且舞，一招一式，一颦一笑，都撩人上火，局部坚挺。自当上片区小警长以来，凭借着“码头优势”，这些年来好色之徒冯德化基本上总是同时跟两三个女人保持着性关系，直到一个多月前，她奇迹般地冒出之后，他主动断绝了同时与他来往的其他女人。他满足了，够了，醉了。他觉得她有无穷的魅力，值得他用全身心去喜欢，去享用，去珍视。

她就是渝字楼二楼餐馆掌门人姜姐。

姜姐大名姜美云，四川雅安人，父亲是个行伍出身，四十岁改行经商，做军火生意。女儿十九岁那年，父亲做了山东韩司令的一笔大买卖，赚了大钱，便在上海买了房产，举家迁到了上海，把女儿送去东瀛学习时髦的西医。这是一九二六年的事。

就是说，一九三八年的姜姐其实不是大姐大，刚年过三十而已。之所以上下皆称其为姐，是餐馆这行业的原因，那群小姑娘整天这么喊，姜姐，姜姐，当面背后都这么喊，喊出来了，成形了，欲罢不能。川人嘴甜，语言俏皮，开口闭口都是哥啊姐的，不像老北方，是人都是爷。

冯警长第一次在餐馆见到姜姐是一个多月前，他带了几个同僚来吃饭，进了门摆大牌，横眉竖眼地对服务员说，要见老板。服务员不敢怠慢警哥，就姜姐姜姐地大声喊，喊出来一个身材高挑、面若桃花的大美人。你就是老板？警长不相信自己的眼睛。更让他不相信的是，这个被遍地称为姜姐的大美人，看上去高不可攀，实际上是个闷骚，当天晚上就不羞不涩地跟他回了家，上了床。哟哟哟，很多女人大同小异，这个女人可大不一样哦。那天晚上，警长见了西洋镜，乐到骨头缝里去了。

上了床，进出了阴门，就是一家人了。警长是“信仰”鬼子的，终有一天“尾巴”摆出来了，就像当初动员义妹入伙一样，动员姜姐跟他一起共赴“前程似锦的美好明天”。明天我可能就是重庆市市长，你就是市长太太，可以住洋房，可以坐小车，可以披金戴银，可以前呼后拥，可以……他以为杜先生地盘上的人，需要足够的理由和耐心，要摇旗鼓噪，要晓之以理，动之以情。哪知道，姜姐不等他说完，手一挥，一言蔽之：

“少啰唆，你需要我干什么？”

就这么入伙了，干上了，令大警长又惊又喜，大惊大喜啊。这个女人总是给他惊喜！惊喜只有开始，没有结束：不断惊喜，不断！两情相悦，志同道合，有事可以商量，有苦她来分担，有喜一起分享。忧苦越分越少，喜事越分越多，一多一少，生活充满阳光。还有，她在床笫间中西合璧的功夫、千娇百媚的情趣；还有，她在茶余饭后的高谈阔论，世界各地的奇趣逸闻，等等等等，令冯德化警长常常感动得要拜天拜地，在梦中仰天大笑。

只有一点，略为不称心：她坚决拒绝去进见少老大。

见了就是一个人头，可以多拿一份钱。不过，不见也好，免得节外生枝，引狼入室，引火烧身。但是昨天自己冲动了，闯祸了，拿什么去缓和这个关系，能搞到黑室的地址当然最好，将功赎罪。

“你怎么老来问这个事，我知道能不告诉你吗？”姜姐一听又是要黑室的地址，烦不胜烦，“你也不想想，黑室是什么？是目前国民政府的最高机密，哪是这么轻易就能探听到的。”

“我已经有个想法，也许有点冒险，但事已到此，冒个险也无妨。”

“什么？”

“找人去邮局打探。我想邮局他们要发信，应该知道具体地址。”

“你疯了！”姜姐的一对柳眉顿时拉得笔直，“你脑子进水了我看，出这种馊主意！你这不是提灯笼照自己嘛，他们正等着你去问呢，谁去逮谁，然后顺藤摸瓜把你摸出来！”

这其实是一般人都想得到的，警长阁下确实是利令智昏了。此路不通，警长只好退而求其次。“这样吧，我看你还是去见一下我们老大吧，他已经几次要求我带你去见他。我想你迟早是要去见的，现在去刚好可以给我打个圆场。”

这主意倒不赖，言之有理。可姜姐一如往常，摇头，不同意。以前看她摇头警长并无所谓，甚至还偷偷乐（免得惹事生非），今天则不同，他要拿她去讨好人家，去救火，去给自己下台阶。所以，再三好言相劝，竭诚竭力，结果把姜姐惹火了。

“哼，他有什么资格要求见我！”这下眉毛像火焰一样竖起来了。

“现在我们不是都在一起做事嘛，他毕竟是老大。”

“他是你的老大，对我，他小着呢！”

一来二去，姜姐抖出了个骇人的大包袱，“听着，你去告诉他，想见我让他跟‘竹机关’去说！”

“竹机关”是“梅机关”的前身，是日本在华著名的特务机构，直属于日本内阁和陆军省，总部设在上海。首任机关长为土肥原贤二，后由影佐祯昭中将担任。就是该机关，后来一手策划了汪精卫的叛国丑行。

冯警长听罢，大惊失色，惊悸地瞪着姜姐，犯了口吃病，“你……你……你是竹机关的人？”

姜姐瞪他一眼，冷冷地说：“所以，我要干的事比你们找一个信箱要大得多。”

冯警长又是既惊且喜，“那你怎么不早告诉我？”

姜姐哼一声道：“你的级别不够。”又交代道，“到此为止，不要外传。”

事情捅破了，有些事情不言自明。级别决定资源，事实上姜姐早知道少老大这个组织，包括其他组织的情况她也知道，她在高处，一览众山小。她可以随时使用这些资源，因需所取，因急所用。冯警长不过是她因需所取的一枚棋子，她初到重庆，用得着他，比如办个证件，用个车，去个地方，办个事，撑个面子，等等，警长是最好的人选。高处不胜寒，凡事更小心，更低调，更狡猾。姜姐所以不用权力，不亮尚方宝剑，而是用美人计降伏警长，就是这个理：小心为妙，猫在暗处更安全。今天一冲动，一吐为快，但事后她不免后悔，所以再三叮嘱：不得外传。

这一天，警长获得的惊喜比以前所有的惊喜加起来都还要大，他呆呆望着这张熟悉的面孔，惊得目瞪口呆，喜得心有余悸。骇人哪！这个女人了不得哪！难怪！难怪！想起曾经在她面前的骄狂放肆，淫秽下流，冯警长直觉得额头发热，冷汗都吓出来了，一颗颗往眼睛里砸。

在冯德化警长被姜美云骇人的大秘密搞得晕头转向之际，萨根兴高采烈地出现在陈家燕面前。老熟人了，家燕热情地迎他入屋，一边朝楼上大喊：“嫂子，快下楼来，你的外交官叔叔来看你了！”

“不，不，”萨根亲切地笑着，“今天我还不仅仅是来见惠子的，也是来见你和你的全家人的。他们都在吗，你爸爸妈妈？”

"在，在，都在。"家燕又喊爸爸妈妈。

惠子从楼上，陈父从客厅，陈母从厨房，被喊的人分别出来迎接贵客，煞是喜乐。寒暄过后，萨根从身上摸出一本大红请柬道明来意：明天是他的五十岁生日，他要设宴庆贺，款待亲朋好友。

家燕最活跃，马上做出反应："包括我吗？"

"当然，你们全家人，都去。"

"在哪里？"家燕问。

"重庆饭店。"萨根对大家说，"我一切都定好了，明天中午十二点，饭店二楼中餐厅平安包间。陈先生，陈夫人，说好了，到时我来车接你们，都去，大家都去给我凑凑热闹。"

陈父看看老伴，使了一个眼色，后者心中有数，编了个托词，婉言谢辞："萨根先生，实在抱歉，明天我和他爸正好有事。惠子，你去吧，你去就代表我们全家人了。"

二老其实也不希望家燕去凑这个热闹。

萨根执著相求："不，都要去，你们都要去。我在重庆没有什么朋友，你们要是不去，我这个庆典就成了个空架子，只有自唱自弹了。"言在理在，诚心实意，软人心肠。

最后，陈父出来圆了个场，折了个中："萨根先生，实在不好意思，我们真的去不了，因为有约在先，分身无术，只能愧对你啦。这样吧，家燕，你陪嫂子去吧。"

家燕连声称好，扬了扬请柬，对萨根说："就这样，明天我陪嫂子去，他们确实有事就免了，我和嫂子去更好，不用你来车接，我们可以自己过去。"

萨根摊摊手，很遗憾的样子，其实是正中他下怀。在他的计划中家燕是必须要去的，二老呢最好不去，之所以邀请他们，是迫不得已，掩饰需要。心中怀有鬼胎，做事总是格外小心，只请家燕和惠子略为唐突，现在二老婉言辞请，乃天助矣。

这是个好兆头，萨根对完成他的计划信心倍增。

萨根想干什么？他也想去邮局打探黑室的地址。他不笨，当然也预料到直接去打探的风险。冯警长是因情而急，头脑发热，才冒那种傻气。萨根并不急，虽然少老大专为此找过他，委以信任和重托，可他是见过世面的老油条，绝不会因此受宠若惊，乱了阵脚。他老谋深算地放了一条长长的线，家燕是这根线的一个关键的"结点"。

次日中午，家燕和惠子如期去重庆饭店赴宴。

说来也巧，在她们进饭店前几分钟，李政和石永伟仿佛在等她们来似的，已经在大堂里入座，挑的座位正好在她们去包间必经的拐角口。就是说，几分钟后家燕和惠子必将遇到他们。

李政要完成组织上交给他的一个任务，为在皖西新组建的新四军金萧支队搞一批被服。问题便在这里，是为新四军，当然不能大鸣大放去厂里要，只好把石厂长约出来私下谈，而且不免遮遮掩掩。

石永伟接过李政递给他的名片，看了后，惊讶道："你怎么帮他的忙，你没听说吗，他是延安的人。"

李政淡淡地说："听说了，可我能跟他说，这事不行，因为你是延安的？这不正给他们拿住话说嘛，没准儿周恩来又要去找委员长了。委员长昨天还在报上说，国共合作，不分你我。"

石永伟叹口气道："是啊，貌合神离，搞得我们下面没法做人。我跟你说，我那里是有明文通知的，不准我把货发给八路和新四军。"

李政笑道："所以他才托我求情嘛。"

石永伟问："你跟他是什么关系？"

"大学同学，还是同班的。"

"不会你也是八路吧？"

"我是八路你能不是吗？我第一个发展的就是你。"

"你这不正在发展我嘛，让我给八路办事。"

"没办法，抹不开情面。"李政说，"就给他一点吧，怎么样，就算帮我了个事。再说他们现在确实也在打鬼子，给点被服是应该的。"

石永伟说："八路有你这个同学真是好，要兵器有兵器，要被服有被服……"

正这么说着，家燕老远冲过来，惊惊咋咋的，像只喜鹊。家燕的高声欢语又把正在包间里静候她们的萨根引出来，他见惠子和家燕与李政、石永伟说得十分亲热，便上前跟他们相认。萨根听说两位是陈家鹄的挚友，大喜过望，力邀李政和石永伟共赴宴会。李政和石永伟自是一再推却，可哪经得起萨根再三恳请。在萨根看来，这可是两个他打着灯笼要找的人物，怎么能交臂错过？一定要相知相认，加上家燕敲边鼓，又拉又说。两人无奈，恭敬不如从命，跟他们去了包间。

包间里已经坐着两对夫妇和一个漂亮的年轻女子，其中一对是本饭店总经理王某夫妇。另一对，男的是中国外交部的一位官员，一个副处长。而那个漂亮的年轻女子就是汪女郎，今天被萨根介绍为他们使馆的中文翻译，特意安排她坐在家燕身边。

介绍大家认识后，萨根高举酒杯，兴致甚高地道起开场白："重庆很大，人很多，洋洋数百万，但对我来说就是这一张圆桌。圆桌象征着圆满，今天是我年过半百的纪念日。生日嘛，也可称其为'圆满之日'。在座的是我在重庆仅有的至亲好友，你们来了，今天我就圆满了。来，为我们大家今后都圆圆满满，干了这杯。"

大家纷纷起身，向萨根举杯道贺。

一切都是有预谋的，萨根兴师动众举行这场宴会有两个秘密的目的，其一为让汪女郎和陈家燕热络上，最好交成朋友。所以，一杯酒刚下肚，萨根又高谈阔论起来："达尔文说，物分种，人分类。今天我们也来分分类，分类喝酒，喝个名堂出来。来，这杯酒，是我一个美国人敬贵国各位友人的。"说罢，率先将杯里的酒一饮而尽。

随后萨根提议，下一杯酒应该由汪小姐和陈小姐来敬他们，理由说得天花乱坠。"我刚看了一篇文章，是你们一个中国人写的，用英文，了不起吧。作者还说，以后他还准备把这篇文章的意思写成小说。文章说，世上只有两类人，一类是有婚姻的，有家有室，有夫有妇之人，叫城里人；另一类就叫城外人，就是你们俩，虽有家但无室。我们都是城里人，只有你们俩是城外人，是一类。你们先自己互相敬一杯，然后再敬我们这些城里人吧。"

一个"城里城外人"之说，果然让家燕和汪女郎对上了，热乎起来，彼此称姐道妹，不时交头接耳，相谈甚欢。萨根看在眼里，喜在心头，一种暗暗的得意泛上了他的嘴角。

接下来，他要来落实第二件事：让惠子走出家门，到本饭店这个间谍自由港来工作，便于他今后可以随时跟她见面。他知道，要想钓到陈家鹄乃至黑室这条大鱼，这女人是最好的诱饵。陈家鹄是只风筝，就算飞得再高再远，也摆脱不掉惠子这根线。当然，这根线也可能变成导火线，所以他不会随便去扯它。比如，去邮局打探黑室地址，这事就不能指靠惠子，她的口音不对，容易被人盯上。这事只有靠家燕，这也正是他为什么要把家燕套进来的原因。现在家燕已经中套了，好啊，好啊，再接再厉吧。

酒过三巡，萨根像突然想起什么似的，转头问惠子道："嗳，惠子，你现在在做什么？有工作了吗？"

惠子浅浅一笑，用手比画着，"我在跟小妹学织毛衣。"

萨根故作惊讶状，"你没有工作？那太可惜了，你可是我们堂堂耶鲁大学的学子，又懂英语，又会日语，是难得的人才啊。你一定要出来工作，要为中国人民的解放事业出一把力嘛。”

“那你就给我嫂子找份工作啊。”家燕插话道。

“不用找，”萨根笑道，“远在天边，近在眼前。”

“怎么，”家燕问萨根，“你是想让我嫂子去你们使馆工作？”

“进使馆工作手续太复杂了，但留在这楼里工作就容易得多，我想就是王总经理一句话。”王总经理显然没有任何心理准备，听了不觉一愣，没有积极响应他的呼应。萨根现场做起了动员工作，“王总啊，你可不要犹豫，犹豫就要错失良机哦。在座的都是统领一方的领导老板，你就不怕人家跟你抢惠子？”说着环视大家，笑嘻嘻地说，“怎么样，我说得没错吧？”

大家半真半假地给他帮腔。石永伟倒是认真的，对惠子说：“要不你就去我那儿，我那儿还正需要一个懂英文的人。”

这下萨根更加来劲了，借着酒劲，拍着王总的肩头说：“听见了没有，有人跟你抢呢，你就甘心认输？不过石厂长，我觉得你应该还是给王总一个优先选择权，一则我知道王总这边确实需要像我们惠子这样的人才，二则惠子在这里可能更能发挥她的才干，三则嘛，我今天既然跟王总开了口，也希望王总给我一个面子，否则——王总，这尊贵的地方我今后是不好意思再来啰。”

话说到这份上王总还能说什么，只得顺水推舟卖个人情。他胸脯一挺，爽爽快快，“来来来，你要来，惠子也要来。惠子，像你这样的人才，我打着灯笼都找不到，哪有不要的道理，要！”

至此，萨根这场酒会真正是圆满了，超级圆满，因为还邂逅了两位陈家鹄的挚友。搂草打到兔子，出门瞧见彩虹。一切都比他期待中的好，他没有理由怀疑，他自由自在的日子即将结束了。

扬扬得意的萨根绝对没有想到，在他挖空心思巧作安排的时候，他在重庆饭店举办生日宴会的所有细节，都被一个人监视到了。此人便是自惠子第一次光顾重庆饭店后，应陆所长之命，一直死守在陈家对面负责监视惠子的小周。当时陆所长其实也派老孙去三号院调查过萨根，可那边递过来的报告表明，萨根是个“仇日一族”。

三号院认为萨根仇日，是基于如下事实：一九二一年至一九二二年，日本和美国政府曾就军舰总吨位数经历过长达一年多的艰苦谈判，日方反复强调，公开申明，双方之比例不得低于七比十，即日方为七，美方为十。但事实上日方的底牌是六比十。就是说，实在不行日方可以接受六比十之比例。美方得知这个情报后，在谈判中坚不退让，死死咬住六比十的比例，最后谈判结果就是如此。事后日方获悉，给美国政府提供日方底牌的人是一个在美国侨居多年的日本女人，她就是萨根的母亲。为此日方公开声明，终生不准萨根母亲回国。

这是萨根人生的一个十字路口，当时他正在美国驻日使馆供职，机要员，高薪，体面，太太年轻漂亮，有儿有女，生活充满阳光。但为捍卫母亲的尊严和名誉，抗议日本政府，年轻气盛的儿子愤然辞去公职，离开日本。萨根的人生由此发生裂变，回国后找工作并不顺利，加之感情又出了轨，妻离子散，一度穷困潦倒，成了上帝的弃儿。就是那几年，他抛弃了上帝，酗酒，乱情，行窃，过上了放浪形骸、糜烂无耻的低级生活。最后是他的一个老同事拯救了他，把他带去意大利使馆当了一名司机，总算又过上了正常人的生活。但事业已经良机错失，难有光明的前途，混日子而已。

萨根抛弃上帝，知情者或许不多，但他抛弃日本的“壮举”轰动一时，三号院要探悉它如探囊取物。正因如此，三号院判他为“仇日一族”，认定他为鬼子做事的可能性不大，陆所长也就放松了警惕。

可现在他把惠子弄去重庆饭店工作这件事透露出来的信息太暧昧，太令人不安。陆所长的眉头紧锁不展，他闻到了一股疑窦重重的气息，那是从他内部的幽暗处发出来的。多年的反特经验告诉他，要相信现在，不要相信过去；要相信事实，不要相信说法。现在的事实是他把惠子弄去了一个间谍活动频繁的集散地，他为什么要这样做？为什么？萨根像一盘蛇一样盘在了陆所长心里。

晚上，陆所长一个人在办公室里反复研看老孙给他收集来的有关萨根的信息和资料，他又发现一个令他不安的事实，就是：十六年前，萨根在日本使馆工作期间已经是三等秘书，如今依然是三等秘书。十六年不变，原地踏步，甚至是退步了，因为中国处在纷争和战乱中，人都爱往高处走，现在这儿是“低处”，贫穷，混乱，罪恶，危险……是人们都要逃避之地，他为什么而来？没有高升，没有厚禄，一定是避之不及。这么想着，陆所长脑海里浮现出一个油腔滑调、吊儿郎当的形象——而且这个人是一个卖国贼的儿子。

想到这里，他踱步去了老孙的办公室，无来无由地对老孙说：“也许我们是被他的家仇私恨欺骗了。”

“你是说谁？”老孙一头雾水。

“萨根。”陆所长有太多的思绪想对老孙表达，“你认为，他母亲当初为什么要出卖自己的祖国？”他自问自答，“我想不外乎几种原因，其中一种就是为了利益，为了钱。如果我们假设萨根母亲就是为了钱出卖祖国，然后我们再做出进一步假设，有其母必有其子。就是说，萨根继承了母亲唯利是图、无忠无孝的劣根性，那么你会有什么新的看法？”

别回答，听着就行了。他不是跟你来谈话、探讨，他是要表达。

陆所长继续说：“一个为了钱可以出卖祖国的人，同样可以为了钱出卖自己的母亲、家庭。”水落石出，可以下结论了。陆所长忧心忡忡地说：“我们可能是被他的身份和家庭背景迷惑了，有些人天生是没有尊严和信仰的，他们像牲口一样，胃口决定一切，有奶就是娘。”

“嗯。”老孙沉吟道，“这怪我，麻痹了。”

“要怪的是我。”所长叹息道，“我们该早盯他。”

“现在盯他也不迟。”老孙说。

“小心一点，”所长交代他，“别给我捅马蜂窝。”

窗外，一阵风从树下升起。桃树下埋着少女，梨树下住着寡妇，香樟树上挂着死人的衣衫。一九三八年的中国，每一棵树都是向天国报丧送信的道士，每一片夜色都是人鬼同行的穷途末路。

这个夜晚，老孙窗外的那棵无皮桉树依稀瞅见了萨根的穷途末路。

有道是，福无双至，祸不单行。萨根的羊皮被陆所长幽暗灵异的思维盯上之际，汪女郎却出手更猛，她将直接揭下萨根的羊皮。女人，祸水，以偏概全，夸张了，失实了。事实上，只有像汪女郎这种女人，才是祸水。

汪女郎是土生土长的重庆人，住在朝天门码头旁边的一条破败不堪的老巷子里。破烂的街道，破烂的土墙毡房，垃圾到处乱扔，潲水遍地流淌，大狗小狗旁若无人地追撵着，在路中间，在人面前，肆无忌惮地干架、交配、偷食。这是重庆典型的肮脏邋遢的贫民区。龙生龙，凤生凤，老鼠生来会打洞。汪女郎生于斯，长于斯，全身上下，都充满了这条街道的世俗味，充满了这座城市的烟火特色：嗜辣如命，耿直粗放，坐不择相，行不择路，语不择言，风风火火，泼泼辣辣，正如挂在家家户户房檐下的红辣椒。

但汪女郎也有一好，一大好，天生丽质，并且完美地继承了重庆女人特有的风采：乳丰臀翘。天下人都知道，巴山蜀水养女人身，白皙细嫩、温柔妩媚是蜀女的一大特色，而乳丰臀翘，性烈如火，则是巴妹子独有的魅力。成都女人白皙细嫩的姿色是天赋的，因为成都平原阴雨天多，就像埋在地下的韭菜叶子，其白其嫩，是捂出来的。而重庆女子的乳丰臀翘的风采和魅力，则是后天练就的，她们出门就翘着屁股爬坡上坎，经年累月，日以继夜，乳就丰了，臀就翘了。

只是，汪女郎的丰不是一般的丰，翘也是非凡的翘，她随便往哪儿一站，一立，蛮腰，丰乳，翘臀，体态丰满，曲线优美，其形其状令女人妒忌，令男人鬼迷心窍。萨根什么人嘛，足迹遍布全球，什么女人没鉴赏过？白的，黑的，黄的，金黄的，都见识过，交往过。这是他抛弃上帝后唯一骄人的战绩，独特的风采！像汪女郎这种职业女郎，萨根一般只留一夜情，不做回头生意。独独汪女郎破例了，情有独钟，久经考验，足见汪女郎之魅惑力非凡。了不得啊！神奇的东方人啊！每次，萨根与她约会，都禁不住要抚摸她丰满坚实的乳房，翘圆弹性的屁股，有时对美的欣赏，反而使他的身体失去了欲望和冲动。美到值得欣赏的身体，往往是叫人无欲而刚的。对此，国人专有一词：坐怀不乱。

这天上午便是如此，萨根来找汪女郎，实在不是奔着她的身体来的。他要接她去赴任：去邮局帮他办一件事，一件正经的大事。该有的铺垫都已经完成，现在该让汪女郎去拉线，钓黑室这条大鱼了。

萨根将车停在巷口，按了几声长长的喇叭。不久，汪女郎从一间破旧的瓦屋里款款走出来。她边走边跟街坊邻居热情地打招呼，上车的时候还特意将车门撞出砰的响声，上了车还摇下车窗跟外面人招呼，那意思再明显不过，她是在向街坊邻居显摆。萨根对她的磨蹭不满意，叽叽咕咕地抱怨着，令她一下着火，操着重庆话说：“啷个嘛？你把眼睛瞪得跟牛卵子一样，想吃人嗦？老娘晚上陪你睡觉，白天还要给你办事，你不耐烦，老娘还不耐烦呢。”说着就要拉开车门下车去。

萨根赶忙换上笑脸，伸过手去搂住她的膀子，涎着脸说：“好了，我的东方美人儿，别生气，事办完后我会给你好处的。”汪女郎这才破颜一笑，假意地拧了拧他的耳朵说：“这还差不多，有点像我们重庆的粑耳朵男人了。”说着哈哈大笑，仰靠在车椅上，把脚跷到挡风玻璃后面，点上一支香烟，兀自抽了起来。

鲥鱼多刺，海棠无香，像这种破街陋巷里出来的职业女郎，你别指望她柔软如银，温婉如玉。她们总是笑声放浪，举止不雅，爱爆粗口，就像天使爱微笑一样。

车子开到重庆饭店门口停下，萨根带她上楼，去咖啡馆，面授机宜。其实该说的昨天下午都已经说过，就在对面的酒吧。今天是汪女郎出动的日子，萨根担心她粗心大意，把事办砸，行前再三叮嘱，要怎么做，怎么说，怎么问，怎么答，注意什么，预防什么，什么什么，反反复复，交代个没完。汪女郎不觉又有些上火，高挑着她那双柳叶眉，不屑地说：“你以为我有你那么老吗先生，我都知道了，记住了，别再婆婆妈妈了，烦人！”

萨根不厌其烦，“尽量别让她知道，陈家小妹。”

汪女郎突然觉得很厌恶，她似乎一下子明白了萨根为什么要让她去打探这个地址，恶狠狠地说：“知道又怎么了，难道你除了想搞她嫂子还想搞她？”她认为萨根是看上了惠子，所以想去见陈家燕的哥哥，去跟他谈条件，或者什么的。“你说，你是不是就是这副鬼心肠？”

萨根笑而不答，不置可否，或者说是默认了，至少在汪女郎看来是这样。这多少影响了她的情绪，致使她后来行事较为草率、轻慢，演砸了萨根精心谱写的剧本，并令他最终在陆所长们面前原形毕露。

在萨根小心周密的计划中，汪女郎应该在这天下午请陈家燕在邮局附近的茶馆里品茗一杯，小叙一通，进一步加深感情，热络关系。从茶馆出来，往右走五十米即是邮局，汪女郎应该借故让陈家燕顺便陪她去邮局一趟，寄一封信，或者打一个电话，或者拍一份电报，或者见一个所谓的熟人。

总之，汪女郎要把陈家燕骗进邮局，配合她完成萨根交给她的任务：打听到黑室地址。咫尺之远，举步之劳，家燕必定不会拒绝的。那么好了，有家燕在身边，汪女郎完全可以冒称是陪家燕来问地址的。当然，当中有一些不确定，有一些技巧，有一些可能突发的变故。诸如此类，萨根都预先考虑到了，并且找到了万无一失的应对的方法和策略，行前已再三传授给汪女郎，让她务必照章行事。

应该说，如果汪女郎严格照萨根的要求和嘱咐行事，即使遇到什么麻烦，比如邮局确有黑室的内线，因为有家燕摆着，对方多半不会引起重视，更不会产生敌意。作为陈家鹄的妹妹，家燕来打听哥哥的地址，很正常嘛，有什么好大惊小怪的。萨根放这么长的线，目的就在这里：万一邮局有黑室的内线，有家燕这顶保护伞可以化险为夷。

问题是汪女郎并不知道这些风险，她不知道真正的内情，不知道萨根的真实身份和险恶用心——如果知道了她也不会干的。在她看来，萨根不就是想去跟惠子丈夫谈判，把她从对方手上夺过来嘛。虽然这有点见不得人，但也不至于搞得这么神神秘秘，鬼鬼祟祟。去邮局问个地址有什么了不得的，何必这么复杂，还要让她破费请家燕吃饭。当然，萨根给了她足够的饭钱，但节约下来不是更好。再说她也不喜欢家燕这人，长得哪有自己漂亮，却那么神气活现，又是大学生，又是小家碧玉，吃穿不愁，前途光明，人间太不公平！再再说了，以她对萨根的了解，没准哪天陈家小妹又会成为他的玩物，到那时她们就是情敌了。

所以，尽管萨根行前再三叮嘱，可汪女郎都当耳边风，风过言飞，天高云淡。她从来就不打算“照章行事”，并且充分相信自己一定能够出色完成任务，拿到丰厚的回报。

笑话！你以为天底下的男人都是嫖客，都会被你牵着鼻子转？从进邮局大门到离开，不过半个时辰，汪女郎先后跟四个男人搭过讪，结果都一一碰了壁，到最后一头撞了南墙，被一孔乌黑的枪口押走了。此时的她心惊胆战，哭丧着脸，灰头土脸的。

邮局是一栋临街的两层黄砖楼，门前有一路台阶，一棵在清末“四川保路运动”时期种的皂角树，高大挺拔，树冠如云。据传，这栋楼曾经关押过保路运动中不幸被捕的三位义士，义士最后无疾而终，都死在这楼里。门前的皂角树所以生生不息，尤为壮盛，民间的说法是因为三位义士的魂灵都聚集在这棵树上，有灵了，成精了。

进门，一楼有一间单独隔出来的电话用房，一排营业柜台，台内有一女两男三位营业员。汪女郎首先挑择了一个年轻小伙子打问，未果。她又问旁边一位大伯年纪的工作人员，大伯正在忙，没理她。旁边的妇女热心地指点她，让她上楼去询问。

就上了楼。

第一个办公室里没人，她就进了第二个办公室。屋里只有一个人，正在埋头看报纸。报纸挡住了他半张脸，汪女郎无法确定对方年龄，贸然又亲热地喊了声“大哥”。大哥移开报纸，胡子蓬盛，至少年届五十。

“幺妹喊错人了吧，”对方客气地笑道，“我的年龄可能比你父亲还大，至少该喊大伯了吧。”

“对不起，大伯。”

“没关系，幺妹找我什么事？”这办公室是接待拍电报用户的。

汪女郎虽没有文化，但整天在外面混，懂得求人的艰难和自己在男人面前的优势，装出一副乖巧、娇气的样子，走过去很有礼貌地向大伯问好，说有一件事想麻烦一下他。大伯抬头问她什么事，她便打开手上的小皮夹子，掏出一张纸条递上去，“我想找一下这个信箱的地址。”

大伯接过纸条看，发现是“本市166号信箱”，顿时心惊肉跳，倍感警觉起来。他盯着汪女郎，问她为哪般要找这个地址。邮局的人都知道，这些三位数的信箱都是保密单位的，而对这个“166号信箱”，大伯是太敏感太敏感了。说实话，他也一直在打探这信箱的地址呢。

汪女郎谎称其“哥哥”在里面工作，现在家里有急事要找他，写信太慢，又不知道他单位电话，只好直接去单位找他。

“你可以拍电报啊。”大伯说，“我这儿就是拍电报的，告诉我你哥哥叫什么名字，拍电报多快嘛。”大伯似乎已经预感到她“哥哥”是谁。

“这……”汪女郎迟疑了一下，“我不要拍电报，我……要去找他，我还有东西要当面给他呢。”汪女郎也是有两手的，不会束手就擒。

“那你说吧，”大伯抓起笔，一副要记录的样子，“你哥哥叫什么名字？”

“这跟找地址有什么关系？”汪女郎哪知道今天遇到“鬼”了。

“有关系，”大伯说。他是一定要逼她说出名字的，以证明他的判断，“这个单位有三个地方，不同的部门在不同的地方，你不说具体人名我怎么告诉你具体地址。”

这个理由编得好，汪女郎这才说她哥哥叫陈家鹄。大伯一听“陈家鹄”三个字，又惊又喜。喜的是他的预感应验了，惊的是：此人到底是谁？大伯见过陈家鹄妹妹，眼前的人肯定不是。她是谁？大伯一边寻思着，一边装着若无其事的样子，点着头说：“哦，我有这个印象，这个名字……后面那个‘鹄’字我不认识，还专门查过字典呢。”

汪女郎暗自窃喜，“那就麻烦你帮我找一下好吗，大伯？”

“好的，好的。”大伯露出大伯应有的慈祥的笑容，起了身，殷勤地拉出一张凳子，客气地请她坐，“你稍微等一下，记录本在另外一个办公室里，我这就去帮你查。”

“谢谢，谢谢，”汪女郎凑上前，绽放出职业的笑容，“谢谢大伯。”

“不客气，不客气。”大伯闻到了对方身上浓郁的香气，于是联想到那个著名的日本女间谍川岛芳子，十多年前他曾在北平和那个坏女人有过一面之交，留下深刻印象。出门之际，为了稳住她，大伯又给自己埋了个伏笔，“也不知我同事在不在办公室，万一不在你只有耐心等一下啰。”

此时，大伯已经知道眼前这个女人的下场了。

大伯其实就是老钱。

老钱怎么会在这儿？

说来话长。可以一点不夸张地说，陈家鹄进黑室有共产党人的诸多功劳，他因李政动员而回国，因老钱和小狄舍命相救才留下性命，包括最后在陈家鹄与陆从骏僵局难破之际，天上星为了他的安全考虑，主动劝他加入黑室，难堪的僵局才得以松动、缓和。但是现在陈家鹄一走，杳无音讯，这可也不是个事。风筝放出去，要收得回来。天上星决定把他放给黑室，不是说把他放弃了，而是请黑室暂时“养”着他，等待时机成熟时，再“另谋出路”。

既是如此，怎能“杳无音讯”？

必须找到他！只有知道他人在哪里，联系得上，才有可能做进一步努力，去潜移默化他。完成这个任务——找到他，非李政莫属。于是乎，李政时常以“莫须有”的理由，隔三差五地出现在陈家庭园里，饭桌上，棋局上……老爷子以前其实不会下棋（象棋），是李政生生地把他教会了，惹他上了瘾，给自己固定了一个可以常来常往的理由。惠子第一次收到陈家鹄信的当天傍晚，李政又来蹭饭了。沉浸在刚收到信的喜悦中的惠子见了李政，忍不住悄悄告诉他：家鹄来信了。

“是吗？难怪我看你脸上像停了一只花喜鹊。”李政喜形于色。他想，真是巧啊，下午天上星还专门召他去见面，一是问他有没有陈家鹄的消息，二是布置他一个新任务（争取惠子）。现在两件事已经有一件落实，陈家鹄终于有消息了。“怎么样，他都好吧？”李政问惠子。

“嗯。”惠子点头，问，“他给你去信了吗？”

“他哪有时间给我写信哦，”李政笑声连连，妙趣横生，“他宁愿给你写十封也不愿给我写一封，虽然我早你二十几年认识他。因此说，这不仅仅是个时间问题，更主要是个心情的问题。”

“哪里，”惠子脸红红地说，“你是家鹄最好的朋友。”

“能好过你吗？自从有了你，惠子，我就是西山之落日，残阳啊，只剩薄薄的余晖。”幽默是为了让气氛更加轻松，以便自然而然地探知黑室地址。“有一种人就是这样，重色轻友啊。”李政似乎有点求胜心切，幽默有失分寸。惠子不是可以随便开玩笑的，她腼腆、害羞，玩笑开过头了反而会让局面尴尬。他意识到这点后，一时心乱，问了一句刚问过的话，“怎么样，他都好吧？”话音未落他想起才刚问过，又马上转换话题，“那个……在哪里呢他单位？是远在天边，还是近在眼前？”这终于算是切入正题了。

惠子摇头，“我也不知道。”

李政笑道：“你也不知道？那信是从天上飞来的。”

惠子解释，“真的，只有一个信箱。”

以李政的口才和心计，从惠子嘴里掏个“多少号信箱”易如反掌。李政知道了，老钱当然不会不知道。为什么老钱对“166信箱”那么敏感，原因就在这里。

再说，天上星还布置给李政的另一个任务是，希望他做做惠子的工作，让惠子去他们那儿供个职，这样便于他们将来跟陈家鹄做一步的沟通。惠子在他们这儿工作，陈家鹄就是他们单位的家属了。

李政知道，这事归根到底决定权在两位老人身上，所以李政有意选择在饭桌上说：“嗳，惠子，家鹄不在家，要不你也去找个工作做做吧。”

果不其然，惠子不表态，抬头看着二老，“我听爸爸妈妈的。”

李政对二老说：“我看行，你们觉得呢？”

陈父说：“那要看什么工作，惠子合不合适。”

陈母说：“能去你那儿工作我看是可以的，反正惠子待在家里也没事。”

李政说：“我那边都是现役军人，不合适的，昨天我碰到一个八路军办事处的老朋友，听说他们正想找一个懂日语的人做翻译工作，我倒觉得惠子去挺合适的，上班也不远，坐电车就两站路。”

“这不合适。”陈父当即反对，口气坚决，“这像什么话，家鹄在国民党这边供职，惠子去共产党那边，明摆的给人说闲话。”

李政笑道：“这有什么嘛，现在是国共合作时期。”

陈父摇头，“有些事你不能光看表面，国共两家总的说是一对冤家，别看今天说的比唱的好听，可哪天说不定又闹腾上了。”老人家这天心情不错，话多，像站在了讲台上，“李政，棋盘上你是我的处长，离开棋盘你只能做我的学生。中国的事情复杂着哪，尤其是政治上，光凭两只眼睛是看不到东西的，要有第三只眼。李政，你的见识太短了，我看也就是这筷子这么长。什么叫见多识广？到了我这年龄就见多识广了，你现在还嫩。”

陈母有些不解地望着李政，“小李子，你怎么有共产党那边的朋友呢？”

李政哈哈一笑，接着老爷子的话说：“伯父，会不会是因为我缺少一只眼交错了朋友呢？”不等回音又径自说，“不过我这个位置啊，就是要跟什么人都打交道。不管怎么样，现在国共两党以兄弟相称，我那个朋友，老朋友了，以前两党掐架时我们也没什么来往，现在好了我们的来往也多了。”

“我看还是少往来的好。”陈父干脆地说道。

“是啊小李子，我听说共产党……”陈母想说什么，却被老伴打断了。陈父不客气地说：“你就整天信那些道听途说，好好的报纸不看。”陈母生气了，“道听途说怎么了，我整天待在家里给你当保姆，有道听途说还不是你传播的。”说得满桌子的人都开心发笑。

家燕喷出一口饭，惊得满桌子的人或埋首趴下，或起身逃逸，乱作一团。李政恰好坐在家燕对面，属于重灾区，重创者，胸前全是“弹眼”。不过也好，帮了李政一忙，好让他借故提前离开（否则饭后还要陪老爷子过棋瘾呢），回去汇报情况：既有好消息，又有遗憾。

天上星听完李政的汇报后，沉吟道：“看来老两口对我党还是不太了解。”

“当然哦，也不能怪他们。”李政说，“他们长期生活在国统区，对我党很难有正确的认识和了解，有偏见很正常。”

一旁的老钱开玩笑说：“这说明李政同志的工作做得不好嘛。”

李政知道他是开玩笑，没有生气，但装着生气，脖子一伸，做抗议状：“这也不能怪我啊，你要让我脱了这身军装，我就可以大鸣大放地去做，现在是戴着镣铐跳舞，难啊。”

“这你就错了，李政。”天上星对他摆摆手，认真地道，“你现在的身份才是最好帮我党说话的，如果你脱了这身军装去说反而成了王婆卖瓜，有自卖自夸的嫌疑了。没事，慢慢来，尤其是对老人家更不能急，要循序渐进，日积月累。现在当务之急要弄清楚这166号信箱的具体地址。我们连它的具体地方都不知道，万一有事，无法与陈家鹄取得联络，到时就被动了。”

适时，正在办公桌那边草拟电文的童秘书插话进来：“这不难的，邮局的人总该知道吧，这儿邮政局局长是我的同乡，我们关系不错的，我可以找他打问打问。”

“不行。”天上星没有迟疑，迅速否决，“你的身份去问这个太贸然，容易节外生枝。但你说的情况倒是提醒了我，邮局是个信息中心，那里一直没有我们的同志，老钱现在身份没有公开，我觉得你可以找那个老乡做做工作，如果能把老钱安进去是最好的。”

童秘书信心满满地说：“好，我明天就去找他，应该没问题。”

老钱并不乐观，“现在重庆哪个单位都是人满为患，要给你找问题有的是。”

童秘书说：“他敢！”信誓旦旦，板上钉钉，“他欠我情呢。”原来他这个老乡是个贪官，上个月有人告他状，有证有据，文官处很重视，派人下去查他，把他吓坏了。“是我给他摆平的，找人给杨森打了电话又送礼，杨森才网开一面，把人叫了回去。”

难怪他如此理直气壮，恩重如山呢。

后来老钱就这么进了邮局。以为进了邮局就可以探寻到黑室地址，其实哪有这么简单。到现在为止，老钱只知道，凡是三位数信箱的信件往来，是由专人负责的。邮局现有三十一名投递员，专人为谁？是男或女？是老或少？是一人还是多人？现在老钱都还不知道呢。

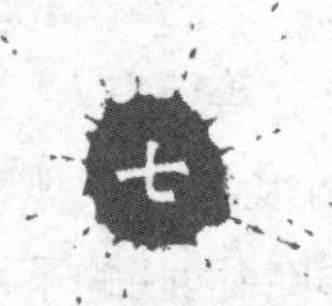

当然，小童秘书的老乡——贪官局长——肯定是知道的。所以，老钱离开办公室，直奔局长办公室，向局长汇报了汪女郎的可疑行为。后者闻之，霍地从椅子弹起，唇肉肥厚的嘴巴如机关枪一般，朝老钱一阵连发：“是个什么人？干什么的？现在在哪里？”

老钱如实述之。

局长发号施令：“你先回去稳住她，别让她走，一定要想方设法拖住她，我立即派人来处理。”

老钱应命，顺便从局长书柜里借走一册厚厚的什么资料簿，磨磨蹭蹭地回到办公室，对汪女郎晃了晃，说：“我同事出去了，只找到一本。我先看看吧，也许你运气好，就在这一本上。”说着慢吞吞地坐下，慢吞吞地翻看起来，一边翻着一边跟汪女郎东拉西扯，问了她个人的情况，又问她父母的情况；夸她衣服漂亮，又夸她天使般的美貌。为了拖延时间，老钱也乐意扮演一个色鬼，色迷迷地盯着她，抹她麻油。

“按说这不是我的事，可我愿意帮你这个忙，知道为什么吗？”

“为什么？”

“你照照镜子就知道了，因为你长得跟花一样。”

“是吗？啊哟，谢谢你夸奖，师傅。”

“这不是我夸奖，这是事实。你有镜子吗？”

“有。”

“要没有的话，我很愿意给你买一面。”

“谢谢，谢谢，师傅你真好。”

“谁叫你长得这么漂亮呢。女人啊，漂亮就是福气啊，我想你这样漂亮的美人一定是要什么有什么的啊。”

“我现在就想要我哥哥的地址。”

“好好好，马上给你找。嗳，是多少信箱？你看，你害得我心神不定的，刚刚还在眼前的东西说没就没了。”

“166号。”

就这样，老钱一边跟汪女郎插科打诨，一边翻着本子，从头翻到尾，又从尾翻到头。实在不好意思再翻了，只好借口说可能在另一本上。又出去磨蹭，怕她发觉异常，溜走，还不敢走远，只好守在楼梯口，望着窗外，等待来人。

汪女郎见老钱迟迟不回，有些无聊，从皮夹子里摸出一面小圆镜子，孤芳自赏，一边想起刚才老钱夸赞她的话，甜滋滋、乐陶陶的，对即将面临的下场毫无察觉。

终于，一辆军用吉普车飞驰而来，猛地停在那棵皂角树下。车上下来老孙，带着一个穿军装的小伙子，三步并作两步，冲进邮局。老钱怕老孙认出他，不想跟他碰头，跑去通知局长。后者闻讯连忙出来迎接老孙他们，领他们带走了汪女郎。

审讯被安排在渝字楼地下室，当初马姑娘上吊自尽的地方。陆所长决定亲自上阵，这是他的老本行，自信一定比老孙干得好。老孙在马姑娘身上失了手，所长一直耿耿于怀，今天他要给老孙做个样子看看。汪女郎是见过世面的，经常跟警察打交道，胆量练出来了，不会一见制服就腿软。刚才一路上，她已经骂骂咧咧，装疯卖傻，都表演过了。

“坐下。”所长发话。

“你是什么人？”

“我叫你坐下。”

“我干吗要听你的？”

“我请你坐，行吗？”

“我口渴，我要喝水。”

“你坐下，回答了我的问题，我请你喝茶。”

老孙上前欲拉她入座，汪女郎推开他，“你干吗，我自己会坐，谁要你拉。”

所长看她坐下，单刀直入，“告诉我，是谁指使你去问那个地址的。”

“我自己。”

“你叫什么名字？”

“陈家燕，怎么着，你喜欢我是不？”

“放老实一点，别废话。”

“你别吓唬我，我胆小。”

“你胆子不小，但记性太差了，连自己的名字都忘了。不要再装了，我知道你的身份，你不是什么陈家燕，你也没有一个叫陈家鹄的哥哥。老实坦白，你为什么要去找这个地址，你在帮谁干活。”

“谁说的……”汪女郎有点心虚，“你们到底是什么人？”

“你管我们是什么人。”

“那好，你不说我也不说。”

“看来你还没有见识过我们会怎么对待一个愚蠢的顽抗分子，告诉你，我的时间宝贵得很，我的耐心也有限，不要考验我。你长得很漂亮，最好别让我们用刑，用了刑你的漂亮就会大打折扣了。”

说着，陆所长拉开抽屉，抽出一把匕首，在手上把玩着。突然，匕首凌空而飞，从汪女郎眼前飞过，噌的一声，直直地钉在门框上，吓得汪女郎顿时青灰了脸，如见了厉鬼恶魔。

一个出生于贫民区的下贱妓女，身上能有几两骨头？一惊一吓，就魂飞魄散了，一五一十，大大小小，毫无保留地交代了出来。光交代不行，还要配合这边做事，拨开云雾，搞清楚这个美国佬到底想干什么。这也没问题，“我愿意为你们做任何事，我保证。”汪女郎小心地看着陆所长，诺诺地说，“现在你们可以放我走了吧，他在等我回音的。”

“他在哪里等你？”

“重庆饭店二楼咖啡厅。”

“他平时经常去重庆饭店？”

“嗯。他很好色，经常在那儿。”

因为对汪女郎的真实身份不了解，至少还不足以肯定，陆所长一直没有向她公开对萨根可能是日方间谍的怀疑——万一他们是同党，岂不是打草惊蛇了？所以，直到此时汪女郎还是没有把萨根往间谍上想，在她看来，萨根做这些事的目的无非就是想占有惠子。“他专门把惠子姐安排在重庆饭店工作，我敢说他的鬼心眼就是想……那个……我早看出来了，他喜欢惠子姐。”

所长反驳她：“如果仅仅是为了这个，他干吗让你去问，自己不去？”

汪女郎脱口而出，“因为他是外国人，不方便嘛。”

狗眼看人低，鸡眼看自己，牛眼看天吓破胆。在汪女郎眼里，全是些男男女女、情乱色迷的事，照她说来萨根谋算的就是些鸡鸣狗盗的事情。虽然所长并没有因此相信汪女郎的说法，但心里多少生出了一个新念头，一份期待：希望她说的是真的，萨根仅仅是一个色鬼。

是色鬼还是恶魔？

陆所长陷入了沉思。

午后的渝字楼很是沉闷，中午的客人走了，晚上的客人还没有来，门前冷清清的。突然，巷子的那边，冒出一辆风尘仆仆的小车，浑身泥浆，像刚从飞沙走石的战场上驰骋归来。

车子喇叭声声，驱赶着行人和流浪的猫狗，穿出巷子，驶过大街，最后停在重庆饭店楼下。黑明威披着满身尘土和一脸倦意，从车门里钻出来，恰好被正在二楼咖啡厅里坐等汪女郎的萨根看见。

巧！

黑明威下了车，拎挎着大包小箱，进门，上楼，直奔 301 房间。当他摸出钥匙准备开门时，发现门居然没有上锁，虚掩着，有若隐若现的声音从房间里传出来：室内似乎有人。他轻轻推开门，蹑着手脚进去，萨根冷不丁从卫生间里闪出来，吓了他一跳。

“你怎么在我房间里？”黑明威瞪着萨根，疲劳使他目中无光。

“你走了这里就成了我免费的午餐。”萨根笑道，“这饭店的老板指望我把他儿子弄去美国呢，进你的房间还不是小菜一碟。”接过他手上的东西，萨根关切地问，“怎么才回来？”

黑明威没好气地说：“能回来就不错了，一路上都在塌方，到处都危险。”

萨根很关心大箱小包里的东西，黑明威一一翻腾出萨根要的东西：一只小纸箱里装着发报机的配件，两只空酒瓶里装着密件资料。最后，黑明威还从大纸箱里端出一只小木桶来，打开，里面竟装满了红苕。

萨根不屑地说：“你带这个干吗？还怕我饿死啊？饿死我也不吃这猪食。”

黑明威不说话，三下两下捡出红苕，桶底竟露出了一把手枪和几盒子弹。

萨根一惊，瞪着他说：“我没让你带这些东西啊，多危险，万一被查了呢？”

黑明威说：“我喜欢，我花钱向他们买的。”

萨根指责他：“少老大不是已给过你一支枪吗，你要这么多枪干什么？”

黑明威取出枪，装上消音器，在手里把玩着，“嘿，德国货，好枪哪。当间谍没一支好枪像什么样？我喜欢这把枪，杀人于无声之中。”

萨根从他手上夺过枪，嘲笑他，“你杀过人吗，好像杀过很多人似的。武器越高级，说明杀人越容易，任务更好完成。以后我给你找个机会吧，让你尝尝杀人的滋味。”

黑明威不理睬他，小心翼翼地把红苕一个个分类，像有标志似的，分出一批相对比较大的，放在一边。萨根问他在干吗，他依然不理睬，专心致志又如数家珍地把一堆大红苕数了一遍。随后，抓起一个大红苕，双手使力一掰，红苕裂开，露出一个黄黄的像鸡蛋一样的东西。

“这是什么？”萨根好奇地问。

“眼睛。夜幕下的眼睛。”黑明威神秘地说。

“你少废话，”萨根不耐烦地说，“到底是什么东西？”

“照明弹。”黑明威不屑地说，“你连这都没见过？我都见过。”

“我们要它干吗？”萨根问。

“我也不知道。”黑明威指指刚从酒瓶子里掏出来的信件资料，“这些都是给少老大的，你也无须知道。”

萨根放下手枪，拿起一枚照明弹端详着。就在这时，突然有人敲门，一个服务员在外面说，有黑明威的信和电报。黑明威想去开门，被萨根拦住。萨根在他耳边轻语一句，黑明威便说他在洗澡，请服务员从门缝下把信和电报塞进来。

服务员就从门缝下将信和电报塞了进来。等服务员的脚步声走远，黑明威捡起信和电报看起来。看了一会儿，他抬头对萨根说：“对不起了，我得暂时和你说再见了。”

“怎么了？”

“喏，你看，”黑明威把电报递给萨根，“社里给我安排了任务，要我马上去河南采访。蒋总统以水伐兵，炸开黄河，想用黄河水阻挡日本人的进攻，结果把他的臣民也害惨了，现在都已经在人吃人啦。这是个特大新闻，我们报纸肯定要大做文章。”

黑明威这一去便是一个多月，等他回来时，重庆已经不再是他熟悉和想象的那个城市，他的“大本营”粮店已荡然无存，少老大、桂花、幺拐子等多名曾与他并肩作战的“战友”已经命不守身，尸骨成泥化土。更有无数他不认识的黎民百姓、无辜者、不幸者，被他千里迢迢从成都带回来的命令和设备搞得粉身碎骨，魂断天际。

黑明威，一个英俊的男人，一个痛苦的孩子，一个自我的异己者。他在新德里市郊的一栋杏黄色的花园楼房里长大。父亲是个信奉佛陀的虔诚苦行僧，长年浪迹天涯，托钵为生，诵经为业。母亲却是个交际花，经常呼朋唤友，在家里举行烛光晚会，节日派对。在门背后，在花丛中，在楼梯口，在假山边，在昏暗的灯光下，在明亮的月光下……他幼小的眼睛曾无数次地亲眼目睹母亲和一个个陌生男人相拥相亲。他不知道这些男人哪一个是他的父亲，更不知道这些儿时觉得很新奇好玩的记忆，长大了会令他羞愧万分，时常因此而痛不欲生。他的青春是从向往死亡开始的，生命不可贵，爱情是卑鄙者的通行证，故乡是逃亡的起点，家是豪华的废墟，所有认识的亲朋好友、同学老师都是可以忘却的陌路人……父亲在佛陀的虚幻世界里摆脱了现世的罪苦，找到了极乐，卸下的罪苦却都让他名下的儿子全部担当了。从成人的第一天起就开始担当，担当，永无止境。这是一个自小被孤独和羞耻吞噬、压垮的可怜虫，他渴望告别，渴望冒险，渴望刺激，渴望赴汤蹈火，在危难中燃烧生命的火焰。

有一天，美联社满足了他的期待，因为可以告别故乡，可以离别亲朋，可以远走高飞，可以四海为家。有一天，萨根又秘密地满足了他的期待，因为他渴望燃烧，渴望强大，渴望有一支枪，渴望迎接一场生死之战。他行动，他付出，他冒险，却从来不跟萨根讨价还价。

他不信仰钱，他信仰自己，信仰刺激。

这一点在萨根想来，似乎总是有点儿不可思议。他看上去是那么年轻，那么文弱，那么英俊，那么有知识，家里又是那么有钱。事实上，当初萨根跟他接近就是看他出手阔绰，花天酒地，像个富家子弟。萨根接近他，本是想花他钱的，没想到他愿意拿出生命来让自己“花”。

山不会走近山，一个人也无法走近另一个人。

陆从骏走出了沉思。

是驴是骡子，要走着瞧。不要相信想到的，要相信看到的，这是陆从骏反特经验的又一条。他决定亲自去重庆饭店会一下这个美国佬，而且必须尽快，去迟了，汪女郎说什么都容易引起他的多疑。现在首先要稳住他，要像什么事都没有发生，让汪女郎及时向他去汇报情况。汇报什么呢？当然要编个说法，巧妙的，能进能退的。说法编好了，还要给汪女郎排演。刚才他和老孙一直在给她排演，现在已经进入彩排阶段。

“都记住了？”陆所长问。

“记住了。”汪女郎答。

“重复一遍，回去该怎么跟萨根说？”

“我找了好几个人，都说不知道，但我碰巧遇见了一个人……”

“是一个你以前接待过的客人。”

“嗯，是一个我过去的客人……他就在邮局工作，一个老色鬼，见了我非把我拉去隔壁旅馆……”

“所以你才回来。”

“嗯，所以我才回来。听这个老色鬼说，我才知道这是个……保密单位，地址是有一个人专门管的，他也不知道。但他答应帮我忙，给我打听打听，知道了会告诉我的……”

“他一定能打听到。”

“嗯，他说管地址的那个人跟他关系很好，可惜今天不在单位上，明天他一定给我打听到。”

“萨根要是问起这个人的情况，你怎么说？”

“就照我见过的那个人说……是个大胡子，五十来岁，在楼上第二间办公室上班。”

“他为什么对你这么好？”

“他就想占我便宜，今天都没给钱。”

“还有，你还怀疑他。”

“对，我怀疑他说的……管地址的人今天不在单位是骗我的，他就想让我再去找他，再占我一次便宜。”

“我们还交给你什么任务？”

“搞清楚他有什么同伙，还有，他……找陈先生到底想干什么……”

“嗯，不错，记住了，但我看你还是有些紧张，这不行的。来，喝口水，再来一次。”

汪女郎接过茶杯，喝了一口，反而安慰起陆所长来：“长官你放心，在他面前我不会紧张的，我现在紧张是因为你，你刚才好凶嘛。”回头看看那把插在门框上的匕首，心有余悸。

所长上前把匕首拔下来，放回抽屉，一边对她说道：“千万不要紧张，就像什么事也没发生过一样。如果你紧张了，他怀疑你跟我们有关系，你反而有危险了，知道吗？”

“知道了。”

“如果有什么事，就给我们打电话，电话号码是多少？”

经过又一次排演，三人分头出发了，老孙在先，汪女郎居中，所长押尾，前后间隔三分钟。从渝字楼到重庆饭店，正常的速度步行不需三分钟，近得像在同一个院子。这一天所长走了四分钟，在这短暂又漫长的时间里，他觉得自己似乎经历了人生许多东西，期待，担忧，惧怕，赌博，迷宫，孤独，心跳，拉长的时间，错综复杂的思绪，下午的时光，混乱的市声，想象中一个女人堕落的过程……这一切都使他百感交集。他以为，等他进了咖啡厅，便会看到那个期待一见的美国人，然后一切都会结束。

可他足足等了三个小时，喝了两杯咖啡，抽了七支香烟，下午的天空变成傍晚的，又将变成夜晚，萨根就是没有露面。汪女郎一直孤独地坐在那儿，没被人领走或留下，像一个已经被岁月淘汰的老妓女。当天彻底黑暗下来时，他毅然地走了。回去的路上，他心情糟透了，凭借着黑暗的包裹，他甚至默默地骂起了大街——

贱货！

婊子！

该死的！

狗娘养的！

你瞎了眼！

骂人骂己，操爹日娘，像一个去寻欢不成、反被羞辱赶出来的嫖客，一点腥味儿没沾到，却被刮了个净身。他恨恨地想，今天真他妈的倒霉，对已经降临的巨大喜悦毫无觉察。事实上，这是他最幸福的一天，因为此时另一个美国人，让·海塞斯，已经替他破译了第一部密码。整栋破译楼里的人，男女老少，每一个人，都激动得浑身颤抖地等着他快快回去分享那份从天而降的喜悦。

抗战时期国统区流通的货币叫法币，俗称中国钱。陆从骏调入黑室时月薪为二百法币，负责保安工作的处长老孙为一百二十法币，一般的普通职员为三十法币。当时法币对美金的兑换率为七比一，即当时黑室一个普通员工的月薪为四美金多一点点。即使黑室一号人物陆从骏，堂堂一个师职少将，月薪也不到三十美金。而海塞斯的年薪是多少呢？

一万美金，相当于陆从骏的二十八倍！

换言之，海塞斯的身价是当时二十八个中国师级少将军官的总和。

这不禁令人好奇，这家伙到底是个什么人物，国民政府要如此不惜重金把他请来……难道他就是那个被世人传诵的“美国破译之父”赫伯特·亚德利？

是的，他就是亚德利。

亚德利到中国时，山本五十六的作战计划里还没有轰炸珍珠港的方案，那是三年后的事。当时美国和日本是协约国，用一本九十六页厚的白皮书缔结了两国的中立条约。亚德利为中国披挂上阵只能定义为“民间行为”，是一个国家和一个业已失业的破译家的一桩生意，埋名隐姓是必须的。在他为中国黑室秘密工作期间，先后用过包括“让·海塞斯”在内的六个假名。

经过将近两个月的旅程，我终于到达了香港。为了避免被日本人

认出和暗杀，我用的是一个假名——赫伯特·奥思本，而且特意取道欧洲而来。自从我出版了《美国黑室》一书后，因为书中对日本搞的阴谋诡计做了揭露，我在东方已上了黑名单。所以，请我去拿“中国黑室”俸禄的中国当局，只好将我偷偷运进中国……

多年后，亚德利就这样开始回忆这段生活，写了一本叫《中国黑室》的小册子。不乏有人对这小册子横加指责，骂亚德利是个“虚荣的人”，因为他“以写小说的方式”记录了这段生活，“完美地塑造了自己”，贬低、污辱了他身边的所有中国人，对个别令他有好感、不想贬辱的中国人——比如陈家鹄，以“只字不提的方式”冷漠处置。有众多的资料表明，亚德利在重庆期间至少和五位女性（三个中国人、两个外国人）先后有过“非凡的关系”，但在他的回忆中，他摇身变成一个“坐怀不乱的圣贤君子”。亚德利一生“著述颇丰”，但文字的真实性令人忐忑。破译大师把自己的一生变成了“密码”，让后人费尽心机去猜测他文字背后的真实与虚伪。

作为开天辟地的一代破译大师，有关亚德利的生平资料如今遍地都是，过去的秘密被时间的阳光穿透、照亮。美国作家詹姆斯·班佛是记者出身，作品多以情报机构为题材，对亚德利的身世、经历深有研究。一九八三年，被美国国务院禁令锁在抽屉里四十余年的《中国黑室》小册子终获解禁，可以公开出版。班佛应出版社之邀泼墨写了序言，详细记述了他了解的“美国破译之父”。文章从美国国家安全局起笔，旁征博引，追古思幽，足见作家对情报领域涉猎之深和与亚德利先生之“过往甚密”：

在华盛顿以北二十英里、占地超过一千公顷的米德堡里，坐落着自由世界最大的情报机关——美国国家安全局。这个由杜鲁门总统在一九五二年秘密创立的机构，默默地将全世界的私人、商业、外交和军事通信传递到一个“秘密城市”。“城市”由十二座安保森严的钢筋水泥庞然大物组成，其中，行动总部大楼即将成为仅次于五角大楼的全联邦政府第二大独立建筑物。

行动总部大楼的内部可能是地球上电脑密度最高的地方，电脑所占的空间不是以平方米计算，而是以公顷。在这里，每张薄薄的镭射光碟存有数以亿计的数据；上千公里的磁带构成了豪尔赫·路易斯·波黑士笔下的无穷图书馆，疯狂地加密和记载了我们这个星球上所有的知识和资讯。

为了还原这些复杂的密码，国家安全局使用了CRAY-1这样尖端的计算机，每个记忆体每秒可以传送高达三千二百万个词语（相当于两千五百本厚的三百页的书），以及可以将这些书以每分钟两万两千行的速度印到无限长的纸卷上的镭射打印机。在不久的将来，国家安全局的科研工程组将会实践那些听起来很奇怪的概念——约瑟夫逊结逻辑、磁性气泡、模拟光学计算、声光互动电荷传送器，等等，使得一秒钟内可以进行一千兆个操作。

然而，在远远早于有CRAY-1诞生之前，甚至早于国家安全局成立之前，就有一个很有远见的年轻人开始进行了类似的工作，他拥有的只有一个敏锐的头脑，他的名字叫赫伯特·亚德利。

在沉闷的密码与破译世界里，亚德利绝对是一个色彩鲜明、活力十足的人物。他的奔放不羁，与修道院的工作环境格格不入。一八八九年四月十三日，他出生于印第安纳州西南部一个名叫沃辛顿的小镇，年轻时的业余爱好是扑克，后来他能破解外国密码的天赋很可能得益于此。事实上赌牌或许没有破解外国密码那么神秘，但绝对不比那个更容易。除了竞选学生会主席、编辑校报、担当足球队长以外，他经常流连当地一个叫蒙提的酒吧，向“咸佬东”和“磨蹲山”学两招儿，或者在沃辛顿的其他十来个酒吧和三个桌球室操练他的副业：赌牌。

高中毕业后亚德利去了芝加哥大学。但一年之后辍学，他回到沃辛顿，子承父业，做了一个铁路报务员。很快，他不能忍受这个日复一日收发货运时间、客运订单的单调工作。一九一二年，二十三岁的亚德利放下电报钥匙，登上了一列开往华盛顿联邦车站的火车。

抵达华盛顿不久，即十一月十六日，亚德利又开始读起了电报。不过这次他的窗外不再是一望无际的印第安纳平原，而是白宫南草坪的网球场：亚德利在国务院找到了一份每周十八点七五美元的差使，当上了外交通讯的电码译员。在电报机与共鸣器断断续续的低鸣中，亚德利开始惊叹到底有多少个像他一样的电码译员，每天复制和翻译大量的机密文件，因为他知道其他国家也同样在加密外交电报。他突发奇想：美国政府为何不雇用破译员，专门破解其他国家的密码呢?

不久，亚德利从国会图书馆里借阅了几本有关解密的书籍后，利用国务院的电文开始练习破译。他惊喜地发现，他可以在两个小时内破解一个由特使豪斯上校发给威尔逊总统的私人电报。既然他可以这样轻易地破解美国的密电码，他确信自己也可以破译其他国家的。于是他起草了一份文件给他的上司大卫·萨勒曼，一表心意。萨勒曼吃惊之余，找来其他的加密电报做试验，亚德利无一例外，都轻易破解了，从而为他赢得了崭新的人生。

一九一七年六月二十九日，第一次世界大战爆发，亚德利被从国务院调到陆军部，组建军情八处（MI-8），专门负责密码破译工作。亚德利很快向情报破译部门证明了他的重要性，并从上尉升到少校。到一九一八年十一月十一日宣布停战的一年多时间里，军情八处取得了骄人的成绩，总共破解外国政府一万零七百三十五条电码。战争结束后，亚德利奉命留在法国首都组建一支附属于“巴黎和会”的美国密码破译小组。

一九一九年四月十八日，亚德利回到美国，开始争取军情八处能在和平时期继续其破译工作。他递交了一份备忘录，建议成立一个以他自己为局长的密码局，编制大约是五十个破译员，预算为十万美元。几天后，国务院及陆军部同意共同出资成立这个机构。五月二十日，这个后来被广泛称之为“美国黑室”的部门问世。在历经多次重组和演变后，这个机构最终成为今日的美国国家安全局……

巩予炎和罗荔丹的译笔实属上乘，但无法改变亚德利多舛的命运。随着哈伯特·胡佛入主白宫，任命保守的亨利·史汀生掌管国务院，亚德利辉煌的事业步入了尽头。新任的国务卿以“绅士从不偷阅他人信件”为由，永久性地关闭了美国黑室，把亚德利当不良分子丢在了社会上。这是一九二九年十月三十一日的事情。从某种意义上说，正是从这一天起，亚德利与中国结下了不解之缘。对此情况，詹姆斯·班佛依然不乏了解：

一九三六年，一系列的小冲突似乎暗示世界即将经历又一次的大战：德国把军队开入了莱茵非军事区；佛朗哥在西班牙举起了叛乱的大旗；富兰克林·罗斯福总统在给美国驻法大使的信中写道：我们不得不承认欧洲现在的形势，这比我们有生之年的任何时期都要黑暗。

在亚洲，一九三七年，日本入侵中国，七月底攻陷北平和天津；随之而来的是对上海的狂轰滥炸，以及南京大屠杀。随着中国国民党的领导人蒋介石带领他的军队后撤，并将首都移到遥远的重庆，他开始得到越来越多美国人的同情。罗斯福总统很同情他，但是总统有许多顾虑，不想触怒日本导致报复，所以美国政府的支持仅限于向走投无路的中国提供武器。

在技术含量与日俱增的战争中，蒋介石发现他急切地需要情报，特别是电码情报。他要求中国驻华盛顿大使去了解行内最有才华但也最臭名远扬的亚德利，能否再次在破译日本密码上创造奇迹。这时的亚德利定居在皇后区，他对投机地产的生活已经感到厌倦。他的脑袋怀念着密码的挑战，他的双手渴望着破解答案。当中国助理武官肖勃少校问他是否愿意到重庆时，他兴奋不已。但是，他仍然精明地将工资抬高到每年一万美金，才接受中方的邀请。一九三八年九月，在与肖少校多个月的秘密接触后，亚德利化名为一个叫赫伯特·奥思本的皮草出口商，悄然离开美国，踏上了中国之旅……

一分钱一分货，你如此高昂的身价，又是委员长钦定的“贡品”，于情于理，于公于私，都不该是凡人。非凡之人自然要给予非凡的礼遇，所以杜先生要亲自接见，要送国礼（郑板桥的画和蜀锦），还要送车。

同时，非凡之人也要接受非凡之要求，行非凡之大事。所以，第一次见面，杜先生在给足海塞斯面子之后，回到办公桌前，正襟危坐，神情严肃地开始给海塞斯下达任务：

“尊敬的海塞斯先生，如果您不是陆所长的属下，您就是我最珍贵的客人，我们中国是礼仪之邦，无礼不成敬，为了表达敬意，什么样的礼节我都会尽到，陪您吃喝玩乐，游山玩水，我都乐意，且保您乘兴而来，满意而归。但现在您是五号院的栋梁之材，擎天之柱，换言之即是我的战友，最最重要的战友。现在保卫武汉的战役正陷入白热化，真人面前不说假话，我们快守不住了。武汉是我们的战略要地，那里有汉阳兵器厂等一大批军工厂，我们必须给他们创造一个转移和撤退的时间。如果撤退不下来，大批军工厂成了敌人的战利品，今后我们持久的抗日战争就无从谈起。所以，委员长已经下了死命令：必须再坚守两个月，六十天。”

海塞斯同样面色严肃地望着杜先生，等待着他下面的话。

杜先生接着说道：“我刚从前线回来，形势非常严峻啊，敌人已经纠集了九个师团、三个特种旅和航空兵，共计重兵二十五万，从长江两岸和大别山北麓，向武汉包抄而来。我方虽已调动一百三十个师，近一百万兵力准备死守武汉。但是战线太长，敌人神出鬼没，防御遭到极大的挫折。现在，马当、湖口两要塞在敌人海陆联合进攻下已经失守，武汉已处在六路敌军的包围中，势若累卵，危在旦夕。能不能坚守两个月，就看您能不能告诉我，这六路敌军谁可能最先向武汉发起攻击。我们只有明确知道了敌人的进攻步骤，知道了谁先谁后，才能集中兵力，以多敌寡，进行严防死守，才可能拖住敌人。告诉我，您行吗？”

“给我时间，我相信可以的。”

“我只能给你三天时间。”

“三天？”海塞斯笑了，“将军阁下，您不是在开玩笑吧？”

“我不爱开玩笑。”杜先生异常严肃，伸出两个手指，“两天，我最多再给你加两天。”

“也不行，两周差不多。”

“不，我们已经没有退路了，所以，你也没有退路。”杜先生目光炯炯，死死看着对方，坚定地说，“你必须行，不行也得行，因为拜托你的不是我，而是站在我身后的泣血流泪以望苍天的四万万中国同胞！”

海塞斯想，好吧，既然你已经不给我退路，那么争辩也没用，就答应吧。答应了，他又马上想，这些人真愚蠢，做的梦都戴着傻瓜帽。他嘴上答应只是权宜之计，因为他没工夫跟这群蠢猪啰唆。

当然，他也很清楚，如果运气好，他不是完全没有可能完成任务的。所谓运气，有些是上天给的，是遇到的，有些是自己去找来的。这么短的时间，遇是不行了，遇是要时间的。守株待兔就是遇，碰上了就是运气。但现在没有时间了，他只有去找。

去哪里找？

报库，那里堆积着数以万计的日军电报，有的是从长沙带来的，有的是最近抄到的。回到五号院，他吩咐助手阎小夏去报库调来进攻武汉的日军各部最近一个月的电报流量情况，要求他制成一个敌军电报流量进程表，自己则去分析科调走了他们的分析日志。

破译处下面设有四科一室，分别是：破译科、分析科、计算科、资料科、报库（室）。中心当然是破译科，其他都是围着它转的。分析科就是冯警长的义妹马姑娘生前的供职之地，现在这里只剩下了她留在日志上的笔迹。日志上共有五个人的笔迹，包括刘科长，还有那个把木桶想象成男人的钟女士。海塞斯用了两天两夜，总算看完了八本厚厚的日志。他看完最后一本日志时已经是第二天夜里一点多钟，他觉得自己的运气不错，分析日志给他的信息和助手阎小夏给他提供的围攻武汉之日军各部最近一个月的电报流量反映的资讯情况基本上是吻合的。经验告诉他，这样他可以下个冒险的判断。所谓冒险，是因为这判断缺乏技术面的支持，但三天或者五天的期限怎么可能指望得到技术面的支持？这是没有退路的进攻，孤注一掷也好，断臂求生也罢，他别无选择，也就有了唯一的选择。他用十五分钟拟了个情况报告的大纲，给助手留了言，丢在桌上，准备回去好好睡个觉。下楼后，在走廊上遇到了值夜班的钟女士，两人客气地打了个招呼，交臂而过。

突然，海塞斯回过头来，对钟女士说："很抱歉，我发现了你一个秘密。"

钟女士一脸惊讶和慌乱，眼前的教授是他的领导，她报以微笑，但心里很是紧张，心想一定是自己哪一天的日志记错或漏掉了什么，"对不起处长，你发现了什么，是不是……日志……我……"

"你的日志写得很好，"海塞斯笑道，"我发现的是你身体的秘密。"

"……"

"你身边没有男人。"

"……"钟女士觉得心跳加速。

"我身边也没有女人。"海塞斯落落大方地走上前，"也许我们可以互相同情一下。"

"……"钟女士一下脸庞绽红，她有把木桶当成男人的想象力，但面对一个洋人上司却缺乏相似的想象力。

但现在已经不需要想象力，只需要行动。海塞斯像对老情人一样，举手放到她烧红的脸颊上，抚摸着，"你脸红了，像个少女。你应该年过四十岁了吧，但是我敢肯定，你的乳头仍然像少女一样粉红，比这脸蛋也还要红。"

这就是海塞斯发现的她身体的秘密。

事实确实如此，几分钟后海塞斯带她上楼，在他豪华的大办公室里，脱下她的衣衫，指着她的乳头说："你看，我没有说错吧。"钟女士仿佛是第一次发现，自己的乳头竟是那么红，那么玲珑，那么坚挺，似乎从未被人碰过。但在昏暗的灯光下，隔着厚厚的衣服他又是怎么发现的呢？钟女士也许是五号院第一个领悟到海塞斯身上有神性的人。她也是海塞斯在重庆秘密交往的第一个女朋友，只是好景不长，只维持了不到一个月，最后因被陆从骏发现而告终。

陆所长把钟女士当做垃圾扫出五号院，这也意味着海塞斯不可能在五号院内碰到第二个女人。从某种意义上说，这的确保住了蒋微等姑娘身体的安全性，但是后遗症其实更大。相对于黑室的安全而言，一个女人身体的安全太微不足道了。再说，陆从骏也不是从部属身体的安全考虑而“杀一儆百”的，他是担心教授因色而乱，耽误了工作。他把教授当做中国人来看，把他和这里所有人一样（包括他自己），都看做是一台破译机器的零件。问题恰恰就出在这里，用海塞斯的话来说：机器是干不了事的，只有人才能干事，而人是有七情六欲的。

禁欲，意味着身体的某一部分被外力关闭起来，甚至是被切割掉。陆从骏无疑同世界上除海塞斯等寥若晨星的天才之外的所有人一样，并不知道破译密码所需要的并不仅仅是大脑一瞬间的灵光乍现，而是身体的每一部分，每一个汗毛孔，都要彻底灵动起来，张开，闭拢，呼吸，燃烧，灵魂出窍，随风随雨飘散，接天接地聚汇……

这天晚上海塞斯没有回宿舍，直接在办公室度过了一夜。他还是第一次和东方女人做爱，钟女士快速而频繁的高潮，在高潮时咬紧牙关不吭一声的极度痛苦状给他留下了深刻的印象。天刚黎明时，在海塞斯的睡梦中，钟女士窸窸窣窣地穿好衣衫，走了，留在她脑海里的是办公室的豪华，地毯，沙发，躺椅，靠垫，大办公桌，大茶几，高靠背皮椅……各种大小不一却都精致、有趣的摆设。

其实，豪华谈不上，至少在海塞斯看来是这样。连一盏水晶吊灯都没有，谈什么豪华，扯淡！办公室最大的特征不过是四面墙上挂满了各种板报、图表；门口是一块小黑板，提示日程备忘用的；正面墙上，正中，有一块大黑板，上面写满了各种数据、公式；左面墙上挂有一幅小型作战平面地图；右面则是一幅地形图。黑板边上，还有一幅电报流量进程表格，有“军 01 号 -11 号线”等标注，反映的是武汉四周敌人最近一个月电报流量的情况。

上班了，助手阎小夏推门进来，他没看到沙发上有人睡着，也根本不可能想到，大手大脚地收拾着办公室，把海塞斯吵醒了。后者有意咳嗽一声，把前者吓了一大跳。

“你没回去睡觉，教授？”

“几点了？”海塞斯睡眼惺忪地问。

“快八点了。”

“我才睡两个小时，你应该让我再睡两个小时。”

“你今天要去给学生上课的。”

“啊，”海塞斯从沙发上弹了起来，“今天有课？你昨天该提醒我。”

“写着的呢。”助手指着记事小黑板说。

“完全乱套了，”海塞斯摇着头说，“不过我的思路似乎是清楚了。”指指桌上那一沓文案，“你瞧，我把敌人的21师团揪了出来，他们可能要打头阵，我已经给你拟好了大纲，你马上把这些整理出来，写成报告，报给陆所长。”

“是吗？”阎小夏脸上准确地表达出内心的惊喜，“怎么揪出来的？”

“你不会以为是我破译了什么电报吧？”海塞斯认真地看着他。

助手的回答让教授失望了。

这是海塞斯进入黑室的第五天，他对助手第一次生出了失望的情绪。同样的问题，一个多小时后，有人轻轻松松给教授道出一个满意的回答，海塞斯对助手就更失望了。失望的阴影将被时间越拉越长，越放越大，因为那个人的光芒将越来越大，越来越强。

这个人就是陈家鹄。

在培训中心主任左立的眼里，陈家鹄是令人失望的，而且不是“一点”，是“极度”。这天，陆所长陪海塞斯上山来，海塞斯去上课了，所长被左立带到了办公室，左立的目的只有一个，那就是数落陈家鹄的不是。他拉开抽屉，找出两封信，递给所长，“你看，又是他的信，才来几天信就写了好几封，而且都是‘密电码’，还是你去处理吧。”

陆所长接下信，塞在衣袋里，“我已经让海塞斯破了他的‘密电码’，无关秘密，不会有事。”

“但我总觉得他这人有事。”左立摇着头叹道。

“什么事？”陆所长静静地望着对方。

左立沉吟道：“怎么说呢，按说他来得迟，应该比别人刻苦才行，可是……我看他比谁都放松，每天晚上他寝室的灯总是熄得最早，早上别人在晨读，背资料，他倒好，不是爬山就是跑步，搞得跟个运动员似的。至于上课嘛，几个教员都反映他极不认真。敢在课堂上给自己老婆写信的人，还会认真吗？我看他最认真的事就是打理自己的头发，时刻都搞得一丝不乱。”

陆所长听罢默然不语，他想，陈家鹄会不会在耍他：你请我来总不是为了当摆设看吧，我不行怎么着？我能力不行，思想品质也不行，我不求上进，我跟你捣蛋，你拿我怎么办？没有办法，只有把他放掉。这是无赖的做法，他会耍无赖吗？陆所长陷入了谜团。这时候，他才发现自己对陈家鹄真不了解。他不由自主地迈开步子，走出门，往教室那边走去，很远就看到海塞斯高大的背影，正在黑板上写着什么。

教室里鸦雀无声，海塞斯背对着大家，在黑板上飞快地写着一个复杂的数学演算公式。跟第一次的西装革履不同，今天他换上了一身休闲便装，人显得随和了很多。如果你眼睛够尖，仔细看，盯着他后脖颈的左侧看，会发现一根长长的头发，挂在左耳朵上，像个倒钩似的，沾在脖子上，钻进了衣领里。毫无疑问，这是钟女士的头发。

写完公式，海塞斯转过身来，讲道："大家知道，数学是科学的哲学，密码技术作为一门应用科学，数学是它的父亲。上堂课我讲了，在密码世界里，真相都是被绝对掩盖的，隐藏的，你所看到的，听到的，摸到的，找到的，所有一切的一切，都是假象。用数学的语言来说，很简单，即一个公式：$X \neq X$。这是密码研制者的终点，却是我们破译者的起点。从起点到终点，从本质上说，只是几个数学公式而已。但从理论上说，在一部密码的保密期限内，这几个数学公式对破译者而言永远是个谜。现在我想问大家，这X是什么？它代表了什么？"

大家你看看我，我看看你，没一个人能回答出来。

坐在最后一排的陈家鹄冷不丁说话了，语气多少显得有点随便，"这是对正数无限大的求证，正常情况下，X永远是变数，不可穷尽。它代表了我们今后的命运——正常情况下，破译者是无法在一部密码的保密期限内破译密码的。"

海塞斯双眼一亮，会心而笑，"不过有时候，我们又似乎很容易看见敌人的秘密。"说着海塞斯刷刷几下，在黑板上画出一幅以武汉作为战场的作战草图。

海塞斯指着草图跟大家讲解，却没有从草图开始说起，他说到了天上去了，"大家都知道地球围绕太阳转动，二者之间具有欺骗性，即变数。譬如古人就有不符合实际的天圆地方论，以及永恒性，即无限。这样的属性实在太像一部密码了。我们在地球上，从太阳东升西落亘古不变的规律，最起码得出了天体是运动的结论。所以，即使不知道它们如何运动，这样的发现也足以给人类的生活带来极大的方便。同样，通过表象发现秘密，在很多时候，都是破译密码的第一步。你们要相信，无论如何，第一步可能不是最困难的，但往往都是最关键的。"

海塞斯这才转过身，再次指着黑板上的草图道："这是一幅X城被围攻的战场草图。你们看，城市已经被ABCDEF六支军队围得水泄不通，城里城外的兵力对比非常悬殊。这样一座汪洋中的孤岛，随时都有被海水吞没的危险。所幸的是，洪水也许不会从四面八方同时涌来，如果能够预先知道这六支敌队谁最先发动攻击，集中力量将其击破，也许就会迎来胜利的转机。”

海塞斯顿了顿，又接着说：“要知道这个秘密，若能破译敌军密码当然是最好的，但又谈何容易？不过，这并非唯一的办法，比如派出侦察兵深入敌人前哨‘抓舌头’，或者混入敌军探听虚实，甚至到后方去了解敌军的供给情况等，都可能给你答案。但是，这不是我们能干的事，我们能干什么呢？我们在无法破译敌军密电的情况下，能从什么角度去判断敌人进攻的先后呢？我想听听各位的思考。”

大家都拧着眉头思索起来，教室里一片静默。最后，还是陈家鹄率先打破了沉默，问海塞斯：“敌人的电台我们都是控制住的？”

“是的。”海塞斯说，“但我们破译不了密电。”

“我们控制电台有多长时间？”

“你需要多长时间？”

“我想至少要半个月以上。”

“为什么？”

“要分析电报流量变化，至少需要这个时间。”

“好，我给你这个时间。”

陈家鹄信心十足地说：“那就分析 ABCDEF 六军的电报流量，一般先进攻的部队电报流量往往会出现异常，要么是急剧增加，要么是急剧减少，甚至无线电静默。”

海塞斯埋着头，走下讲台，好像并不是往陈家鹄走去，但最后却停在了陈家鹄跟前，对他点点头，道：“你知道，这是猜测，那么你能告诉我，这猜测胜算的几率有多大？”看陈家鹄想站起来，海塞斯单手一按，示意他不必，“你坐着说，我反而有种居高临下的优越感。”

“只有六七成吧。”陈家鹄耸耸肩膀说。

“这比例太低了，”教授双目如电紧紧抓住他的身体，声音也变得热烈而急切，“我要你再提高比例。”

“这要看你能再给我什么。”

“我可以再给你提供至少一个月以上的所有电报的分析日志。”

“在没有破译密码的情况下，日志有可能无法提供任何信息。”

“我现在给你信息。”

“这要看是什么信息，”举目看着高高在上的教授，陈家鹄觉得很不自在，“如果分析日志提供的信息和电报流量出现变化反映的信息是一致的，那么，比例可以相应地提高。”

“提高到多少？”

“十之八九吧。”

海塞斯手中本来捏着一个粉笔头，这会儿他把粉笔头潇洒地抛出去，抛了个优美的弧线，一边拍掉手上的粉笔灰，一边对着陈家鹄幸福地笑道：“你的回答让我非常满意。”他说着转身往讲台走去，一边依然对陈家鹄说着，“上次我曾说过，你可能是我们这些同学中最好的，也可能是最差的，现在我想你不会是最差的，应该是最好的。下课！”

刚才陆所长和左立一直在院子里散步聊天，这会儿散步回来，看见下课了，学员们都在教室外围着海塞斯闲聊，只有陈家鹄一个人独自往宿舍走去。

“你看，”左立指着陈家鹄的身影，发牢骚，“人家都在跟教授交流，他又跑了，可能又回去写信了吧。”

所长犹豫一会儿，最后像是终于下了决心似的，掏出刚才收下的陈家鹄写给惠子的信，递给左立，让他喊林容容过来。左立心领神会，晃着信喊林容容：“有你的信！”

林容容跑过来，向所长汇报陈家鹄，说得天花乱坠。

林容容说：“别听左主任的，所长，他看到的只是表面，他的担心是杞人忧天。”

林容容说：“他是不太用功，所长，可以说很不用功，可我看他也不需要用功。”

林容容说：“所长啊，你没看他是怎么背资料的，就跟我们看书一样，翻到哪儿记到哪儿，翻看个一两遍就全记住了。一本敌人军官花名册，我背了半个月才勉强记住一半人名，而他只看了一遍，就滚瓜烂熟了。人跟人不一样啊，他的眼睛比照相机还灵光，简直是过目不忘。”

林容容说：“请所长相信，我的话没有丝毫夸张，你如果去问教授，我敢打赌他一定会比我夸得还要厉害。现在教授的课我看只有他听得懂——赵子刚也勉强还行，但跟他还是没法比。我觉得他以前一定接触过密码，他自己也说看过一些相关的书……”

林容容给所长提供了一个全新的陈家鹄，这个陈家鹄更接近他想象或者说他愿意想象的陈家鹄,所以多少安慰了他虚空的心。半个小时后,在回去的路上,在车里，海塞斯又给陆所长提供了一个他认为的陈家鹄，真正彻底安慰了所长。

海塞斯对陈家鹄由衷地欣赏与喜爱，直到上完课后，他跟陆所长一起坐车下山了，还在他心里荡漾着，还在他脸上弥漫着，就像一颗明亮晶莹的水珠，在他浓黑的胡子上欢快地跳荡闪耀。有一阵子，他望着车窗外秀丽的景色，哼起了美国乡村音乐，嘭嘭嘭的，喜形于色，就差手舞足蹈。

“您今天看上去好像很高兴嘛，教授。”

“是吗？”

“您的眼睛告诉了我。”

“哦，原来是我的眼睛出卖了我。除了高兴，你还看到了我什么？”

“还有吗？”

“看不出来吧？所以，你看到的只是我的眼睛，而不是我的心。告诉你，我心里有了一个人。”

“我们有约定的。”陆所长严肃地盯着海塞斯看。

“兔子不吃窝边草？”海塞斯笑道。

“是！”

“你别紧张，是个男人。”

“谁？”

“陈家鹄。”

“他怎么了？”

“很优秀。”

“是吗？”

“是的。”

“他做了什么让你这么夸他？”

“没有做什么，要做了什么那就是你来夸了。”

“没做什么你又凭什么这么夸他？”陆所长故意套他话。

“有些东西只可意会，无法言传。”海塞斯认真地说，“但你相信我好了，你已经找到了你需要的人，你想要的东西，他都能帮你做到。”

海塞斯今天搭的是陆所长的车，司机是老孙。一路上，海塞斯不知是受了陈家鹄“十有八九”的安慰，还是被钟女士的“痛苦”滋润着，心情甚好，跟所长相谈甚欢，让陆所长心里像灌了蜜糖似的。心里高兴，话就多，天南海北，说东道西，话赶话，越赶越多。话一多，时间就长了翅膀，比车轱辘还转得快，口沫纷飞间，车子已经开进止上路五号大门，停在前院的办公楼前。

“继续开。”陆所长吩咐老孙，“我不下车。”

“你干吗不下？”海塞斯问。

“我找你有事。”

“还是谈陈家鹄？我谈得够多了，没有了。”

“你没有我还有呢，开车。”

“不，你下车。”海塞斯赶他下车，“我要休息，你也该回去看报告了。”

“什么报告？”

“我的报告，”海塞斯说，“我上山前吩咐小夏写的，现在我想他应该给你交上去了。事关武汉作战方案，你快回去看，回头我们再交流。”

还有这好事！看来今天是个好日子。陆所长乐颠颠地跟海塞斯道了别，下了车。车子继续往后院开，开进后院，停在破译楼前。海塞斯刚下车，侦听处杨处长即匆匆赶出来，说有情况，要他马上去他们那儿看看。

杨处长，单名路，侦听处之长官，中等偏高个头，宽肩膀，长方脸。他的轮廓和陈家鹄有点挂相，包括走起路来昂首阔步、气宇轩昂的样子，跟陈家鹄都有点形似状像。轮廓相似的人其实很多的，让陈家鹄来说，他会给你一个百分之一的比例。据说，五官面貌相像的人的比例是千分之一，如果轮廓和五官面貌都相像，那就是万分之一了。用数据言说是为了准确，但有时候却只是为了不准确，比如这些数据，无法当数据用，只能当形容词用，本质是达意不写实的。

杨处长领着海塞斯走进侦听楼，后者立刻闻到空气里散发出一种紧张、忙碌的气氛。蒋微正在指挥几个人一起抢抄一份“险报”，电波声像游丝一样缥缈无形，飞来荡去，时断时续。蒋微是领班，有点小组长的意思，她今天穿的工作服宽宽大大的，遮盖了她饱满的胸部，海塞斯从她身边走过，没有多看她一眼，像从一个男人身边走过。

杨处长带海塞斯走到一个小伙子跟前，后者正在分类电报，动作麻利，样子忙碌，一看就是电报流量很大。

海塞斯扫了一眼电报，问杨处长：“哪来的电报，这么多？”

杨处长说："6 号线和 6A 号线的。"

小伙子对海塞斯说："6B 号线今天也发了六份电报，都给你送过去了。"

海塞斯听着，嘴角浮出了笑容，"6"字头的电台都是 21 师团的电台，他就想看到他们这么热闹的样子。他想起陈家鹄的"十有八九说"，问杨处长："'十有八九'的确切意思是什么？"杨处被问得莫名其妙，愣在那儿，张口结舌。其实海塞斯知道是什么意思，"就是十拿九稳的意思是不是？处长阁下。"他这么说，不过是因为心情好，跟人幽默一下而已。

回到办公室，助手阎小夏不知道海塞斯已经去过侦听处，喜滋滋地跑来向他汇报说今天 21 师团几条线的电报流量都出现了放量现象。是报喜的意思。海塞斯听了不以为然，只问他："报告交上去了没有？"

"交了。"

"交了就好。"海塞斯说，"电报继续放量，说明我们的报告正在向真实的敌情接近，你就等着受表扬吧。"

话音刚落，楼梯上传来咚咚的脚步声：表扬的人来了。陆所长没想到海塞斯这么快就完成了杜先生交办的任务，捧着报告闯进办公室，喜笑颜开，声音高分贝，样子像恨不得要上来拥抱海塞斯，"教授，你这么快就破译电报了？"

海塞斯退开一步，平静地说："我没有破译任何电报。"

陆所长一怔，惊愕地望着他："没有破译电报，你怎么判断出 21 师团要打头阵？军中无戏言，没准的事我们不能随便上报的，这可是个大情报啊。事关重大，绝对不能儿戏。"

"我不需要破译电报。"海塞斯指着办公桌上那一堆新来的电报说，"你看这是今天上午的流量，大得惊人。我想敌人的发报机一定都发烫了。"

"这会不会是个假象，有意在迷惑我们？"陆所长不禁有所疑问。

"你说的'迷惑'需要两个前提，"海塞斯是抽雪茄的，他一边用剪刀剪着雪茄头，一边说道，"第一，敌人知道我们在侦听他们的电台……"

"这很有可能，"因为关系实在太过重大，陆所长顾不得礼数，失敬地打断他，"我们在长沙也有侦听基地，现在报库里有一大半资料都是那边转过来的。"

"我知道，可我还没说完呢。"海塞斯点了雪茄，猛抽了一口，接着说，"第二个前提，我们已经破译敌人的密码，并且已经被敌人发现。只有这样，敌人才可能借力打力，发些假电报来迷惑我们。可实际上敌人根本不会这么高看你，我们确实也没有破译敌人的任何密码。再说了，如果是作假，他们并不需要发这么多电报，不但不需要，还会有意控制数量，因为多了反而不好，要引人起疑。而现在的流量非常大，唯一的解释就是它确实有那么多话要说。"

“你肯定？”

“不是百分之百，但至少有百分之八十。按照规定，有百分之七十的胜算你就应该上报。”

陆所长点点头，看着海塞斯，“那我就上报了？”看海塞斯没答理他，又自语道，“百分之八十，也就是说还有百分之二十的不确定，是立功还是受罚，看来只有听天由命了。教授，这第一张单子，最好还是给我立功吧。”

海塞斯从胸前掏出一个十字架，举在所长面前，“那你就对它祈祷吧。”

陆所长小心地抚摸着十字架，像摸着一个宝物，一个价值连城却又容易破碎的宝物，“这就是你们敬拜的耶稣？对他祈祷是不是很灵？”看教授点头称是，他真想祈祷，“可我还不知道怎么祈祷呢，要我跪下吗？教教我吧教授，我愿意向他祈祷，只要他给我抹掉那个百分之二十。”

海塞斯看他当真的样子，把十字架塞入衣服里，嘲笑他：“对不起，我只负责教人破译密码，如果要教你祈祷，还得另加薪水。”

陆从骏想，你一年的薪水已经够我一辈子挣的了，你还嫌少，看来耶稣是教人贪婪的。

与此同时，另一个美国人，另一个基督徒，正在重庆饭店二楼咖啡厅与惠子喝咖啡。醉翁之意不在酒，至少是目前，眼下这一天，虚伪的基督徒的真实用心是要找到惠子的夫君——陈家鹄。

怎么可能找得到呢？陈家鹄在一个山旮旯窝里，空中的飞机都找不到，荒郊野岭，地图上没标注，邮册里没地址。那是一片被人为刻意包裹、藏匿之地，如世外桃源，找是找不到的，只有在某种特别的机缘巧合下才能闯入。

此刻，陈家鹄正在宿舍里研究敌21师团的资料。海塞斯在下山前曾专门来他宿舍，单独跟他聊了几分钟，聊的都是美国的事情，两人都去过的地方，都看过的电影。他们没有共同熟悉的人，海塞斯觉得这有点不正常，因为两人其实是生活在同一个圈子里的：数学界。海塞斯有理由怀疑，他的学生没有完全说实话。

“我想我们需要时间来互相了解。”海塞斯这样告别了他欣赏的弟子。

吃午饭时，左立给陈家鹄转送来一只档案袋，里面装的是敌21师团的基本资料和一些在前线战场缴获的敌部文件。这是海塞斯下山后让老孙送上来的，资料里面夹了一张纸条，是海塞斯用英文写的。陈家鹄完全可以直接把它转换成母语：

我明显地感觉到你不愿意跟我谈过去，谈美国，既然如此，那我们就谈谈敌人吧。我对日本的军情和文化所知甚少，你在日本多年，也许可以当我的老师。据可靠消息，大兵压境，四面楚歌，武汉守不住了，但又必须拼死抵抗至少一到两个月。我决定立刻展开破译敌21师团密码的工作，望你能够尽快熟悉这些资料，以利商讨。别跟我说你没有从事破译的经验，你可以欺骗你身边的官僚，但骗不了我。也许我们该交个朋友，做你的朋友我自信是合格的。

亚德利 即日

这可能是亚德利在重庆期间唯一一次签署真名。这个名字确实让陈家鹄感到震惊，早在日本留学时他就从导师炎武次二那里听说过此人，知道他曾经破译过日本的海军和外交密码，因而在日本“臭名昭著”。导师站在一个数学家的角度对他有一个学院式的评论：没有他，美国的破译科学不可能有今天的前端，至少要拖后十年才能起步。为此，刚到美国时，陈家鹄曾有意识地关注并经常得到他的不少消息。他出版的几本书，比如《美国黑室》《金发伯爵夫人》《日本红日》等，陈家鹄都看过。令人匪夷所思的是，一个被日本人痛骂、歧视、诅咒的“美国英雄”，在美国却一点也没有被奉为英雄的感觉，甚至美国安全局的人经常组织文章在媒体上骂他是个“酒鬼”、“大嘴巴”、“失信之徒”、“吹牛大师”等。开美国先河的“破译之父”怎么就得罪了他的祖师爷？对此，詹姆斯·班佛也有研究结论：

一九二九年十月三十一日，美国黑室被永久性地关闭。对于亚德利来讲这实在太糟糕，他不但失去了工作，而且恰遇股市大跌，经济大萧条让每一个美国人都囊中羞涩。他只好收拾包袱，离开大都市，回到自己的老家沃辛顿。但是，印第安纳州的小镇更不需要破译家，身无分文还要养家糊口的亚德利一度几乎到了绝境。这时能做的事只有一件：把在“密室”的经历写成书，出版挣钱。

在纽约出版社乔治·白的帮助下，亚德利开始了他的写作生涯。一九三一年四月及五月期间，故事的三个节录在《星期六邮报》上发表。同年六月一日，博士美林公司出版了《美国黑室》一书。这本书稍后成为美国文学史上最具争议性的书之一。公众争相购买《美国黑室》，评论家对它也高度评价。有书评人称它为“第一本由美国人撰写的、最具轰动性的关于大战后秘史的作品”。

华盛顿政府冷淡地否认了亚德利的故事。但私下里，官方却大为震怒，他们敦促官方采取法律行动禁止此书发行，但法律不予支持，这更让他们恨透了亚德利。亚德利尝到了甜头，大胆展开了一个新的计划：他决定把华盛顿裁军会议的故事做独家著述，包括公布那些截获自东京和其谈判代表之间的电文原件。在一个名叫玛丽·斯塔特·克露斯的业余作家的帮助下，亚德利在两个月内完成了九百七十页的《日本外交秘密：1921-1922》。

这下，乔治·白出版社被吓坏了，他们不但拒绝出版该书，其总裁查班斯还通知司法部，举报手稿含有许多日文电报原件。这令国务院大为紧张。在国务院的要求下，陆军部派出三个官员到沃辛顿要求亚德利交还所有官方文件。亚德利的回答是：我并没有任何损害美国政府的文件。

政府最终还是成功地阻止了亚德利出版此书。在亚德利把手稿送交麦克兰公司后，纽约助理检察官托马斯·杜威得到了该公司总裁乔治·勃莱特的协助。美国联邦法院执行官在一九三二年二月二十日，将手稿从麦克兰公司带走。出版社协助政府查禁自己的书，这不是第一次，也不会是最后一次。但这次行动却是联邦政府有史以来，第一次以安全理由充公一份手稿。直到四十六年之后，《日本外交秘密》的部分内容仍被列为机密。

为了防止亚德利再次爆料，国务院努力通过了一条法例，将出版使用官方外交密码编写的资料列为犯罪行为。这一切都无法阻止亚德利继续他新的事业——写作。他从写实作品转向写小说，将事实和创作糅合在一起。在他一九三四年出版的《金发伯爵夫人》里，华府密探局的主管在第一次世界大战中揭发了一个美丽的德国间谍。《星期六文学评论》写道：亚德利先生不但熟悉间谍素材，也是个讲故事好手。

六个月之后，亚德利又完成新作《日本红日》，小说再次以一个国务院年轻雇员和美丽的中国女性间的爱情故事为主线，最终揭露了日本征服满洲的阴谋。一九三五年，亚德利取得了进一步的成功，他将《金发伯爵夫人》出售给米高梅影片公司，并兼任技术顾问，搬上大银幕，电影改名为《相遇》，由威廉·鲍威尔、罗莎琳德·罗素闻和恺撒·罗密欧等明星主演……

虽然陈家鹄不知道这些背景，但是导师炎武次二对他的评论，日本政府对他的痛恨，他几本小说中反映出来的他的经历和才华，以及他对自己没有丝毫遮掩的欣赏，等等。这一切，都使得陈家鹄对他充满了好奇和期待。

他感激这种相逢。

他已经朦朦胧胧预感到，此人将会成为一把尖刀，狠狠插入自己生活的肋骨。他对自己即将要扮演的那个角色缺乏好感，但如果必须要担当此角色，他觉得和海塞斯一起出演一定是最理想的。现在他一边看着资料，一边脑海里冷不丁地冒出一句话：

他在自己的牙齿上安装了窃听器。

他不知道，这个“他”，是他自己，还是他过去的导师——炎武次二，还是现在的这个美国专家——海塞斯——其实他叫亚德利。

第十章 风语

一

海塞斯知道，比谁都知道，即使他的判断百分之百的准确，也只能帮助前线部队打一个有备之仗，他们可以相对机动地集中兵力，暂时抵挡住敌人先头部队的进攻。但要真正帮助部队打赢仗，击溃来敌，还是要破译密码，了解敌人的布防、兵力，进攻时间、方式，武器装备，突破地点等。从现在武汉的形势看，要完全集中兵力打歼灭战是不可能的，只能相对集中，力争打出几个漂亮的防御战，令敌军生畏，放慢大举攻犯之步伐。所以，海塞斯回到办公室后不久，便收集了一些敌 21 师团的军情资料，给陈家鹄送去。他决定要下手破译敌 21 师团的密码，急需一个真正能助他开动脑筋、尽快进入状态的帮手。海塞斯明白，尽管自己曾破译过日本的海军和外交密码，但对日本陆军的情况所知不多，尤其是当下，甚至可以说一无所知。

是的，他毕竟已经离开破译界十多年了，他迫切需要一个同行者，来给他驱散“常识的黑暗”、“旅途的孤独”，以及“孤独可能导致的盲区”。直觉和经验告诉他，这个陈家鹄，炎武次二的学生，一定从事过高难度的破译工作，毫无疑问是最佳人选。

当天晚上，陆所长拿着一个讲义夹来找教授，一进屋就被屋子里浓浓的烟雾呛得咳嗽起来，他用讲义夹扇了扇面前的烟雾，“看来你得改抽中国烟，你那玩意儿太猛了，搞得这儿跟前线似的硝烟弥漫。”

海塞斯吐出一大口烟，笑道："这说明了我在工作，而且状态良好；什么时候你进来发现这里空气清新，那就意味着我要请医生了。"看陆所长手上捏着个满当当的讲义夹，问，"这是给我的吗？"

"对。"陆所长走上前，把东西递给他，"杜先生给你弄了些资料来，他对我们提交的报告很重视，已经转给了武汉大本营，但武汉方面认为，敌21师团初来乍到，好像不大可能打头阵。"

海塞斯冷冷一笑，一边翻看资料，"按照他们的逻辑，我也不该这么快做出这么大的判断，因为我也是初来乍到啊。"

陆所长小声道："杜先生的意思……"海塞斯知道他要说什么，抢白道："我应该马上破译敌人的密码，给出百分之百的保证是不是？"看陆所长点头，他站起来，不满地说："要我百分之百地保证这是不可能的，你以为破密码是猜谜语，睡个觉就可以解决问题？"

"你估计要多久？"

"那要看你提供什么条件。"

"你需要什么条件？"

"如果以三两天为限的话，只有一个办法。"

"什么办法？"所长双目放光，等着他提供法宝。

"去敌人的机要室里偷！"海塞斯将手里的资料一丢，摊开手，斩钉截铁地说，"也就是说，你根本不需要我！"

陆所长无言以对。

海塞斯用两口烟雾缓和了一下情绪，解释道："你要知道，情报收集是多渠道的，我们提供百分之八十的保证已经够高了，然后他们应该以此为据，去多方收集情报，最后做出判断。他现在指望我们自我验证，马上破译敌人的密码，岂不是天方夜谭？我可以明确告诉你，短时间内我不可能破译任何密码，我不是神，神在这儿。"海塞斯拍拍胸脯，说的是十字架上的耶稣，"只有上帝才有这本事，说有光就有光，说有什么就有什么。"顿了顿又说，"杜先生是不是看这次我按时给他递交了报告，就以为我会答应他提出的任何要求？不可能的，告诉你这是两回事，分析敌情无非是知识和经验的套路，而密码，破译密码，则是一门科学，不但庞大，而且深邃，它需要日积月累，需要探索发现，它是苦苦思索和等待之后的灵光一现。可你们呢？没有十月怀胎就想抱金娃娃，做梦吧。再说了，我的报告还没有得到证实呢，他不是有异议嘛，我不是也留了百分之二十的余地在那儿嘛。所长阁下，请你不要异想天开，你们不切实际的心情会破坏我接近灵光的感觉的。"

海塞斯口口声声说自己不是神，事实上又把自己当做了菩萨——难侍候的菩萨，否则凭什么一句话不对路，就对顶头上司大动肝火。不过，如果他要预料到他对敌21师团打头阵的报告在三天后将被证实为真，他也许就不会有这么大情绪了。是的，他的情绪有一大半是因为他心中焦虑，毕竟这是他到黑室后做的第一单“生意”，他害怕出洋相，毁了自己的一世英名。

再优秀的演员，如果刚登台就出洋相，以后的表演肯定会备受影响。

相反，当三天之后敌21师团率先发动进攻，成全了他的首单“生意”，让他赚到盆满钵盈，开张大吉——都说好的开始是成功的一半，这似乎也就预示了他今后的表演会好戏连台，精彩纷呈。

在陈家鹄看来，教授在讲台上的表演确实是好戏连台，精彩纷呈，每听他一堂课，陈家鹄都感到内心有一部分被点亮。翻译的水平很一般，对那些英语水平不高、有的甚至根本不懂的学员来说无疑是一大损失，但对于在美国待过几年的陈家鹄来说则没有任何影响，他可以毫无障碍地听懂教授的每一句话，翻译的时间成了他反刍、品咂、消化教授原意的空隙。所以，陈家鹄听海塞斯的课，决不会漏掉一个词。每一句话他都听一遍，思一遍，他觉得也值得他听一遍又思一遍。

这天，海塞斯上山前得知，敌21师团确以实际行动捍卫了他报告的真实性，几天来的焦虑被驱散一空，云开天晴，心情特别好，神采奕奕，精神气十足，声音格外洪亮。他已经不再浮于表皮地给学员们讲密码的玄奥神秘，而是给他们讲起了密码的实质。

“你们中国有句古话：智者千虑，必有一失。就是说，人难免是要犯错误的，比如吃饭，这是一件多么容易的事情，我们每天都要吃，‘吃饭的技术’早已烂熟，闭上眼睛照样可以吃。可是谁吃饭又从来没有丢过筷子，没有丢过饭粒？没有这样的人。由此可见，机要员加密和解密也好，报务员发报和抄报也好，总是难免会出错。有错就要更改，改动的地方就是一个补丁。天衣无缝是不可能的，补丁就是破绽，也给我们的破译带来了机会和突破口。所以，虽然密码有理论上的牢不可破之说，但实际上密码又纷纷在被破解，这就是因为密码是人在使用，而人总会出错，会留下补丁，露出破绽……”

“那么，拿到一份密码电报，应如何来着手破译？这就是技术，是知识。对一个破译师而言，技术和知识是最次要的，也是最容易掌握的，对你们这些学过高等数学的人来说，我半堂课就可以把全部知识讲完。是这样的，在初步考察密码电报之前，我们必须首先判断它是用什么样的密本加密的。而要做到这一点，又必须在密码电报中找出高频码组，即出现频率最高的那几组电码，还要找出数字最小的码组和数字最大的码组。这样做的目的是为了判定那本用来加密的密本是由多少单词和短语构成的。比方说，我们在一份密码电报中找出了下面这些码组——”

海塞斯转身在黑板上写下这样的字样：

高频码组	4 2 6 3 9
数字最小的码组	0 0 3 0 8
数字最大的码组	5 5 9 3 6

随后，海塞斯侧过身，指着黑板继续讲道：“这三组数字说明了什么呢？这说明我们要找的那个密本，应该由大约六万个单词和短语组成。因为，这里的最大码组是 55936。”

“这么大的密本啊。”不知是谁，有人这样轻声惊叹。

“不，这还不算是最大的密本。”海塞斯说，“在我所知道的密本里，特别大的会含有十万条以上的单词和短语呢。”

除了陈家鹄外，其他人都惊得张大了嘴巴。

海塞斯知道他们被这数字巨大的密本给吓住了，便安慰似的举起双手，往下压了压，说：“不过，请注意，任何有经验的密码工作者都‘心中有数’，一个密本，其实只需要一万个词条就足以表达任何意思了。这里有一个窍门可以利用，就是对那些不常用的词、不常用的人名和地名等，就只用密本里的字母单独拼写出来即可。要是这本密本里有音节的话，也可以用音节拼写出来。”

学员们的表情这才放松了一些，静静地点头。

此时海塞斯已神采飞扬，挥舞着手说：“我以上的话说明了什么呢？就是说，我们可以假定，我们现在要破译的密本很可能就只有一万个常用字，而其余的五万个码组则是代替专有名词、常见词语和句子的。大家请注意，如果有五万个码组代表短语和完整的句子，那么就说明在同一份密码电报中，出现重复码组的可能性是很小的。这样的一个定论是要说明，一旦在电报中发现不断重复出现的码组，它们很可能会代表一个固定的含义，这个固定的含义有时是指一个完整的意思，有时也可能是指一个常用的音节，或者是指从某本书的某一页开始等有规律的意思。这样一来我们又可以做出一个很合理的推断：我们要找的密本是一本顺序密本。也就是说，它的单词在密本中是按照字母顺序排列的，而与它们对应的数字码组也是按照数值大小的顺序排列的。那么请问，什么样的一本书最具备这样的一种顺序呢？”

学员们习惯性地把目光投向了陈家鹄。

陈家鹄对大伙说：“别看我，东西就在你们眼前。”说着指了指教授放在讲台上的字典。

海塞斯笑了：“对，这肯定是一本字典这样的书。其实，所有的密码就是给你重新编写一本字典。”

这天，海塞斯又来上课，又玩起故弄玄虚的那一套，进了教室二话不说，直接走上讲台，在黑板上飞快地写下一句话：密表和密本，就像时间和空间。随后步下讲台，像个巫师一样边走边说，面无表情：

“黑夜降临，万物沉睡，朦胧的黎明也在向你们招手呢。天开天阖，明晦交替，这是神的意志和秘密，凡人不可企及。”与其说是在授课，不如说是自言自语，“时间是流动的，空间是固定的。但是归根结底，空间也是流动的，因为空间和时间就像皮和肉一样无法割裂。流动的时间让固定的空间也跟着变化、流动起来。今天我又要把你们带到一个新的时空，我的意志和秘密是专门为你们的企及而设计的。”他晃晃手上的几页纸，一一分发给每一个学员，“是学生总要接受考试，今天我就要考考你们了。这是一道数学迷宫题，原理来自芝诺十五岁时的灵光一现。”

接着，海塞斯给学员们讲起了芝诺那个“灵光一现”的故事。芝诺在五岁的时候，他父亲曾经考他，从他们家到外婆家有五公里路，他以每小时五公里的速度走，需要走多少时间。芝诺答是一个小时，父亲给了他一颗糖吃，因为他答对了。十年后，等他十五岁时，父亲又拿这个问题问他时，他知道这下如果再答是一个小时肯定要挨骂。因为，很显然这回父亲考的再不是他的算术能力。父亲是在考他的判断、分析、思辨等多方面的能力，他需要找出另外一种答案来博得父亲的嘉许。最后，他告诉父亲：他永远也走不到外婆家。父亲想当然地替他回答了原因：因为外婆已经去世，外婆家已经不存在。这事实上也是父亲要的答案。父亲问这个问题的目的就是要儿子打开思路。但年少的芝诺说：不，父亲，你这是偷换概念，不是在用数学说明问题。父亲哈哈大笑说：那你用数学来说明一下。他根本不相信，这还能用数学来解释。芝诺说：我可以把五公里一分为二，然后又把一分为二的五公里再一分为二，这样分下去、分下去，可以分出无穷个“一分为二”，永远也分不完。既然永远分不完，你也就永远走不到。芝诺正是这样创造了他流芳百世的悖论学。几百年后，有人以芝诺悖论为据，研制了世上的第一部数学密码——无字密码。

讲完芝诺的故事，海塞斯告诉大家：“这道题就是我根据无字密码的原理做成的，你们解了这道题，从理论上说也就等于破译了这部密码。当然，这是最初级的，以你们现有的知识，应该都可以解破。如果你连这道题都破不掉，那么对不起，我建议你自动退学。这仅仅是一个十五岁少年的智慧，虽然他是天才，但说到底，也不过是一部初级数学模拟密码而已。”

要求有两点：一、必须独立完成，可以查阅资料，但绝不能互相交流；二、只有三天时间。就是说，等教授下一次再来这里上课时，大家都应该交卷，否则以零分计算——换言之，你已被淘汰，可以回家了。

海塞斯说：“当然，我欢迎你们早交，越早越好。在答案无误的情况下，交卷时间越早，得分越高。”

林容容问：“交到哪里？”

海塞斯指着放在讲台上的一只上了锁的小木箱，“这里。等一下我会把它交给左主任，让他保管。你们在交卷之前要找左主任签字，注明你破题的时间。还有什么不清楚的？都清楚了，好，下课。”

学员们都起身送海塞斯走，只有陈家鹄不闻不顾，不起立，不再见，没有任何表示。他在干吗？他正聚精会神地趴在桌子上看着那道题，仿佛已经潜入到它深幽玄奥的世界里去，尽情纵横徜徉。

一个十五岁少年的智慧竟能令陈家鹄如此痴迷？这其实并不让人意外。老饕好肉，老餮好酒，不是只好香肉、美酒，但凡只要是肉是酒，都能令饕餮深陷痴醉，难以自拔。陈家鹄就是数学世界里的饕餮，少年芝诺创造的数学模型，尽管并不繁复，但对陈家鹄而言仍不失为一道精致小菜，抑或一杯醇香美酒，不尽兴品尝，焉能罢休？海塞斯见他如此有兴，更是生出心有戚戚的知己感来，连走出教室的脚步都带着三分欣慰三分微笑。

海塞斯走进办公室，将那只小木箱交给左立。左立在靠墙边的一壁档案柜旁，找了个地方安置它。陆所长觉得放在那里不合适，左右看看，问左立：“这些柜子有没有空？”

左立说：“你的意思是放在柜子里？”

陆所长说：“还是放在柜子里为好。”

海塞斯却不同意，他四周看了看，最后走到门外去，要求把小木箱钉在门口的墙壁上。他解释说：“这样，今后如果他们对我的课有什么意见和要求，还可以随时给我塞条子。”

左立说行，就要去找人把它挂起来。陆所长说：“你急什么嘛，没有人这么快来交卷的。教授你说是不是？今天晚上之前有人来交卷就不错了。”

海塞斯说：“只要是在明天早上之前交卷的，都可以得满分。”

左立嘀咕：“要在半夜里来跟我交卷，我就麻烦了。”

陆所长说：“我倒希望他们今天晚上都挨个来跟你交卷，折腾你一宿不眠。”

“不可能。”海塞斯说，“今天晚上只有一个人有可能来交卷。”

“谁？”

“陈家鹄。”

正说着，有人敲门。海塞斯首先反应过来，把指头竖在嘴巴上，低声说：“你们信不信，肯定是陈家鹄来交卷了。”陆所长和左立根本不信，这才下课多长时间呀，也就十来分钟，他陈家鹄再是数学博士，再有破译天赋，也不至于这么快就把题做完了。

海塞斯见他们满脸疑色，便诡秘地笑笑，大步走到门背后去，突然哗的一声拉开了门。陆所长和左立看，门外站的果然是陈家鹄！

海塞斯问他有什么事，他递上卷子，“我来交卷。”

陆所长和左立不觉惊得目瞪口呆。陆所长不仅仅是惊愕，甚至还有一丝莫名的紧张和惧怕——他怀疑陈家鹄交的是一张白卷，以此来表明他的无能，为自己最终被淘汰出局大造声势。所以，当海塞斯拿着卷子回到屋里时，他连忙催他快看。海塞斯一目十行地看着，很快看完，脸上露出若有所思的表情。

“怎么样，”陆所长急切地问，“能得满分吗？”

“你说的满分是指多少分？”海塞斯问。

“一百分啊。”

海塞斯摇摇头，“那他不是满分。”

陆所长一愣，“怎么，有错？”

海塞斯慢悠悠地说：“错是没错，但不是满分。”

陆所长急了，“既然没错，为什么又不是满分？”

海塞斯还是那副慢条斯理的样子，笑嘻嘻地说：“我刚才不是说了，明天早上之前交卷可以得满分，他提前了将近二十个小时，难道不应该给他加分？我看再加个一百分也不为过。”

陆所长禁不住破颜而笑，重重地在海塞斯肩上捶了一拳，“教授先生，你这关子可卖大了，可把我卖到猪圈里去了。”海塞斯沉浸在自己的思绪中，没有接他的话，而是自语道：“可以下个结论，他以前一定干过这行。”陆所长说：“据我们了解的情况是没有，日本陆军省曾经希望他去干，但他没有接受，拒绝了，所以才去了你们美国，因为他把日本政府给得罪了。”

没有就更加不可思议了，海塞斯想。目光落在窗外，窗外的天空中伸展着一枝树叶金黄的枫树枝丫，两只山雀从高空中飞落，停在树枝上，你追我赶，上下翻飞，唧唧喳喳，顿时派生出一份山中野趣。他突然想起，昨天夜里钟女士给他背过的几句诗：

我一生最大的梦想
放下枪，拿起锄头
和一箭之地，战斗
狂热地信仰太阳和雨水……

钟女士的丈夫曾是张治中手下的一个团长，去年淞沪战争爆发后，他是第一批阵亡者，遗物只有两本诗集和一本记满了他自己诗作的笔记本。从那以后，钟女士爱上了诗歌，一年多来她已经把那些诗都读得滚瓜烂熟，随时随地可以背出来。这让她枯燥、单调、苦闷的工作和生活平添了一份诗意和浪漫。当海塞斯把她揽入怀里后，她觉得这是自己一年来生活在诗歌中给她的回报。钟女士给海塞斯背过好多诗，其他的他都忘了，独独记牢了这首诗，是不是因为近来破译敌 21 师团密码的“战斗”太激烈的缘故？所有太激烈的事情都会令人心生厌倦，想逃避，想放下“枪”，拿起锄头，归于山野。

确实，最近海塞斯的心思全扑在敌 21 师团的密码上了，他有一种奇妙的感觉，仿佛闻到了它的气息，偶尔也瞥见过它倏忽的影子，可就是抓不住它。它随风而来，随风飘散，如梦似幻，亦真亦假。这天晚上海塞斯一如既往，吃过晚饭又去了办公室对着一桌子的电报苦思冥想，脑海里却一再浮现陈家鹄的影子。很奇怪，开始他想给陈家鹄打个电话聊一聊，后来临时改变主意，决定上山去看他，便卷起桌上所有资料，连夜开车上了山。

海塞斯没有将他的来意跟陈家鹄明说，只是将一大堆资料和电报扔给他，淡淡地说：“你看看这些东西吧，我有些想法想跟你聊一聊。”

“这么多？”陈家鹄看着一大堆东西，“看来你是不准备让我睡觉了。”

“该让我睡一睡了，”海塞斯把自己沉沉地放倒在陈家鹄的床上，“我已经几天都没有好好睡觉了。”

“那你睡，我去教室看吧。”

“不，”海塞斯顺手从床头柜上抓过一张报纸看，“你以为我真能睡着？睡不着的，我要跟你说事呢。”

但报纸没看完，海塞斯已经睡过去，酣畅的呼噜声从他半张的嘴巴里一串接一串地溢出来，像屋外山野里的松涛声，绵绵不绝，訇然不息。陈家鹄怕吵醒他，便抱着资料去了教室。

等他离开教室时，东方已经发亮。中途，蒙面人两次来偷偷看他，第一次看到他时而蹙眉沉思，时而闭目遐想，时而嘿嘿自笑，像个完全沉浸在自己内心世界里的疯汉；第二次看到他埋头奋笔疾书，像在给阎王爷赶写生死状——天亮前必须抄完。

山上的夜风已见凉意，陈家鹄离开宿舍时，怕风吹开门，专门从外面扣上了搭链。当然没有上锁，这样如果海塞斯醒来，照样可以从窗户里伸出手来开门：窗户和门框只相隔一米远。这会儿陈家鹄回来，看搭链还扣着，知道教授还在做梦。搭链本是轻轻扣着的，但经夜风再三的推搡，现在已经扣死，陈家鹄在解搭链时，搭链发出痛苦的呻吟声，把梦中的海塞斯吵醒了。

“几点了？”海塞斯坐起身，双手揉着睡眼问。

“天快亮了，”陈家鹄开了灯，“你该下山了。”

“看来我是睡了一大觉。”灯光让海塞斯扭过头去，对着后窗。他发现，朦胧的天光已在窗外浮着，冷冷的，像浸在水中。等他适应了灯光，回过头来，看看熬了一个通宵的陈家鹄，走上前问他：“怎么样，是空手而回，还是满载而归？”

陈家鹄递上几页稿纸，“我有个方案，但还需要演算来证明。”

海塞斯粗略翻看了一下，点头说：“1 比 25000，演算量并不大嘛。”

“你现在有几个演算师？”

“刚来了两位。”

“那也要好几天时间。”

“好几天时间我给得起。”海塞斯继续看着那些稿纸，“就怕你文不对题，浪费我时间。现在先给我几分钟时间看看吧，你可以出去想一想，我可能会对你的方案提出问题。”

问题很明显，陈家鹄似乎是小看了鬼子，把对方的密码锁定在业已“退役”的指代密码上。“你为什么认定它就是一部单纯的指代密码，”海塞斯的眉头紧锁不展，“难道你不知道指代密码已经落后了，淘汰了，现在军事上已经很少采用它了？”

指代密码是德国军队在一战时期广泛使用的密码，当时效果很好，但德国战败后，指代密码的一些关键技术被一一公开、推广，它的神秘性消失殆尽，落毛凤凰不如鸡，它的价值一落千丈，到了上个世纪二十年代后，基本上被军方淘汰不用。海塞斯认为，日本作为崛起的新一代军事强国，还在沿用这么落后的密码体系，理论上说不通的。

“你的判断让我怀疑你对当前世界密码发展状态缺乏了解，就像你们的中医没有摸清病人的脉搏，”教授不客气地说，“据我所知，日本从明治维新后一直崇尚西方科学，推行科技革命，现在，他们在科技层面上一点也不落后于西方发达国家。”

“那么请问海塞斯先生，”陈家鹄反问教授，“现在哪个国家的军官还喜欢随身佩着一把军刀？你对日本文化缺乏了解，这个民族的守旧和创新同样卓绝：他们一手拿着世上最先进的枪，另一只手也没有丢掉最古老的刀。”

犀利的反问，占领了理论的制高点，令海塞斯暗暗窃喜。显然，陈家鹄做此判断，不是因为无知。“可是在我看来，敌21师团是新组建的部队，武器精良，配备的密码也应该是先进优良的。”海塞斯目不转睛地看着他，“他们没有历史，他们的今天就是他们的全部过去。”

陈家鹄摇摇头，“其实你比我知道，当大家都这么想时他却不这么做，这本身就是密码的一部分。关键是，如果它确实是一部高水平的新式密码，我们也不可能在短时间内破译它，等我们破译了，仗早就打完了。所以，那条路我们可以放弃不走，因为走了也是白走。”

后面那个说法太形而下了，遭到教授嘲笑，“怎么拿出一个赤脚的人冒犯穿鞋人的那一套，你不觉得太低级了吗？你最后一下犯了两个毛病：妄自菲薄、投机取巧，它会影响我对判断的尊重。如果你的‘理论’就落实在这上面，我想也许没有演算的必要了。”

陈家鹄不做更多的解释，只言一句：“去试试看吧。”

海塞斯说：“当然，如果你坚持，我可以给你机会，但恕我直言，我并不看好它。”

陈家鹄笑问：“如果我对了呢，你是不是可以给我个奖赏？”

“你需要什么奖赏？”

“带我下山去见见我的太太。”

“如果你对了，我就把你留在山下。”海塞斯哈哈笑道，“现在我该下山了，你还可以睡两个小时，我呢也不想让孙先生派人找我。他们不准我单独出门，可允许我的车自由出入，真荒唐。你们中国人的有些想法很有意思，他们认为只有司机才会开车，哈哈哈。”

海塞斯哪里知道，其实老孙已在山上陪了他一夜。事实上，昨晚他的车子引擎声一响就被老孙盯上了。车还没有开出院子，还在院子里打圈时，老孙的车子已经在外面路口恭候了。因为是从外面开始跟的，海塞斯根本没有意识到。这方面老孙是老手，比如现在他就在车里等着，只要你海塞斯的车子引擎声再次轰然作响，他又会率先出门，先为你开道，到了山下再转到你后面，断断续续、若即若离地跟着你回家。

分析员是破译师的二传手，演算员则是破译师的检验员。打个比方，破译密码犹如是在一座森林里找一片特定的树叶，破译师根据分析员的报告，综合分析，做出判断：这片“树叶”在某一棵树上。是不是如此呢？如果是一棵小树，树叶不多，破译师当然可以自己去一片片翻来看，去求证。可如果是棵大树呢，枝繁叶茂，树叶多如牛毛，破译师哪有时间去一一翻看、求证？演算员就是帮他干这活的。

森林里树木众多，确定“哪一棵树”显然是最关键的，只要“这棵树”找到了，找对了，就不愁找不到“那片树叶”。现在陈家鹄已经确定了一棵树，这棵树的树叶不少，需要演算员来帮助求证。演算员的配备标准是一名破译师配两名演算员，黑室发展到最兴盛时演算员多达十七名，现在只有两名，是父子俩，姓王，父亲六十多岁了，儿子也年近四十。

这天晚上陆所长来看海塞斯，一进破译楼就听到噼噼啪啪的算盘声，心里一喜，循声而动，闯进了演算科，见父子俩正算得起劲，忍不住打断老王，“怎么，教授来灵感了？”老王说：“是的，我的手就等着教授出灵感呢。”

“怎么样？演算量大吗？”

“二万五千分之一的几率，现在已经排除小一半了。”

“哦，那还是很快嘛。”

“我们一天都没休息，”儿子说，“晚上还准备干它一个通宵。”

“要注意休息，别累坏了身体。”

父亲笑道：“只要教授的方案没错，我们再累也值得。”

儿子也说："是啊，只要谜底就在这二万五千个旮旯的一个里面，我三天三夜不睡觉也不会累的，值啊。"

陆所长点点头，转身走出演算室，往楼上走去，噼噼啪啪的算盘声淹没了他的脚步声，他心里突然升起一股甜滋滋的感觉，好像背后都是给他的鼓掌声。同时，他也想这声音实在太大了，会影响其他人工作，他得赶紧处理这个问题。

海塞斯正坐在办公桌前，手里握着一支笔，似在苦苦推敲什么，嘴上叼着未燃的雪茄，对陆所长的进来毫无觉察。陆所长走过去，给他点燃烟，幽默地说："别人废寝忘食，你连烟也忘记抽了。"

海塞斯吸一口烟，抬头看他一眼，"我是抽得太多了，想少抽一口。你来干什么？你帮不了忙的，来了就是打搅我。"

陆所长笑道："我想让你休息一会儿。"

海塞斯说："你想让我休息，可楼下的两个算盘不让我休息，二万五千分之一的几率,已经算过了快一半了,但还是没有证实。我在想,不知是我的运气不行，还是我的判断有误。"

陆所长趁机说出了他心中的困惑："我真想问问你，二万五千分之一的几率你是怎么得来的？"

"这就是我的判断。"

"如果判断错了呢？"

"那还用说吗？错了，就是他们演算完了也没有一个结果。"

陆所长来了兴趣："如果判断没错呢？是不是他们这样算下去，就可以找得到谜底了？"

海塞斯说："那叫密钥，解开密码的钥匙。这你不懂，跟你说不清楚。"

陆所长故意逗他："你是怀疑你的解说能力，还是我的理解能力？"

海塞斯不耐烦地说："我是没时间跟你啰唆。"

陆所长却在办公桌对面坐了下来，显出很有诚意的样子，"我是借机想让你休息一会儿。跟我说一说吧，到底是怎么回事？"

海塞斯盯着他，"你真想知道？"他起身打开柜子，拿出一只密码箱，扔在陆所长面前，"这是什么？见过吗？"

陆所长不以为然地说："不就是一只保险箱吗？怎么没见过，我也有。"

海塞斯指着箱子上的密码锁说："这个，你有吗？"

陆所长凑上前去看："这是什么？"

海塞斯解释道："这就是这只箱子的锁，跟你那个挂锁不一样。这是德国麦克斯公司最新推出的密码箱，用的是数字密码锁。你看，这里有三个数字，你如果不知道它的密码，是不可能打开它的，可是我知道它的密码，我一下就能打开它。”说着在锁上转出三个数字，那箱子果然就像安了弹簧似的，嘣的一声弹开了。然后海塞斯又关上箱子，抹乱锁上的数字，交给陆所长，请他将它打开。陆所长鼓捣了好一阵子也未能将箱子打开，不禁抬头问海塞斯：“这是怎么回事？”

“这就像你的箱子，上了锁没有钥匙打不开一样。我这个锁你不知道密码也是打不开的。密码是多少？比如说我设定的是123，OK，那只要将这三个数字分别拨到123就行了。如果密码是你设定的，我虽然不知道，但我其实也可以试得出来，无非就是在000—999之间，也就是1/1000。但我们面对的密码和它不一样的是，它——你现在看得到是三个数字，如果看不到呢？”

“你首先要判断它有几位数？”

“对，如果你位数判断错了，一切都无从谈起。破译密码，最关键的就是这一步：判断它的位数、级数。这个所谓的1/25000就是现在我对21师团密码级数的判断。”

陆所长似乎听懂了，点了点头。

海塞斯又继续说道：“如果我的判断没错，运气够好的话，甚至第一道演算就能解开它。现在演算已经过半还没有解开，可以说我的运气不够好。但是你想，只要我没判断错，答案肯定在后面的一半中。当然，如果我判断错的话，两万五千道演算全部算完也不会有答案。那样的话，我只能重新下判断，重新去找，那就麻烦了。”

陆所长笑道：“你不是信上帝吗？我为你祈祷，愿上帝与你同在。”

海塞斯突然很生气，瞪了他一眼，厉声道：“你们中国人就是粗鲁，什么东西都拿来开玩笑！我警告你，今后不要跟我开这种玩笑！”说罢拂袖离去，令陆所长像一条上岸的鱼一样难堪、惊惧。

有两个人真正遇到了足以难堪一生的时刻：赵子刚和吴华。

第二天，海塞斯来上课，陆所长把赵子刚和吴华从教室里叫了出来。吴华垂着头，没说什么，似乎认了。赵子刚却很是不解，追着陆所长问：“为什么不让我上课？”

“你不需要上课了。”所长低着头，边走边说。

“为什么？”

“你被淘汰了。”

赵子刚急了，“你们搞错了吧，所长，一定是搞错了，我解了题的。”

陆所长冷笑，“你是解了题的……”

赵子刚抢白道，“就是，左主任可以作证，我解了题的。”

陆所长霍地停下脚步，咄咄逼人地盯着他，“你是解了题，你不但自己解了题，还帮别人也解了！”

事情就是这样，吴华被开除是因为无能，他没有如期交卷，可赵子刚则不同了，他是因为无耻。赵子刚其实是继陈家鹄之后第二个交卷的——只比陈家鹄晚了不到一天，十七个小时，且答案正确漂亮，被教授评为“上乘之作”。不幸的是，事后他被林容容专门为他挖的陷阱彻底丢翻，上乘之作于是乎被一笔勾销。

事发在前天晚上，即赵子刚交卷的当天晚上，林容容从左立那儿再次领到任务，让她去“老戏翻新戏”。夜深人静之时，林容容披挂上阵，嘴唇涂得红红的，辫子当然要解开，要长发飘逸，脚上趿着拖鞋，像个狐狸精一样，敲开了赵子刚的房门。

“哟，是你啊。”赵子刚又惊又喜，“有事吗？”

“怎么，不欢迎？”林容容嫣然一笑。

“欢迎欢迎，当然欢迎。”赵子刚连忙将她往屋里请，热情有余。但毕竟男女有别，赵子刚请她入屋后，没有关门。没想到林容容主动回过身去，把门关上了。林容容要扮演狐狸精呢，关了门，刹那间，人变了，颔首低眉，郁郁寡欢，一副可怜兮兮的样子，“对不起，我想跟你说点事。”

“什么事？”赵子刚关切相问。林容容的悲苦似乎一触即发，突然捂住脸抽泣起来，搞得赵子刚一时手足无措。“别……你别哭……”赵子刚慌忙地安慰着，“告诉我，到底出什么事了……说嘛……别哭了，这样不好，人家听见了多不好，你……你到底怎么了？”林容容先是吞吞吐吐不肯说，被赵子刚问急了，猛一擦脸上的泪水，没头没脑地说了一句：“我做不出来！”

“什么做不出来？”

“那道题，我解了好久都没解出来，我快要疯掉了……”

“啊呀，我还以为什么事，原来是这事……这也值得你哭呀，不就一道题嘛。”赵子刚面对陷阱一无觉察，或者说，他根本就不想觉察。

林容容眼泪汪汪的，撅着嘴说："做不了这道题要走人的……我不想走，走了，就……就再也看不见你了……"说着欲盖弥彰地用一双水灵灵的眼睛，羞涩地看着赵子刚。

刚才说林容容是老戏翻新戏，事实上，就在头一天晚上，她已经在陈家鹄面前演过一次了，结果惨遭奚落，陈家鹄以豪言为盾，拒她于前，壮语做矛，击溃在后，击打得她落花流水，乖乖认输。不知是因为故技重演，林容容的演技长了，还是赵子刚心智顽愚，意志薄弱，总之他就这么上当了，在狐狸精的眼泪和诱惑面前败下阵来，把自己的"上乘之作"拱手相送。

一切就这样板上钉钉，无可挽回，赵子刚送出去的不仅仅是一个答案，更是自己的前程。在这个连一只狗都知道忠诚和保密就是生命的地方，他居然置若罔闻，将"生命"抛在美色之后，实属无耻之徒，令所长感到有种受辱的气愤。

"不争气的东西！"陆所长愤愤地呵斥他，"国有国法，家有家规，干我们这行必须死守铁的纪律，须臾不忘，生死不变，你明知故犯，顶风作案，我可以叫你去坐牢！"

这天刮的是西北风，教室坐北向南，所长的骂人声被轻易送人教室，正在上课的海塞斯听了不禁哈哈大笑，"遗憾，遗憾，一个十五岁的芝诺就撂倒了你们两位同学，真是令人遗憾啊。不过，这很正常，在海德堡，我曾经也给德国空军开办过这样一个班，入学时有十五人，最后毕业的只有六个——还不到一半。这六个人以后至少又有一半以上将终生碌碌无为，能够建功立业者将寥若晨星。这就是破译事业的残酷性，你们也许无法适应它，但必须面对它，接受它。"

此时包括林容容在内，海塞斯面前只剩下四个学员。人是少了一点，但教授不会因此心慈手软，他还要继续设卡，继续减少。"闲话少说，言归正传。今天的课程是先讲解上次的试题，完了我要布置新试题，继续筛选你们。现在我要请你们中的一人上来讲解一下他的答题情况。"

请的是陈家鹄。

"陈家鹄。"

"陈家鹄。"

"陈家鹄！"

众目睽睽之下，陈家鹄不知是得了神游症，还是有意为之，自始至终不予答理，充耳不闻。海塞斯只得走到他面前，敲着桌子对他说："喊你呢，没听见？"

"听见了。"陈家鹄如梦初醒。

"那你为什么不答应？"

"哦……对不起……"陈家鹄吞吞吐吐地说，"不过我……其实……也没有可对不起的，我是故意不理你的。”

“为什么？”

“你不是说闲话不说了，要言归正传，让我们回到密码世界里嘛，在神奇的密码世界里，陈家鹄肯定不是陈家鹄，所以我置之不理。”

说得大家都发笑。林容容笑得最露骨，笑声银铃一般飞出了窗外；海塞斯笑得时间最长，笑声始于他，止于他。海塞斯一边笑着，一边走回讲台，“用你们中国人的话说，这叫什么？以什么还什么？”

“以其人之道还治其人之身。”长者李建树说。

“对，”海塞斯点点头，说，“我喜欢这种幽默，带着笑容的智慧，使人开心发笑，不像密码界的智慧，深藏不露，暗无天日，变形变态，使人窒息，叫人发疯。有人说混迹在密码界的人都是疯子，我要告诉你们，我完全同意这种说法。我在美国经常去唐人街听贵国的京剧——那是你们的国粹，但我常去听它倒不是因为它是你们的国粹，而是我在舞台上看到了我自己的影子：一个男人装扮成女人的样子，捏着鼻子尽情唱着女调花腔，身心投入，如醉如痴，有种冲破天空的狂热精神，有种酒神迷狂的状态。这个样子就是我的也是你们今后的样子。密码的本质是反人道，反科学，反真理，反自然，真人假唱，声东击西，指鹿为马，混淆是非，颠倒黑白——凡此种种，都使世界变得更加复杂，使人心变得更加黑暗迷乱。所以，也许我们比任何人都需要懂得幽默，要学习从迷狂中抽身而退的本事。”

这堂课也被“幽默”了，旁逸斜出，课程被一度搁浅。当海塞斯准备向大家布置试题时，蒙面人敲响了下课的钟声。在咚咚咚的钟声中，海塞斯不紧不慢地打开保密箱，从里面抽出一沓试卷，对大家说：“这又是一部教学模拟密码。最早的密码只有空间，没有时间，比如达·芬奇的密码筒，亚历山大的羊皮书，包括上一次测试你们的密码，都只有密本没有密表。密表技术的应用使密码变得更加复杂，是密码直接向深奥的数学迈进的一次革命。今天的密码研制也好，破译也罢，都已经离不开数学家的智慧了。你们在向试卷发起进攻时，不要忘记使用数学家的智慧。也许它又要令你们损兵折将，但这没办法，密码世界里拒绝低智的人，就像运动场上拒绝老弱病残一样。一个体育教练通过测试你的骨骼和肌肉来选拔运动员，我们就靠这些东西测试你的智慧来选拔你。”

最后，海塞斯又重申考卷要求：“还是老规矩，一，必须独立完成，不能互通有无，通了就是作弊，就是作案，就得走人——赵子刚就是你们的前车之鉴；二，时间是一个星期，也就是下个礼拜的今天。我不希望等下个礼拜我再见到你们时，这试卷还在你们谁的手上，那样的话，我也只好请你走人。这很残酷，但也很公平。这是个筛子，是金子还是沙子，我靠它来分辨。”

午后，阳光灼灼，人都在午休，院子里空空如也。

陈家鹄从宿舍里出来，到左立的办公室前，往木箱里丢进了第二份试卷。烈日下，潮湿的大地变得温暖、酥松，空气中新添了一种腐朽的气味。日光直射，所有窗玻璃都有一种妖气，仿佛阳光无法穿越玻璃，均被挡在户外，屋子里的一切因而显得幽暗、深奥，有一种不祥的暗示。陈家鹄在回宿舍的途中，无意又有意地发现，蒙面人躲在窗洞后在窥视他，那张蒙面黑脸在妖气的玻璃的作用下，变得更加妖魔、诡异……

这几天，黑室是由“筛子”组成的：海塞斯是筛子，在筛他的弟子；小周是筛子，在筛惠子；演算科的王氏父子是筛子，在筛海塞斯的破译方案；陈家鹄是筛子，在筛蒙面人；陆所长和老孙也是筛子，要摸一摸老虎的屁股，筛一筛萨根的底牌……到处是筛子，人人都在筛，在选，在分辨，在等待。

当陆所长在重庆饭店二楼的咖啡厅被绝望的等待折磨得心绪凌乱之际，五号院的演算室里，日夜不息的噼里啪啦的算盘声终于筛出了一粒“金子”。这无疑是王氏父子俩包括所有黑室人孜孜以求的一刻，惊心动魄的一幕——父子俩十指如飞，将满盘珠子拨得上下跳蹿，左右翻飞，噼啪作响。可突然间，儿子手下的那些上蹿下跳的珠子纷纷归入原位，乖乖地趴着，静静地躺下，不跳了，不动了。

——算盘归零了！

儿子猛地怔住了，他出神地看着那些像羊儿入圈一样安安静静躺下的算盘珠子，突然大声喊，只喊出一个字：“爸！”

“怎么？”父亲转过身来看，顿时瞪大眼睛，“归零了！”

“归零了！爸，成了！我们成功啦！”儿子激动万分，声音都在发抖。

父亲看着算盘，将信将疑，“不会错吧？”这一问问得儿子不禁也怀疑起自己的演算是不是出错了，脸上的惊喜像阳光下的水汽一样，瞬间消失无影。这就像所有大喜大悲突然降临时，人都会产生幻觉，幽幻迷惘，要下意识伸手掐一掐脸颊，用疼痛来证明自己真的是活在现实中一样。

“那我再打一遍吧。”儿子说。

“我也来。”父亲说。

这倒是个好办法，让时间倒流，让算盘重复刚才的路程。人不能两次踏入同一条河流，算盘可以。父子俩同时演算起来，一时间演算室里又响起了噼噼啪啪声。因为谨慎，两人都放慢速度，力求无误。不到半个小时，几乎在同一时刻，父子俩双手都不动了，都定格般悬在了空中，那些刚才还忙忙碌碌的算珠子，都静静地躺下了，如前所述，如出一辙。

消息传到楼上，海塞斯当即抓起电话给陆所长打。院里的电话，渝字楼里的电话，家里的电话，都打了——自然不可能找到他。怎么可能？这会儿，陆所长还在咖啡厅里苦苦守望着嫌疑犯萨根先生呢。他还需要一个半小时才能回到五号院，当他走进院子后，迅速闻到一股火药味，那是刚才有人放鞭炮了。

这是个载入史册的时间，黑室第一次迎来了一个具有里程碑意义的时刻。海塞斯找不到陆所长，直接给杜先生打去电话报喜。杜先生闻讯当即带了一头烤乳猪、三脸盆卤肉、两缸米酒，直奔五号院。得知陆所长还没有归队，他当场任命侦听处杨处长为负责人，责令他迅速设宴犒劳大伙。理由？当然不能明说。说什么呢？杜先生临时编出一个理由：给海塞斯过生日。这个理由不错，破译处首开其张，喻其为“生日”，恰如其分。

一时间，食堂像着了魔似的红火起来，喜庆起来，酒香，肉香，笑颜，铺张的杯盘，喜气的场面。杨处长不知从哪儿搞来了一挂鞭炮，问杜先生可不可以放。照理是不可以的，但人高兴了做点稍稍越轨之事也无伤大雅。杜先生从海塞斯嘴上拔下他正在抽的雪茄，递给杨处长，后者拿了雪茄就去食堂门口点燃了鞭炮。鞭炮的响声有点像放大了的算盘声，噼里啪啦，噼里啪啦。此时陆所长已经离开咖啡厅，踏上了回单位的路，他的嘴里也是噼里啪啦的——他在骂大街呢。

随着敌21师团密码的告破，众多无字天书被精准释读，日军21师团犀利的进攻遭到了国军前所未有的有效阻挡。先头部队出兵不利，迫使敌人变得谨慎，放缓了大举进犯的速度，日军一个月内攻下武汉的企图连同他们的嚣张气焰就这样被粉碎，从而为武汉大批军民和国防厂所的撤离赢得了宝贵的时间。海塞斯理所当然地成了英雄，又是授勋又是加薪。然而，他知道，这个功劳其实并不属于他，真正该授此勋领此赏的人是陈家鹄。

这是后话。

“都记住了？”

“记住了。”

“重复一遍，回去应该怎么跟他说？”

“我找了好几个人，都说不知道，但我碰巧遇见了一个熟人，是我过去的一个客人，一个老色鬼，他就在邮局工作……”

萨根迟迟不来，汪女郎一遍一遍地默念着陆所长跟她的对话，一遍比一遍熟练、流畅。熟能生巧，她甚至调整了一些用词、句式，变得越发正确、简练、自如。越是熟稔自如，她越是盼望萨根快快出现。可萨根就是不来，一个小时，两个小时，三个小时……好像萨根已经知道她被人策反收买了，不敢来了。

其实萨根知道个屁，他是分身无术，没工夫来。黑明威从成都回来了，带回来那么多东西，又是指示又是装备，他要马上向少老大去汇报。这个突发的小小变故，可把汪女郎折磨狠了！时间摇身一变，变成了火焰，烤得她心烦意乱，心焦欲裂。一辈子从来没有这么等过人，像坐在老虎凳上被拷打，躺在油锅里面受煎熬。早知现在，何必当初，蹚了这汪浑水。

后悔！

后悔啊！

可世上哪有后悔药，纵是悔青了肠子也不能一走了之。走不了的，两个凶神恶煞的家伙一前一后守着她呢。他们到底是什么人？他们会拿我怎么办？说实话，比起萨根来，汪女郎其实更怕这两个来路不明的家伙，他们有枪有刀，有审讯室，那刀子差点……天哪，天哪，我怎么就钻进了这么个绕不开、退不回的死胡同？她这辈子第一次体会到了什么叫做如坐针毡，什么叫做度日如年。她简直快要发疯了。

天黑下来了，汪女郎的运气开始好转了，先是陆所长走了，再是——该死的萨根终于来了！萨根其实是陆所长一走就来了，两人几乎是擦肩而过，实在是机缘未到。别紧张，放松，放松，放松……可就是放松不下来。身上有了秘密，心中有了鬼，举止就变了形，面部僵硬，声音发颤，手心冒汗，真讨厌！好在萨根刚领了赏，心情如花一样灿烂，心里涌着一股要表达喜悦的急切，见了她，又是捏她屁股又是拍她脸蛋，又是认错道歉又是撒谎解释，活生生地把她的紧张和窘相掩护了，赶走了。萨根高兴还有个原因，就是：他以为，汪女郎等他这么久都没走，说明她一定是出色完成了任务。

“怎么样，很顺利吧？”

“顺利个屁，我找了好几个人问，都说不知道。”

“怎么回事？”

“这是个保密单位，你知道不？”

“我怎么知道？见鬼！”

“不过算你运气好，我碰巧遇见了一个熟人……”

言归正传，已经难不倒她，因为该说的话已经默诵了数十遍，再紧张也不会出差错。不但没有差错，还有出色的临场发挥，诈获了两单生意钱。

“你得给我补上这个钱。”

“什么钱？”

“别装蒜了，要不是为你办事，他凭什么占我便宜？这种死老头子就是给我钱我都不稀罕！”

说得跟真的似的，振振有词，有理有节。萨根刚鼓了腰包，替个穷鬼付点嫖资，小菜一碟，二话不说，给了。汪女郎收下钱，非但不言谢，还得寸进尺，要他再给一份。

“这是为什么？”萨根略为不悦。“因为明天我还要去找他，”汪女郎对答如流，她已经完全进入角色，言谈十分机巧、洒脱，“我敢肯定，他说管地址的人今天不在单位多半是骗我的，他就想让我明天再去找他，再占我一次便宜，你就帮他先预付了吧。”

哈哈哈，言之有理，萨根爽快地又付了一份钱。至此，汪女郎觉得下午的老虎凳算是没有白坐，事情很圆满嘛，比盼的还要好。早知现在，何必当初啊，那么心焦欲裂地熬了几个小时，真是不该，不该，千不该万不该啊。啊啊，心花怒放的汪女郎几乎又想吃后悔药了。

可以想象，与陆所长相比，汪女郎的好心情不过是“小巫”。

月朗星疏，夜风吹醒枯草，淡淡的火药味飘浮在空中。陆所长满腹狐疑地追着火药味走，走进喧嚣的食堂，受到夹道欢迎的待遇。没有人告诉他设宴的真实原因，但他已经预感到——闻到了“天降大喜”的味道。罚酒三杯后，杜先生跟他咬了句耳语，把喜讯告诉他，他不亦乐乎地又自罚三杯。这种情况下告诉他喜讯，其实是对他最大的惩罚，除了不停地喝酒，他没有任何宣泄喜悦的渠道。喝得太猛，他像个不中用的酒鬼，转眼就喝大了舌头。一根大舌头怎么还能留在酒席上？不把实情捅破才怪！走，杜先生提前离场，顺便把他带走了。跟一根大舌头也没什么好说的，杜先生从食堂出来后，直接朝车子走去。他要走了，临别之际海塞斯突然有一种冲动，想把幕后英雄陈家鹄一语道破，但话到嘴边又被虚荣心压了回去，变成了语焉不详的祝贺：

“杜先生，我也要祝贺你啊。”

“我有什么好祝贺的？”杜先生不解地望着他。

“你找到了一位罕见的破译人才。”海塞斯目光灼灼地说。

“谁？陈家鹄？”

“是。”

“你那么看好他？”

海塞斯点头：“是的，所有人都应该看好他。如果先生同意，我想提前请他下山来，他没必要再待在那儿了，对他来说受训跟浪费时间没有两样。”

杜先生看着一旁的陆所长，也许是希望他接过话去，但已经喝高了的陆所长哪里还有察言观色的敏锐，他显得很木讷，睁着眼无辜地望着杜先生，不得要领。杜先生只好亲自挡驾，沉吟道：“磨刀不误砍柴工，还是再培训培训吧，可别搞成个夹生饭就麻烦了。”

海塞斯真诚地说：“相信我，没必要了。”

木讷的陆所长终于反应过来，连忙抢答，声音大得像在嚷，还动手抓着海塞斯的肩膀，很不体面，“教授，破译密码你是专家，可说到用人你就不懂了，他还有其他问题，我们需要再观察观察。”

“其他问题？”海塞斯皱起眉头，“什么问题？”

“这不是你考察的问题。”陆所长依然大声嚷嚷，“你负责考察他的才能，我们要考察他——才能之外的东西。”

“除了才能，其他的都是零！”海塞斯不乏冲动地说。

“不见得吧，”杜先生上前拨开陆所长，和颜悦色地对海塞斯笑，“如果他有才而无德呢？”

“什么意思？”海塞斯的眉头又拔高了一寸，“他怎么无德了？”

“我是说如果，你放心，这是小心的说法，事实上应该没什么。”杜先生握住海塞斯的手，“我们改天再谈这个，你看他这样子能谈事吗？”指着陆所长，“他需要马上睡觉，我呢也需要马上回去向委员长汇报你的开门大吉。我相信你该得到的奖赏不仅仅是一串鞭炮和一顿酒，静候佳音吧，我们至少还要给你定制一枚金质勋章呢！”笑声朗朗，像月光一样穿破了夜色，随风远行。

送走杜先生后，海塞斯苦于欲罢不能，被陆所长强拉去办公室，听他唠叨酒话。后者有心唠个通宵，只是力不从心，只唠了个开场白，便换了声道，变成了单调的呼噜声。陆所长的办公室套着一间休息室，有床，可以睡觉，自入黑室以来，他大部分的睡眠时间都是在这张冷床上打发的。海塞斯把他拖上床，拔腿就走，直奔办公室而去，迫不及待。

莫非他又要去加班？

非也，他是去会钟女士，他们在敬酒时已经约好晚上到办公室幽会。这才是庆祝胜利的最佳方式，海塞斯这么想，也这么做了。这天晚上教授为自己像少年一样骁勇善战而震惊，钟女士几次痛不欲生，最后一次咬破了嘴唇，血流不止，嘤嘤地哭了，像个少女一样。在睡梦袭来前，海塞斯朦朦胧胧地想到一句话：身体是精神的奴隶。

把酒醉压缩为一次睡眠，是醉酒的最好归宿。这天晚上，陆所长睡得像婴儿一样香甜、有观赏性，流了口水，说了梦话。他的梦是沉重的，没有梦到晚上的开心事，梦见的都是下午的烦心事：萨根久等不来，自己久寻“黑室”未果——他要给萨根寻一个邮箱地址，下午百思而不得，进入梦乡还在思而索之。

功夫不负有心人，找到了——在梦里！

是石永伟的被服厂。

一大早，陆所长便带上老孙去实地视察。先是绕围墙溜达一圈，末了又进院子里去转了一圈。守门的老头已经熟悉老孙（或许还记着上次小周拿枪抵他太阳穴的事），满脸堆笑迎接他们的到来。两人入院后又是漫无目的地转，曲里拐弯，不经意间穿过深长的小径，来到了后面的家属区。上次陈家鹄躲藏的那个小院子依然如故，柚子树还是那么绿，只是一树黄灿灿的柚子剩下不多了。陆所长立在柚子树下，不禁想起当时陈家鹄跟他拼命的情景，心里升起一股盲目的乐观情绪。显然，他在为自己当时的克制庆幸。

“怎么样？”从后院转出来时，老孙问所长。

“你觉得呢？”所长反问他。

“我觉得可以，院中有院，别有洞天，像那么回事。”

“外面的工厂像是做掩护用的，更像个秘密机构。”

“嗯，不错，位置也不错，城乡接合部，四周比较空旷，便于我们监视。”

“也便于他们行动。”

“那就定在这里了？”

“定了，就是它。”

“他们约好今天下午还是在老地方见面，中午我必须把地址告诉她。”

“你是说汪女郎？”

“嗯。”

“要派人盯着她，别让她跑了。”

“我派了小林盯着的。”

“要跟去她家，见到她父母，她就不敢跑了。”

“我向小林交代了，一定要跟着她，摸清她家在哪里。”

两人边说边往外面走，又回到前面厂区。老孙提议所长去见见石厂长，“我们需要他的配合，”老孙说，“你出面打个招呼人家会更加重视，反正你们本来就熟悉。”

确实熟悉，已经打过两次交道：第一次是找他了解陈家鹄和惠子；第二次是让他把陈家鹄的婚礼改在重庆饭店。想起这些，陆所长笑道：“嗯，这人不错，爽快干脆，懂是非，明大理，是该见见他。”

石永伟一见陆所长，立刻热情地起身相迎，握住他的手，哈哈地笑，说他早就知道陆所长会再来找他的。陆所长心领神会，说：“找是找你，但不是你想的事，我今天来找你跟惠子无关。”闲话过后，陆所长拖过一张凳子坐下，开诚布公地说：“我知道你是个大忙人，这么大的工厂，这么多人，里里外外上上下下都要管理，所以我长话短说。”

石永伟很客气，让他有事尽管说。陆所长就干脆地说道：“我讲三点吧：

第一，真人面前不说假话，虽然我们交情不深，但我心里已经把你当朋友看了，陈家鹄就是我们之间的桥，友谊之桥；第二，我们现在需要在你这儿做点事，主要是要派人接替你的门卫。说好听点，我派人来帮你站几天岗吧，怎么样？”

石老板一怔，满脸狐疑地问他这是什么意思。陆所长让他放心，他们可以绝对保证他工厂的安全，“万一有什么闪失，一切责任都由我们来负责。”

“你们要做什么？”石永伟忍不住问道。

“这不能告诉你，我要说的第三点也就是这个意思，我们来这里的事不能外传，天知地知，你知我知，多一个人知道都不行。”

石老板蹙着眉头思索起来，他虽然不知道陆所长的真实身份，但他明白陆所长肯定是个不一般的人，要不然以陈家鹄的固执倔强，最后怎么可能乖乖地去了他那里？

陆所长似乎猜到他的心思，安慰他说：“我可以向你保证，我们不是黑社会，如果我们之间有什么秘密的话，也绝非什么见不得人的事，主要是为你和我们大家的安全考虑。有些东西说了你理解不了，听到耳朵里反倒成了包袱。总之一句话：不会给你添麻烦的。你尽管放心。”

石永伟想，你当然不是黑社会，但得罪了你可能比得罪了黑社会还要麻烦。不过话说回来，被服厂也不是什么民间草台班子，要较起真来也可以通天，拉扯上一张虎皮做大旗，也可以刁难他们一下的。但何必呢，再怎么说他现在是陈家鹄的上司。这么想着，石永伟索性做个好人，爽快地答应了，正如他一贯的行事风格。他扯着大嗓门对陆所长说：“我这是第三次配合你工作了，从来没有回报。”陆所长打心眼里喜欢他豪爽的性情，还真想给他个什么回报，认真地问他：“你想要什么回报，只要力所能及，我一定全力以赴。”

“举手之劳的事。”石永伟说。

“不妨说来听听。”

“见到陈家鹄代我向他问个好吧。”

“可惜陈家鹄不知道我今天来找你，否则他也一定会托我向你问好的。”

两人相谈甚欢，握手告别之际，陆所长根本没有想到，这一天竟是石永伟在生死簿上画押的日子。几天后当陆所长再次来到这里，他握着石永伟冰凉的手，无法忍住汹涌袭来的悲痛，禁不住当众号啕。毫无疑问，是陆所长把他送上了不归路，他为萨根设下的每一个圈套、每一个陷阱，都是对石永伟的一次催命——多么吊诡！人间处处都有绝处逢生的风景，但对石永伟却只有赴死的噩梦了。

这一天该诅咒！

不仅仅是因为提前预约了石永伟的死期，更是因为有一千一百三十一名无辜平民葬身于敌机惨无人道的狂轰滥炸。这一天是一九三八年九月二十七日，是重庆历史上最悲惨、最黑暗的一天，也是重庆人民永远不会忘却的最恐惧、最苦难的一天。正是从这一天起，日本鬼子开始对重庆平民区实施了长达三年的无禁区轰炸，在无耻的罪恶簿上又添了血腥、野蛮、令人发指的一笔。

事发在陆从骏离开被服厂回单位的途中，他们的车子刚开进城，呜啦呜啦的防空袭警报突然响彻城市上空。按照常规，至少还有十几分钟敌机才会凌空，但这一次不知怎么的，敌机来得特别快，几乎在警报拉响的同时就隐隐约约可以听到敌机的轰鸣声，转眼间，警报声已被愈来愈大的飞机引擎声淹没。陆从骏从车里看到，眼前的城市像被捅了的马蜂窝一样，所有人惊叫着从屋里逃出来，又惊叫着向同一个方向逃跑，像决堤的河水，源源不断地、仓皇地穿过大街，朝附近的防空洞涌去。

开车回五号院或渝字楼的地下室已经来不及，老孙迅速把车随便往旁边一停，跳下车，拉起陆所长，跟着那些仓皇奔逃的人，往附近的防空洞跑。防空洞里已经挤满了人，大家背贴背、脚踩脚地拥挤在一起，每个人都气喘吁吁，神色慌张，大人的叫声和小孩的哭声，在沉闷、嘈杂的地洞里尖锐地回荡着，一浪高过一浪。老孙和陆从骏刚冲进洞口，大地就开始抖颤起来，轰隆隆的爆炸声接二连三地响起，撼动着大地，震得洞顶和壁上的灰尘簌簌地掉落，洞里的空气瞬间变得污浊不堪。陆从骏他们在洞口,空气相对要好得多。事后才知道，当天在洞内有三十七人因窒息而死亡。

更大的伤亡当然在外面。

轰炸持续了将近一个小时才结束，等到陆所长他们走出防空洞时，傻了，惊呆了，目及之处，商店和民房几乎都被炸成废墟，火光四起，烟雾弥漫，砖头瓦砾遍地都是。有些来不及躲进防空洞的人，不是被当街炸死，血肉横飞，就是被炸塌的房屋压死，血肉模糊。他们弃停在街边的车子也被炸得四分五裂，有两个轮子都不知道飞到哪里去了。

太惨了！

惨不忍睹！

老孙望着四周的惨状，平日不动声色的面孔因为痛心疾首而扭曲了。“狗日的倭鬼，我日你老娘！”老孙噙着泪水，愤愤地对着天上臭骂。“敌人突然对我平民区实施轰炸，一定有什么特殊的原因。”陆所长一边说，一边在心里思忖道，这可能跟他们破译了敌21师团的密码有关。

老孙沉浸在愤恨中，咬牙切齿，越骂越勇：“无耻！无耻！王八蛋！狗日的小鬼子！我咒你们不得好死！天打雷劈！断子绝孙！死了全进地洞当我的龟儿子！”

陆所长像个智者，出奇地冷静并不乏有见解，他对老孙说：“无耻一旦开了头就不会收手，你看好了，以后敌人可能会经常来炸我们的平民区。我估计武汉很快就要失守，敌人已经下了狠心要拿下它。”

老孙惶惶地问：“我们……真的就顶不住了？”

陆所长摇摇头，长叹一口气，“人肉战争，顶也没什么意义。”

事后他从杜先生那儿得知，敌人之所以这么无耻，公然轰炸平民区，正是因为他们破译了敌21师团的密码，致使敌人对武汉的攻打屡屡受挫，伤亡猛增，所以变得穷凶极恶，报复加威胁，目的就是要重庆政府屈服。从某种意义上说，敌人的目的达到了，半个多月后，蒋介石在朝野双方的压力下，放弃了武汉大本营，抗战从此进入了一个新的相持阶段。

这次大轰炸也改变了萨根打探黑室地址的进程，原定当天下午与汪女郎在重庆饭店咖啡厅的见面被推延到两天后。时间上的缓冲，不论是对汪女郎还是对陆从骏都是好事，让他们有足够的时间去练习预案，从容面对萨根的居心叵测。两天后的晚上，依然在老地方，当萨根从汪女郎手上接过那张写着西郊被服厂详细地址的小纸条时，他丝毫没有怀疑这是一个陷阱。

只是，令人遗憾的是，这个专门为萨根挖的陷阱，最后遭殃的却不是萨根，而是石永伟等人。

重庆的夜晚像重庆的女人一样千姿百态，火辣迷人。夜幕落下，滚滚奔流的嘉陵江缩回到睡梦中去了，遥远广阔的晦暗中，只有那满江星星点点的渔火在静静地闪烁，就像七月半鬼节的时候，当地巴人放到江上随波逐流的千万盏河灯，每一盏灯里都盛装着来自祖先的神秘和凄迷。与此同时，那些坐落在山谷、山脚和山腰，甚至是山顶上的各种各样的房屋里，便渐次亮起了灯光，高高矮矮，层层叠叠，闪闪烁烁，明明灭灭。当所有的灯光都亮起来后，四山合围的一大片黑郁郁的世界里，就像银河星汉跌落其中一样，满目的星光，满目的华彩，满目的璀璨与绚烂。

这些光源，有的暗淡幽微，自然是百姓人家的煤油灯，或是小瓦数电灯；有的通明透亮，当是富贵人家的豪华吊灯；有的流光溢彩，那里面包藏的肯定是酒楼舞厅的声色犬马与歌舞升平。在嘉陵江南岸边，巴山第一峰的山脚下，有一片错综复杂的灯光，既有明亮如炽的大功率探照灯，又有隐隐约约、昏暗成线的路灯。探照灯尽管暴力，美国水兵尽管傲慢，地理位置尽管偏僻，但这儿依然是不少权贵和有钱人的攀附之地。

这儿是重庆国际总会，陪都的一朵奇葩。

和重庆饭店比，这儿富有秘密的暗香和威严高贵的绅士派头。重庆饭店只认钱，不认人，只要你有钱就是贵宾。这儿不认钱，甚至不接受现金。这儿是俱乐部，实行会员制，会员以泊在长江边的美国战舰上的军官、外国大使馆的工作人员、国民政府请来的外国顾问为主，夹杂着部分中国海关的官员和一些国际流浪者。今后，海塞斯将经常出入这儿，这从比他晚五个月到重庆的纽约《时代》周刊记者白修德的回忆中可见一斑：

在躲避轰炸和发报道给纽约的间隔中，奥思本（即亚德利）经常带我光顾重庆宾馆（即重庆国际总会），他对我很好，和我称兄道弟。他是一个十分幽默且热情洋溢的人。他兴趣广泛：美酒、赌牌、女人。我们成了朋友后，他觉得需要教我赌牌。他让我站在他背后，教我看他开牌，赢尽桌上的钱。他觉得也应该给我一些性教育，他认为我需要有实战经验，建议邀请所有认识的“棒女孩儿”去重庆宾馆开宴会，让我从中选几个。对此我拒绝“学习”，我骨子里还是一个老实的波士顿人。但是，他的确教了我一些比任何美国顾问或者智慧老人的教导更加重要的东西，比如空袭时应该怎么做。亚德利的理论是，如果被一个炸弹正面击中，那你做什么也难逃一死。他认为空袭最大的危险是从窗户飞溅出来的玻璃碎片。所以，当听到空袭警报后，应该先喝杯酒，然后找个睡椅躺下，再拿两个枕头保护自己——一个蒙着眼睛，一个护着阴部。他说，玻璃碎片可以伤到重要器官，如果眼睛或阴部受伤了，那就是生不如死。这对于地面上所有的卑微生命来讲，都是绝好的建议——至少在原子弹时代未来临之前。我当然照办如仪。像众多生活在当时重庆的美国前辈一样，亚德利对我十分关照，我们一起在重庆酒店留下了许多愉快的记忆……

这儿有纯种的金发女郎，身上洒着法国香水，穿着三点式的比基尼，地板下的窖槽里藏着鲜血一样红的酒，小巧玲珑的坤包里揣着薄如蝉翼的橡胶套子。她们和汪女郎一样，用身体征服男人，印制钞票，夺人心魄。但她们和汪女郎又不一样，她们拒绝为中国人服务，即使是像杜先生这样上流的中国人。甚至，她们中有些人拒绝为黄种人服务，包括萨根和少老大。

萨根和少老大都是这儿的会员，这儿也是他们相识、结交的地方。以前他们每个月会定期来一至二次，最近萨根来得少了——因为有了汪女郎，而少老大来得多了——因为他想从这儿新辟一条探听黑室地址的蹊径。简直都是饭桶，这么长时间居然连个黑室地址都打探不到！

少老大最近真的很懊恼。

今天尤为懊恼，因为下午桂花跟他大吵一架，起因就是最近他老是往国际总会这儿跑。女人都是多疑的，敏感的，也是自卑的，她们把将男人留在身边作为一场漫长而又重大的战役来忍耐、攻守。少老大最近频频外出，回来时身上时有高档香水味，令一向忍辱负重的桂花忍无可忍，终于爆发了嘴仗。一怒之下，少老大又出走了。

他们吵架时，正是萨根心花怒放时，因为他终于搞到了黑室的地址。这玩意儿绝对能卖个大价钱，所以天刚擦黑，他便揣着汪女郎手汗和体温尚存的小纸条去粮店找少老大。自然是没找到。经桂花提醒，他又辗转来到国际总会，果然在这儿找到了他。

可能是喝了酒的原因，也可能是因为他们觉得这儿安全，两人没有刻意去找个地方密谈，而是直接就在酒吧里相谈起来，结果被一路跟来的小周和蒋微听了个七八成。自惠子上班后，加之盯梢这么长时间，不见惠子有什么异常，小周已经被老孙调了回来，现在主要负责盯梢萨根。

可蒋微怎么会来干这个呢？她不是侦听员吗？

是这样的，下午萨根在咖啡馆从汪女郎手上拿到黑室地址后，曾在吧台给粮店打过一个电话。当时少老大还没同桂花吵架，尚在家里，两人约好晚上在粮店见面。这个电话被小周偷听到了，可他什么都没听懂，因为萨根说的是日语。虽然没听懂说什么，但可以想象他要去见一个人，届时他们很可能用日语交流。黑室里有一半人都懂日语，但和小周配对比较合适的是蒋微，两人年龄相当，身高搭配，扮一对恋人蛮像的。就这样抓了蒋微一个差，她在日本留过学，日语说得很好。

萨根：好消息，我搞到地址了……

对方：……会不会……你敢肯定?

萨根：明天先去看一看，估计不会错的。

对方：……

萨根：……具体位置我也不知道，好像是在西郊……

对方：只要见到人就可以肯定……

萨根：不敢保证一定能见到人，但是……

对方：……找到了庙就找到了和尚……

萨根：……我的消息绝对可靠……

对方：……宫里整天跟我催命……这下好了……

萨根：放心……他的人头值多少钱……

对方：……保你满意……

蒋微回单位后，把她听到的全部对话记录在案，虽然提供的全是些支离破碎的片言只语，但暗藏了太多的信息和意外，着实让陆所长和老孙吃惊不小，一时都思绪纷乱，沉默无语。陆所长看了看老孙和小周，最先打破沉默，“可以得到的结论有四个：第一，汪女郎看来确实没有骗我们，她已经把萨根哄住了。第二，那个粮店可能是敌人的窝点，我们要派人二十四小时看守。第三，萨根已经在谈话中明确地告诉我们，明天他或者至少是他的人要去被服厂‘看一看’，老孙你要做好迎接准备。第四，你们听最后两句话——‘他的人头值多少钱’，‘保你满意’，你们觉得这话什么意思？”

老孙说：“我感觉敌人是想要陈先生的命。”

小周说：“是，我也是这么想的。”

老孙看看所长，“这么说，他还真是个宝贝，都专门派人来杀他。”

所长看看老孙，“别发感叹，说，有什么想法。”

老孙想了想说：“他们想杀他，我们就给他们创造机会，让他来杀，正好逮他一个把柄。”

“他可能不会亲自出面的。”小周插话道。

“不管是谁出面，总是要来人，要有行动，逮住了就是人证，搜到东西就是物证，他逃不了干系的。”老孙挺有把握似的。陆所长觉得他说的有道理，示意他继续说。老孙接着说：“他不是说明天要先去看一看吗？看的目的无非是想证实一下情况，顺便探一探虚实，到时我们配合他就是了。”

“怎么配合？”陆所长问。

“可不可以让陈先生明天去那儿露一下脸？”小周建议道。

“不行。”陆所长立刻否定，“这太冒险了。”

“不需要冒险。”老孙胸有成竹地说道，“很简单，陈家鹄本人无须到场，但跟他有关的东西，比如他的衣服，他的鞋子，他太太的照片……这些东西可以到场的。”

“你的意思是在被服厂布置一个陈家鹄的假宿舍？”所长问。

“对，就是这样。”老孙说。

“好！”陆所长一拳落在桌上，定了音，“这个方案不错，既能迷惑敌人，又无须让陈家鹄出来冒险，可谓两全其美，你们马上去落实。”

第二天早晨，当第一缕阳光照临西郊被服厂时，一间足以乱真的陈家鹄的假宿舍已经闪亮登场。假宿舍是做给萨根看的，所以特意安排在路边，人站在镂空的围墙外可以一目了然。这会儿，老孙立在围墙外，通过镂空的孔洞，不时改变视角，指挥屋里的小林，调整那些东西摆的位置和方向，目的是要让现在的他和以后的萨根能够“一览无余”，看得清清楚楚。

外面看了，又进去看。围墙不高，又是镂空的，很容易攀爬进来。老孙爬进围墙，立在宿舍窗外，左右察看着。老孙看到桌子上放着一封惠子的来信，惊诧地说：“哦，你连惠子的信都拿来了，真行嘛。”

小林抽出信纸，晃晃，“假的，只有信封是真的。”

老孙笑道：“这个鱼饵做得好啊，可惜惠子不会来，她要来了一定会备受感动的。”看小林准备放信，提醒他，“嗳，别乱放，放在老地方。对，就这样，记住，所有东西都别动了。”

连日来，惠子对重庆这座城市增添了诸多“耳闻目见”，因为她现在是重庆饭店王总经理的员工。所以，除了周末，她天天都要穿城而过，同这个城市的各色人等打交道：车夫，菜农，商贩，路人，旅客。

重庆饭店在渝中区新华路中下段，紧临朝天门码头，距惠子家天堂巷有五公里远。惠子一般总是早早出门，步行一里多，再叫一辆人力黄包车去饭店。

因为路远，中午不回家，休息的一个半小时，她去饭店附近的菜场买菜，下班时带回家。有一日天气特别晴好，她走着走着，竟然一路走了回去，感觉非常好。她在美国有每天跟陈家鹄一起晨跑的习惯，到了这儿老是不运动，加上气候潮湿，她似乎有点不适应，经常觉得身子骨重，发酸，很想找机会运动运动。就在上一封信中，陈家鹄还专门说到他现在每天早晨都在跑步，建议她也重拾晨跑的习惯。可是家里洗澡很麻烦，要烧水端上楼在房间里洗，折腾下来至少要一个多小时，她要上班根本没时间。不洗吧，带一身汗水去上班，一天都难受。所以，晨跑是不可能的，只能找机会多走走。

这天，惠子走出狭窄的天堂巷，看天气不错，决定步行去上班，便反身往山上走去。山上有一条小道，沿着小道翻过山，下到一条人工渠边，走过跨渠的一座老木桥，饭店也就在前方不远了。这样至少要省掉一公里多的路，是步行的最佳路线。

天尚早，山路上几乎没有行人，没有市声，空气又清新，阳光又明亮，她不由想起了少女时代，家乡的早晨也是这样安静，她背着书包一个人去上学，一路上有点紧张，又觉得无比惬意。她还想起了在耶鲁大学的美好时光，每天早晨在霞光中与心爱的人并肩同行，时而慢跑，时而疾走，偌大的校园里到处都留下了他们的足印——其实这就是几个月前的事，但想来仿佛已经很久远了。不用说，是她对陈家鹄的思念——朝思暮想——把时间拉长了，一个多月变成了久远，变成了遥不可及。陈家鹄以为给她去信可以冲淡她的思念，一个多月里给她写了六封信，可这位数学天才哪里知道，事实上他每去一封信，都会在妻子的内心深处种下一颗更加迫切、更加隽永的思念种子。嘉陵江的江风一吹，种子就会生根、发芽，装满惠子的心……

行至山顶，惠子停下来，立在一块岩石上，俯瞰整个城市。从东边看到西边，从眼前看到远方，从天上看到心里——不但看见了陈家鹄，还看见了日本，看见了她的父母亲、哥哥、嫂子、外公、外婆……看着看着，她突然鼻子发酸，眼帘下垂，嘤嘤地抽泣起来。她想起小时候外婆曾对她说过，早晨是不能哭的，哭了一天都会不顺利。她马上闭了嘴，擦干眼泪，继续往前走。为了掩盖刚才哭过，她甚至哼起了欢乐的小曲。但她毕竟哭过了，外婆的话是很灵的。这不，当她下山沿着小径来到水渠边，发现那座老木桥已经塌掉。木桥对面，有几间房屋也已坍塌，裸露出烧黑的木头和板壁。这一定是前天飞机大轰炸造的孽。想到这些飞机是从她祖国飞来的，她又想哭了，但她必须忍住。这个不顺利已经够为难她了，她必须要走回头路，如果再哭，鬼知道还会给她带来什么不顺利。她咬着牙，从牙缝里挤出欢乐的小调，开始一路追赶时间。

其实迟到也没什么关系，惠子的工作很轻松，名义上是王总经理的翻译，其实王总又没什么外事活动，顶多是帮他处理一些外文信函、资料，接待一些外宾投诉或请求什么的。这毕竟不是天天有，大部分时间惠子在办公室里看《红楼梦》、练毛笔字、给陈家鹄写信，包括午间去菜场买菜等，都是私事。王总多半把她想成是萨根的情人，所以也没把她当自己的员工看待。王总想得很简单，等萨根有了新情人后，不在乎她了，他自有办法把她“请”走，他可不想养一个闲人，而且还是个日本人。

这天午后，惠子刚从菜场买菜回来，服务员就给她送来一封信，是家鹄写来的。她没想到，几天前才给家鹄去的信，告诉他萨根叔叔帮她在重庆饭店找了个工作，今天回信就来了，这么快。看来，家鹄工作的地方确实离她不远，说不定比她回家还近呢。这种空间距离的靠近，使她油然产生一种愉悦感。她赶忙拆开信看起来：

亲爱的惠子：

每次收到你的信，我总要失眠。昨晚我又失眠了，深夜三点钟还没有睡着。我听见窗外不时传来风吹树叶的声音，断断续续，但绝不停息。我的心是多么羡慕那风啊，来去自由，不留痕迹。爱一棵树，一片树叶，即使相隔万里，也要不顾一切用力飞过来，水乳交融，胶漆缠绵，哪怕在疯狂与热烈中化作乌有，也毫无关系。一念及此，我的胸口就像被铁椎狠狠敲打，痛心彻骨！我还不敢触碰它，一触碰，因你的来信而勉强粘合了的伤口就会破裂，就会鲜血横流。惠子，我的惠子啊，我们明明共处一城，近在咫尺，却偏偏远过天涯，远过海角，远过对面不相逢。这让我如何面对那东京樱花下，纽黑文榆树旁的自己以及那时许下的誓言？我说过，要分分秒秒地想你、陪伴你，分分秒秒地保护你的啊！

你知道吗，我的爱人，在回国的路上，我已经预料到了我们将会面对阻力，不是一个两个，而是重重的、无数的阻力，但我始终坚信，所谓阻力，只会让相爱的人更加相爱。你还记得我曾跟你讲过的梁山伯与祝英台的故事吗？我那时候想，如果中国这片土地实在难容你我，那我们大不了就做二十世纪的梁祝吧。

但现在的状况却让我为难，不得不承受与你暂时分离的悲哀和伤痛，悲哀无已，伤痛欲绝。但你一定要相信我，我心中哪怕有再大的悲哀和伤痛，都会坚持一个人最起码的道德与尊严，绝不会堕落到耍无赖让他们放我回家跟你团聚那种地步。那样的我，即便回来了，你肯见么？你肯见，我也无颜见你。是的，无论怎么样，一个人借故堕落都是不值得原谅的。像我这样的人可以咬牙流血，那是勋章，但不能撒泼流泪，那是过错——很大很大的过错啊，大到足以使我一辈子抬不起头。

我已经想好了：在这里，我会放下之前所有的不安和怨怼，好好爱惜自己，安心培训，认真做事——因为这才是我现在最重要的任务，这才能以最好的方式早日见到你。是的，等到了不久的将来，我们再次见面的时候，我不但会送还给你一个身心都与离开时完全一样的爱人，还会附带赠送一个有所作为的丈夫。你要记住，我在这里用一个男人最大的努力去接近荣耀，绝对不只是为了我自己。惠子啊，我最亲爱的人，我要用我全部的付出，让所有中国人都因为我而无条件认可你，接受你！等到了那个时候，你也别在什么重庆饭店做事了，回家去，专心给我生儿子。我要你最起码给我生三个儿子，两个女儿——比我父亲各多一个。哈哈哈，带着他们，我的儿女们，在大街上漫步，大家纷纷向我们投来羡慕的眼光，送上尊敬的问候。你说，人生至此，复有何求呢？

啊，每次提笔之前，都觉得有千言万语，可每次写着写着又才惊醒，语言只不是一个可恶的、削弱我对你那浓到化不开的思念的陷阱。看似迷人，其实危机重重。今天就写到这里吧，希望我这封薄薄的书信能够满载着我对你无限的爱意，住进你的心里去。虽彼此相隔两地，却温暖如未曾分离。

及：

4 1 8 49 30 32 47 27 111 29 50 178 34 19 11 52 41 4 111 1 1

惠子心里突然感到一种痛，感到她和家鹄的心痛在了一起。其实，她又何尝不是呢？每次收到家鹄的信，她都会如饥似渴地读，反复读，读得心潮澎湃，痴痴迷迷，思绪万千，魂萦梦绕……她老是想他们过去的事，想他们在一起时的耳鬓厮磨，恩爱缠绵，放大、加深了独守空房的孤独和相思。她几乎已经形成习惯，每次看信时，都会不由自主地抱着陈家鹄的枕头，把头亲亲地贴着它，一边看一边使劲地咬着枕头，吸着陈家鹄留下的依稀尚存的气息。

还在谈恋爱的时候，惠子就发觉自己特别爱闻家鹄身上的味道，一种夹杂着烟草和男人气息的味道。陈家鹄临别那个晚上抽剩的六个烟头，惠子至今都没丢，用烟壳装着，放在枕头下。这样枕头上的烟味经久不息，每次抱着它，她都能如愿以偿闻到一股暖人的气味，仿佛爱人依然在身边。每每闻着这缕暖身温心的气息，惠子总是对着茫茫暗夜一遍又一遍地呼唤："家鹄，家鹄，我亲爱的家鹄……"心驰神往，如梦似幻。有时她还会咬着枕头发狠地想：等他哪天回来了，我一定要紧紧地抱着他，绝不再失去。

但是此刻连枕头都抱不到，办公室里哪有枕头嘛。失去了枕头，这信看得好没有形式感，好没有情趣、滋味，有点囫囵吞枣的感觉。好在家鹄又留了一串密电码在那儿：

4 1 8 49 30 32 47 27 111 29 50 178 34 19 11 52 41 4 111 1 1

好，看你又跟我耍什么流氓了。惠子抓起铅笔，甜蜜地投入到破译密电码的过程中去，一个圈，两个圈，三个，四个……已经熟能生巧，很快密电码被解开了，是这样一句话：

惠子，我心里有了一个人，不过放心，是个男的，哈哈哈。

这个"男的"，陈家鹄是指海塞斯，他相信惠子肯定不明白。

萨根突然鬼头鬼脑地溜进来，"在干什么呢，这么认真。"冷不丁一声，把惠子吓了一大跳，从椅子上弹起来，啊啊地叫，"是你，萨根叔叔，你……你怎么来了？"

"我怎么不能来？不欢迎吗？"

"欢迎，欢迎。"惠子偷偷将信塞进抽屉，一边起身请萨根坐。

"不坐了，"萨根说，"我要带你去一个地方。"

"哪里？"

"一个你想去的地方。"

"到底是哪里？"

"去了就知道了，走吧。"

"可我在上班。"

"我刚从你们老总那儿过来，他知道我找你有事。"萨根拿起惠子的包，递给她，"走吧，我要带你去的地方可是你做梦都想去的。"

萨根今天像新郎官一样，一身新西装，面颊刮得干干净净，胡子修得整整齐齐，白净的脸蛋里透出一种红润——他正为今天要干的大事兴奋着呢，或许也有点紧张。他要干什么？带惠子去看她夫君的保密单位。地址就在手上，是真是假，他要去看一看，验一验。他对汪女郎并无疑窦，可万一邮局那个老色鬼骗了她呢？先去看一看再说吧，这么大的事可别出差错。要去，单独去哪有让惠子陪着去好。那样的话即使有个三长两短，有惠子顶着，他沾不上事的，正如汪女郎去邮局他要设计让陈家燕作陪一样。萨根做事其实很谨慎的，只是用人不慎，居然信任一个妓女。可以预期，如果汪女郎都照萨根说的去做，事情可能会出现转机的，不会像现在这样——汪女郎已经被捕鼠夹牢牢地夹住了。

几分钟，后萨根开着车，带着惠子，往西郊方向驶去。

车子是雪佛兰双排越野车，收音机里是美国之音的节目，播放着当时美国最流行的爵士乐。萨根一路都在跟惠子说笑，显得亢奋、殷勤、快乐，他那酷似东方人的脸庞上，始终挂着得意的春风，阳光，笑容，和满脸疑惑的惠子恰成对比。好几次惠子想开口问萨根到底要带她去哪里，但约翰·哈蒙德歇斯底里的呐喊声实在是太狂野太喧嚣，吵得她心慌意乱，几次话到嘴边都被打压下去。惠子想关掉收音机，却又不知开关在哪里。

萨根看她手悬在空中，“你想干吗？”

惠子脱口而出：“把收音机关了吧。”

萨根关掉收音机：“怎么，你不喜欢这音乐？”

惠子说：“太吵了。”

萨根问：“知道这是谁的音乐吗？约翰·哈蒙德的。”

“谁不知道，”惠子说，“我们听过他的音乐会。”

“你们？你和谁？”

“我先生。”

“陈家鹄？”

“嗯。”

“他也不喜欢他吗？”

“不，我们都喜欢他。”

“那你干吗要关掉收音机。”

“因为我不知道你要带我去哪里。”

“所以，你没心情听？”

“是，现在告诉我吧。”

"请你先回答我一个问题，可以吗？"

"可以，问吧。"

"你现在最想见的人是谁。"

"当然是他。"

"陈家鹄？"

"是。"

"我就带你去见他。"

"你骗人！"惠子根本不相信，"你怎么可能知道他在哪里。"

"我怎么不能知道，还记得你曾告诉过我他的通信地址吗？"

"那只有一个信箱，没有地址。"

"邮局是干什么的，托人去邮局问一下不就知道了。"

这倒是个说法，但惠子并不相信。惠子想，就算邮局能打听到，他凭什么要去打听，我又没有托过他，他一定是逗我的。想到萨根以前爱跟她开玩笑，惠子更加坚信这是又一个玩笑而已。

后来有一点点相信，是因为萨根越来越有板有眼了。萨根很狡猾的，他怕被人看到他的车留下后患，到了被服厂附近停了车，要走过去，理由是什么郊外空气好，想走一走。其实是他要交代惠子一些事情，比如到时该怎么去问人，被人问时又该怎么答。他还给自己新冠了一个身份，是惠子在重庆饭店的同事，云云。说得很认真,有点不像开玩笑了。但惠子还是半信半疑。直到半个小时后，惠子看见自己的照片和陈家鹄的衣服一起在那寝室里摆着时，才真正地完全地确信无疑。

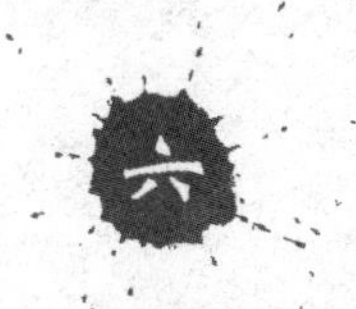

老孙这两天主要精力都扑在被服厂，一心一意给萨根做"套子"。大轰炸给他腾出了两天时间，使他有足够的时间和条件把准备工作做细做实，大门口设岗哨、竖木牌，墙上写标语，屋顶挂国旗，老虎窗架机枪。诸如此类，无不给人一种军事重地的感觉。说实话，事先不敢肯定萨根一定会亲自来，更无法算到他会带惠子一起来，所以在做陈家鹄假寝室时老孙心里是做好了"劳而无功"的思想准备的。他想，做总是没有坏处的，最多也就是一番徒劳，但要不做那就定然毫无胜算，所以宁愿白做也不能不做。等做好了，他又想，到时一定要把萨根引去看看陈家鹄的寝室。他已经想好两个引诱的方案，最后用哪一个，则将根据具体情况再定。

没想到，萨根不但主动来了，居然还带了惠子来，这简直太好了！当老孙从门卫室的窗户里远远看见萨根身边的人竟然是惠子时，不禁暗暗感叹：天道酬勤。他感激这种相逢，此时此地与惠子相逢。他毫无必要地放下了窗帘，仿佛还在百米开外的惠子或者萨根已经在窥视他。过了一会儿，他又打开门，不放心地再次叮嘱正在站岗的小林，要怎么怎么，不要怎么怎么，都是老调重弹。

小林背后，即门卫室前，横放着一张桌子，桌上放着来访人员的登记本。这是老孙今天的岗位，为了显得更真实，他决定暂时脱岗，先猫在门卫室里，假装在睡懒觉，等小林喊他后再出来。他强迫自己躺在床上，心里默默地数着惠子和萨根的步子，计算着他们到达的时间。

哦，终于到了——他听到小林在冲他们喊：

"嗨，站住，干什么你们？"

"你好，"是惠子的声音，"请问这儿是不是……那个166号信箱？"

"是，你来干什么？"

"我来找人。"

"谁？"

"陈家鹄。"

"你是谁？"

"她是他妻子。"是萨根的声音。

"对，我是他妻子，请问他今天在单位吗？"

"在是在的，可你不能进去。"

"为什么？"

"你看，那牌子不是写着嘛，军事重地，非请莫入。"

"我是他妻子也不行？"

"没有上司同意，谁也不行。"

"那……你们上司在哪儿？"

就这时，老孙装模作样地伸着懒腰，从门卫室里晃出来，看见惠子故作惊喜状，"啊哟，这不就是陈先生家的惠子夫人嘛，你怎么来了？"

惠子也认出他来，但叫不出名字："你好，我认识你的，你去过我家。"

"是的，我去过你家，还不止一次呢。"

"请问你贵姓？"

"免贵姓孙，你是想来看陈先生的吧？"

"是。"

“哎呀，这可不行啊。”老孙为难地说，神情恳切，“我们这里有规矩，外人不能进去的，任何人都不行。我要放你进去，轻则挨批，重则受处分，对不起了惠子夫人，请谅解。”

“那麻烦您把他叫出来跟我见个面总可以吧。”

“实在抱歉，这也不行的，这也是规矩。”

“哪有这种规矩的。”惠子很失落，有些丧气。

“就是哦，”萨根插嘴笑道，“就算在监狱也要让犯人跟家属见面啊。”

老孙问惠子他是谁，惠子说是她同事，他们总经理的英文翻译，美国人。惠子将为这个谎言付出沉重代价。事实上小周盯她这么久，一直没有掌握确凿的证据可以叫人怀疑她的清白，而这个谎言将她以前的清白一笔勾销了。道理很简单，她为什么要替萨根撒谎？他们是一丘之貉。

下一步，老孙的任务就是诱导他们去看看陈家鹄的假宿舍。诱导惠子太简单了，比诱导萨根容易得多，因为他们熟悉，登过门，做过客，彼此有交情。对有交情的人网开一面，合情合理，关键是要掌握分寸，不能操之过急，也不能久拖不“操”。眼看惠子急得焦头烂额，老孙觉得时机已到，他故作警觉地左右四顾一番，见没有什么人，悄悄把惠子喊到一边，小声又神秘地问她：“你真的想见陈先生？”

惠子咬着嘴唇，使劲地点点头。

老孙思量一下，像下了个大决心，果敢地说：“跟我来吧。”说罢率先贴着围墙往前走去，一边朝惠子他们打一个手势，示意他们跟他走。等惠子和萨根跟上来后，老孙一边走一边向他们解释道：“没办法，我们这单位规矩多得很，不过嘛，哪里有规矩，哪里就有犯规的人，我带你去碰碰运气。”让惠子惊喜得连连道谢，又点头，又哈腰，不自觉地流露出日本人的那一套礼仪。

“先别谢，”老孙不觉心中暗生厌恶，表面上依然平和而客气，说道，“要看你的运气，如果他昨晚上夜班，就可以见一面。”

就这样，老孙带他们来到陈家鹄的假宿舍外，隔着围墙幽幽地喊，声音渐喊渐大：“陈先生，陈先生……陈家鹄，陈家鹄，陈家鹄……”不论怎么喊，都不见回音——当然没有回音。

“不行，”老孙摇摇头，“他不在房间，肯定上班去了。呶，这就是陈先生的宿舍。”老孙伸手指着一个窗户说。

那窗户，两扇窗门都关着，窗帘是麻黄色的纱布，窗帘拉开了大半，里面的摆设大致可以看得清楚。惠子透过镂空的墙孔和窗玻璃，看到自己的相框摆在桌上，惊喜地对萨根说："你看，那不是我嘛。啊，他真的就住在这儿。"欣喜之余，惠子忍不住喊：

"家鹄，家鹄……"

"别喊，"老孙连忙阻止惠子，"没用的，肯定去上班了。他一周只有一个夜班，只有上了夜班，这时才会在宿舍里补休。"

惠子问："他什么时候下班？"

老孙说："要到晚上了。你如果真想见他，只有晚上来，他九点钟下班，到时你可以在外面喊他，他听到了就……怎么说呢，他出来也好，你进去也罢，反正这围墙只能是防防君子，进出很容易的。"

惠子眼巴巴地望着老孙，"可是……那么晚行吗？"

老孙嘿嘿笑道："说实话，再晚都照样有人来。"

老孙心里想，你们不是想杀他嘛，我给你们提供晚上的时间，你们一定很高兴吧。确实，萨根很高兴，他目测了一下，围墙离房间的距离顶多十米，如果站在围墙外面，谁都可以一枪送人去西天。如果有手雷更省事，趁陈家鹄睡了，朝屋扔个手雷可以把人炸得尸骨粉碎。当然他知道，这不是他的事。他的事只是把地方找到，现在人都找到了，已是超额完成任务。行凶杀人，那是中田的事，他爱干那事，也干得漂亮。中田是个神枪手，爱远距离作业，萨根往周边巡视，觉得好像没有太理想的狙击点。不过他懒得去多想，反正又不是他的事。总之，他觉得陈家鹄这下是死定了，他甚至还得意地想，这么好杀的人如果还杀不成，他就要奉劝少老大干脆别开店了，早点收摊，回去捕鱼吧。

就在老孙"接待"惠子和萨根的同时，杜先生正在听取陆所长做的关于萨根情况的专题汇报。杜先生这几天患了重感冒，头痛，清鼻涕流个不断。陆所长来时医生正在给他打吊针，他是一边输着液一边听着陆所长汇报的。陆所长首先介绍了萨根的基本情况，最后言之凿凿地说："综上所述，我认为他肯定是在为鬼子做事。而且据我分析，目前他正在执行的任务，很可能就是要破坏我们黑室。"

杜先生听罢，忽然伸出手来，要烟抽。

陆所长劝他："你在感冒，就别抽了。"

杜先生瞪着他说："整个中国都在生病，你的意思是中国的烟厂该关门了？"

陆所长知道他心里不痛快，便笑了笑，点上一支烟递给他。杜先生慢慢地吸着烟，慢慢地吐着烟雾，说："我同意你的判断，但我们暂时还不能对他采取行动。为什么？因为你说的这些对我来说有用，是证据，我相信。但对美国大使馆没用，口说无凭，跟他们去说，只会惹一身臊。"

陆所长说："我们有证据，那个妓女就是证据，她答应会指证他的。"

杜先生看了他一眼，有些不悦地说："你想靠我们的一个人，而且还是个妓女，去指证一个美国大使馆的工作人员？看得出你心急了，乱套了。你得注意，这样的状态可是干我们这行的大忌。你听好了，我们现在必须弄到确凿无疑的证据，让大使看得见，摸得着，才能去找他交涉，提出抗议。"

陆所长被训，脸上露出忐忑不安的神情。

杜先生抽一口烟，安慰道："把心安一安，不要急，心急吃不了热豆腐。我倒觉得你现在该急的不是萨根，他是间谍，这已经不容置疑，下一步就是如何给他下个套，让他钻进来的问题——这对你来说，应该是不会有什么困难的。"

陆所长连忙说："我们已经给他下了个套，今天他就要去钻这个套了，只是不知道能不能把他套住。"

杜先生斜着眼睛看他，脸上若有若无地笑着："你当了这么多年的猎手，难道还有你套不住的东西？"听杜先生在夸他，陆所长下意识地收紧身子，恭立在杜先生面前，听候训示。杜先生将烟头掐灭，朗声说道："好啦，不说那个可恶的美国佬了，还是说说陈家鹄吧，他好像很不错是吧，教授对他评价很高嘛，是什么让教授这么看好他的？"

陆所长说："他确实很优秀。"

杜先生笑："可他的问题也不小啊。"

陆所长一怔，显得有些茫然，"您听说什么了首座？"

杜先生冷笑："我没听说什么，这不是明摆着的嘛，难道你准备让我被唾沫淹死？你不要以为我杜某人位高权重，可以百无禁忌。他今天进黑室，明天就会有人吐我口水，说我把一个鬼子的女婿弄进我们国民政府军事委员会的最高机密箱里！"

陆所长这才明白，杜先生说的是什么。不是自吹，这个他早想到过，只是他记得首座和陈家鹄曾经的约定，所以才没去在乎它。杜先生像已猜到陆所长的心思："是的，我答应过她的男人，我们必须信任她，可是老兄，你是宁愿我被唾沫淹死，还是什么？当时的情况你比谁都清楚，我不答应他，那场面你能收拾得了？言必行，行必果，只说明你是道德上的君子，但可能是行动上的小人。小人做小事，夫大人者，着眼大处，不拘小节，既有宽广博大之胸怀，吞云吐雾之气魄，又有随机应变之灵动，舍小取大之智慧。龙翱九天，含日月，善形变，人见其首而不见其尾矣。是的，如果你抛开道德审判，看穿俗语‘无毒不丈夫’的本质，则会明白无形大道：言不必行时则不须行，行不必果时则不问果，因为不行乃是大行，不果方成正果。你懂吗？”

“懂了。”陆所长嘴上这么说，其实脑子里一片空白。

“你不是说正在调查她吗，难道没结果？”杜先生瞪着他问。

“暂时还没有掌握确凿的证据。”陆所长连连摇着头，似乎是要把脑子里的空白甩掉。

“哼，”杜先生冷冷一笑，突然指着他的鼻尖说，“我看你是需要我给你找个高人开开窍了。”

“我明白，”陆所长胸一挺，头一昂，“首座的意思……”

“我没意思，回去自己想吧。”说着杜先生闭了眼，“走吧，我需要休息一会儿，感冒就需要休息。嗯，累啊，有时真希望一觉睡过去别醒来了，你们都以为我整天呼风唤雨，风光无限，可我常常觉得生不如死。高处不胜寒，你能体会到吗？”挥挥手，赶他走了。

陆所长呆若木鸡地朝杜先生一个深鞠躬，然后呆呆地往外走，唯独汗水从额头涔涔冒出来，随着迈步流下去，滴落在地。现在他当然知道，杜先生绝不会允许一个日本女婿进黑室，所以他必须开动脑筋，尽快把惠子从陈家鹄身边赶走。这好像是件容易事，但也不一定。陆所长看过陈家鹄和惠子往来的所有书信，那个情真意切啊，那个亲热恩爱啊，那个，那个……这又是件伤透脑筋的事情啊。

什么叫雪中送炭？老孙这就是来雪中送炭了。

陆所长刚回到办公室，老孙就步履生风地走了进来。陆所长看他那春风得意的样子，猜测萨根今天一定是亲自去了，并且十有八九是中计了，便问道：“鱼来咬钩了？”

“来了，”老孙说，“有两条呢。”

“两条？”陆所长抬起头来，双目死死地盯着老孙，“还有一条是谁？”

“惠子。”

“惠子！”陆所长一听惠子的名字，激动得心都要跳出来了，这不是得天之助嘛——上帝说要有光就有了光。他一直暗暗希望得到惠子是日方间谍的证据，却一直苦于无果，恰恰是今天，最急需之时，终于有了眉目。最需要你时牵到你的手，老天保佑啊！陆从骏无法抑制地笑起来，“嘿嘿，终于浮出水面，露出尾巴了，真是踏破铁鞋无觅处，得来全不费功夫。好啊，现在可以肯定，惠子与萨根是一伙的，都他妈的是鬼子的狗，间谍！”

“是，”老孙说，“这道理就像一加一等于二这么简单。”

陆所长颇有感触地摇了摇头，叹道：“她这狐狸尾巴可藏得真够深的。最毒莫过妇人心啊，陈家鹄一定做梦也想不到，他深爱的女人竟想要他的命！”

老孙也有同感，“她确实会藏，会演，你今天没看见，她说起陈家鹄那个情真意切的样子，简直比真的都还要真。”

“那你呢，有没有把戏演假了？”

“放心。”老孙笑道，“我在台下都排演了好几次了，已经演得炉火纯青，绝对不会输给那个女人。”

“好！”陆所长一拍桌子，猛地站起来，信心十足地说，“陷阱已经挖好，一只两只都是狐狸，等他们撞进来，一锅端了！”

想一锅端的，岂止是陆所长，少老大也想把黑室“一锅端了”。

萨根将惠子送回重庆饭店后，立马赶到中山路。老板娘桂花正在店里照管生意，其实也是在盼着他的消息，见他来了，朝楼上大声喊：“当家的，客人来了。”

听她已无怨气的声音，萨根估摸着两人应该重归于好了。俗话说，患难夫妻好过日子，重庆阴霾的天空下，他们没有一个亲人，只有一个个敌情、任务，这就是他们情感的黏合剂，他们无法离心分身，他们需要互相鼓劲，互相取暖，同舟共济，同仇敌忾。在国家利益之下，个人之荣辱理当束之高阁。桂花已经原谅了少老大，她是个善于原谅丈夫的女人。

少老大已在楼上等候多时，早把桌上的一壶酽茶喝白。这会儿听罢萨根的汇报，他阴郁的脸上绽出一丝笑容，得意扬扬且又恶毒地说：“这下好了，终于找到了地方，我们可以把他们一锅端了。”他向萨根伸过手去，拍他的肩，揩他油，“冯大警长有心但无能，这种人是不行的，我早就觉得最后能替我搞定这事的一定是你，尊敬的外交官先生。好，事成之后，我一定申请给你最高的奖赏。”

“你该知道什么才是对我最高的奖赏。”萨根认真地说道。

“知道，就是让你的母亲能回到日本国，接受鲜花和掌声。”

“我要天皇给我母亲授勋，授予她日本国荣誉国民。”

“不就是鲜花和掌声嘛，一回事，总之是让你母亲摆脱那个噩梦，重归我大和国的怀抱。”

“我母亲从来没有出卖过日本国，她是被冤枉的。”

“过去的事我管不了，我能管的就是让她荣光地回去，一扫她曾经受的屈辱。”

其实，萨根为少老大效劳也不单纯是“信仰钱”，还想为母亲了个心愿。母亲老了，行将就木，死前有个心愿，就是让她回一次国，把她从耻辱柱上放下来。儿子虽然放荡成性，但终归是儿子，愿意为母亲的荣誉而战。当初他一意孤行，愤然离职，离开日本，是为了捍卫母亲的荣誉，今天他蝇营狗苟为少老大卖命卖国，依然是为了替母亲圆一个梦。他是个孝子吗？也许。他从乌云的天际穿刺而下，如顽石下坠，势如破竹，势不可当，好在最终没有击穿孝心。子不嫌母丑，天底下孝为大：他为自己的堕落找到了基本的仪式和底盘。

少老大安慰他道：“相信我，没问题，等我端掉了黑室回到上海，我就给你操办这事。重庆这鬼地方我真是不想待了，整天跟一群老鼠在一起。”

萨根笑道：“这是粮店，能没有老鼠吗？”

少老大摇头，一副苦不堪言的样子：“这些老鼠整天夜里都在我头顶唧唧喳喳地交配，搞得我做梦都是女人。”

萨根看看旁边的桂花：“佳人不是在身边吗？弟妹可是个大美人啊。”

少老大说：“什么佳人？她是我妹妹，我们的夫妻关系是演给人看的。”当然是谎言。

萨根一愣，望着他们两人，极为诧异地说：“哦，原来是这样啊，佩服，佩服。”少老大撒谎的目的就是要让萨根起敬，这下他的目的达到了。

桂花笑道：“萨根先生没想到吧。”

萨根点头，“确实没想到，我一直羡慕你们，一边过着夫妻恩爱生活，一边为大日本帝国鞠躬尽瘁，没想到原来你们也跟我一样，独守空房。”然后又转头对少老大说，“陈家鹄的女人长得挺不赖的，等她成了寡妇，我来给你引见引见吧。”

少老大看看桂花，笑道：“还是你留着自己享用吧，任务一完成我就走，我再也不想待在这鬼地方了，整天担惊受怕的，还有这鬼天气，搞得我浑身都是湿疹！”

桂花附和道：“我和哥都是在中国最北边的城市哈尔滨长大的，我们真不喜欢这儿的气候，太热太潮湿了。”

萨根还想说什么，却被少老大打断：“行了，你快回去，马上去给‘宫里’

发报吧，告诉他们情况，让他们布置行动。”不等萨根起身，又交代，“还有，这两天没事不要联络，有事就打电话，不要上门。”

萨根起了身，准备走，一边问：“怎么了，有什么问题吗？”

少老大说：“明确的问题是没有，但我有种不妙的感觉。”说着蹑手蹑脚地把萨根带到对门卧室的窗前，指着楼下两个挑夫小声道：“你看那两个人，今天新冒出来的。”

萨根朝楼下看看，回头对少老大笑道：“你神经过敏了吧我看，这个鬼地方哪里都有这些人，他们叫棒棒，也就是挑夫，据说是这个城市的一大特点。我以前来就见过他们，放心吧，每一个粮店门口都有这些人。”

少老大说：“不，你没发现，换人了。我听楼下幺拐子说，这两个人以前没有见过，今天新来的。”

萨根问：“你怀疑我们被盯上了？”

少老大想了想，说：“也许是我多疑了，但我想，谨慎一点是必要的，尤其是在这个节骨眼上。要记住，当你有了任务就有了危险，任务越要紧我们越是要谨慎，不怕一万，只怕万一啊。这次行动我们只能成功，不能失败，否则我还得待在这个鬼地方。你要记好了，回不了上海，你的事我也办不了。”送萨根到楼梯口，又交代，“今天晚上我们去中田的茶馆碰个头，待会儿我通知冯警长，估计晚上‘宫里’应该给你回话了，我们开个会研究一下。”

当天晚上，少老大在桂花的掩护下，成功地从后院溜了出去，避开了小周的盯梢，去了中田开的茶馆。昨天小周没机会进到粮站里来看一下，因为萨根进屋后很快就出来了（少老大不在家，在国际总会呢），今天他带着一个手下装扮成棒棒，把原来守在粮店门前的“同门兄弟”赶走，做起了独门生意（替人把米扛回家），生意很是不错，今天已几次登门粮店。跟幺拐子都混熟了，粮店里的基本情况，如房子结构、人员多寡、有无电话线等都已摸清。殊不知，他的举止已引起幺拐子和少老大的怀疑，后者略施小计，成功摆脱了他们的跟踪，致使后来酿成大悲剧，被服厂惨遭毁灭，石永伟等数十人命丧黄泉。

就在少老大和萨根、冯警长等人在中田茶馆开会密谋之际，小周留下助手继续盯梢粮店，自己则赶回五号院，向陆所长和老孙汇报他一天来跟踪侦察到的情况。

“就在这儿，中山路下段。”小周指着一张重庆市区地图说，“从外表看它确实是一家粮店，但我通过仔细观察、调查，觉得有种种疑点。第一，我听街坊邻居说，那里经常有些杂七杂八的人出入，进去后就上了楼，一待就是很长时间。第二,一个普通粮店装电话机的可能性应该是很小的，但我发现这家粮店有一条电话线牵进去了。第三,那个跛子老头,我估计是个汉奸,本地话讲得很好,而那个坐在柜台里收钱的家伙则很可能是个鬼子，我几次进去扛米他都一声不吭，盯着我，我跟他搭话也不理我，可能是怕开口露了馅。”

陆所长沉思道:“这么说，那儿可能就是他们的老窝子喽。”

老孙点头响应:“嗯，完全可能。”

小周则显得很兴奋，说:“干脆把它狗日的端了!”

老孙摇头,“端是一定要端，但不是现在，要等他们上钩以后。”

陆所长说:“对，等他们去被服厂‘杀人’后再端。”

老孙高兴地说:“这下好了，一群乌合之众，成了瓮中之鳖，就等着束手就擒吧。”

陆所长说:“看你高兴的，其实我看最高兴的应该是海塞斯。”

小周问:“为什么?”

所长说:“我估计那粮店里一定藏着敌人的电台，等我们把它端了，什么电台、密码统统成了我们的战利品，海塞斯能不高兴吗?”

如果说陆从骏他们是在为一个美好的设想高兴，那么此时此刻少老大这边是在为一个切实的喜讯而喜,喜讯的形式是一封电报,内容是下一步的行动方案。

萨根下午回去后,即照少老大指示,向“宫里”发去电报汇报情况,请求援助。三个小时后，“宫里”回电明示，其形其状，可喜可贺。少老大看过电报后，喜不自禁，啊啊地发出感叹，仿佛看见自己已经踏上了幸福的归程。

接下来的时间里，陆所长和少老大都忙着开始布置行动，调兵遣将。决战在即，厉兵秣马。冯警长是这次行动的主将，把跟随他多年的那些死党，那些可以调动的兵马都搬了出来，准备大干一场。时间就是战机，速度就是忠心，昨晚才给他布置任务，今天下午他便给少老大打来电话，说他已经把人和物都找好了，布置妥当了，就等少老大下令。足见对少老大之忠心之勤力。

少老大没想到他的行动能力有这么强，问他:“这些人都可靠吗?”

冯警长在电话那头砰砰地拍着胸脯说:“你放心，这些人都是我的死党，老手了，对我说一不二，干事利落得很，不过……”

“说，不过什么？”

“我……要钱，那么多东西，需要钱才能拿到手的。”

“放心，我立刻派人给你送去。”

“好的，我们时刻准备着，只等你一声令下。”

“一切听我指挥。”少老大交代道，“成败在此一举，务必谨慎小心。”

“明白。”

“这两天我不会出去的，你也不要过来。”

“明白。”

“没事不要联络，有事就打电话。”

“明白。”

“要记住，当你有了任务就有了危险，越有事的时候我们越是要谨慎。”事关重大，少老大忍不住把教训萨根的话向冯警长重复了一遍。

“明白。”

忧戚的心是吊空的，呈雾状的，听罢一个个干脆利落的“明白”，少老大一边放下电话，一边觉得自己刚才一直悬空的那颗心像话筒一样落到了实处，附在上面的雾气也散开了。他悄悄地走到床前，打开床板，从里面摸出厚厚的一沓中国钱，然后走到镜子前，对着镜子说：“财散人聚，这次行动必须成功。”镜子是鸭蛋形的，镶在红色的木框里，镜面已经老了，还有点脏，加深了镜子本身的妖气。房间里静静的，他突然有种很奇怪的感觉，觉得自己是从镜子里面走出来的幽灵。

相比之下，陆所长这一头的动静要大得多。陆所长亲自坐镇五号院，统一指挥、协调各路人马，并将秘密监视到的萨根的情况、中山路粮店的情况和惠子的情况，通过电话随时跟守在一线的老孙联络沟通。

老孙征用了石永伟的办公室，在这里设了临时指挥所。此刻，他正对着一张标有陈家鹄假宿舍的被服厂平面图，紧锣密鼓地布置行动：他安排一组人马在外负责巡逻、监视，小林则被安排在陈家鹄的假宿舍里恭候。

“听着，晚上九点钟以后，小林负责关掉后边小院的电灯，然后以正常速度回到宿舍里，打开电灯，意思是陈家鹄已经离开办公室回宿舍了。但要记住打开窗户，让敌人觉得有机可乘。关了灯之后，马上离开屋子，万一敌人要行凶，很可能会往里面扔炸弹的，知道吗？”老孙问身边的小林。

小林点头说知道了。

老孙又转头对旁边的小周说：“假宿舍里的灯一亮，你们就给我睁大眼睛看着，等灯灭了，更要睁大眼睛。敌人要行动，估计一定会等陈家鹄睡了之后。这时你们一定要藏好，一定不能露了马脚，也不要轻举妄动，要等敌人采取行动后再行动，知道吗？”

小周也点头说知道。

电话突然响起，是陆所长打来的，问老孙准备得怎么样。听老孙说准备得差不多了，陆所长告诉他：“我怕你那里人手不够，给你从三号院又调来了一个班的兵力，他们马上就到，全部交给你用。”老孙喜出望外，连声道好，结果遭陆所长一顿批：“你乐什么，你以为是你在搭台唱戏啊，人多就乐。”陆所长帮他调兵来是要他布下天罗地网，做到万无一失，可不想看到他盲目乐观。“我讨厌你这副德行，八字没一撇就瞎乐呵。”陆所长训斥道，“你给我听着，我不要尸体，一定要抓活的。”

老孙知道，萨根亲自来作案的可能不大，要把他揪出来只有一个办法，就是抓到活物，让狗咬狗把他咬出来。老孙想这是个常识，我怎么可能不知道呢？他放下电话，耷下眼帘，掩饰住委屈。默然一会儿，他微睁着眼，踱出办公室，来到大门口，准备迎接即将到来的新人马。郊区的夜晚显得格外的宁静，徐徐吹来的夜风中充满了山野的气息和稼穑成熟的香味，漆黑的夜色里，除了偶有几声来自远处农家小院的犬吠外，间或有神秘的光源在山林间明灭。

没过十分钟，新的人马——九个荷枪实弹的士兵，从一辆卡车上跳下来，被老孙分散隐匿在茫茫的黑夜里。一切都在他们的掌控中，等待中。然而，让老孙没有想到的是，他带着那么多人，守死了敌人可能出没的每一个地方，接连守了两个晚上，被服厂内外都清风雅静，不见敌人出动。

第三天晚上，天气特别晴好，一轮明亮的满月高悬空中，把被服厂周围的道路、田野照得一片白亮。亮堂堂的月光下，大家的心却比隆冬的黑夜还要黑暗。在五号院里已经坐不住的陆所长赶到被服厂，对着满天满地清亮的月华哀叹道：“天公不作美，看来今天晚上又要空守一夜了。”

老孙带着他往陈家鹄的假宿舍走去，一边说：“会不会是他们识破了我们的意图呢？”

“这要问你啊，”陆所长说，“你是这次行动的总指挥。”

“我们应该是没问题的。”

“只要你的行动是严丝密缝的，没有破绽，我相信他们一定会有所行动。”

“会不会是惠子……”

“她怎么了？”

“她下不了手，”老孙说，“你不是说她和陈家鹄很相爱吗？”

“如果她跟萨根是一伙的，那么这种相爱就是假象。”

“哪里还有如果，不是已经肯定了吗？”

陆所长突然站下来，望着远处被树影罩得黑糊糊的陈家鹄的假宿舍，思量着说：“那天你说她和萨根一起来被服厂找陈家鹄时，当时我确实由此认定惠子就是间谍，但后来我又有了新的想法。”

“什么想法？”老孙问。部下最怕上司改变想法。

“我一直在想，”陆所长说，“如果她和萨根是一伙的，他们就没必要找汪女郎假冒陈家鹄的妹妹去邮局打听地址，她完全可以亲自去嘛。她亲自出面比谁都合情合理，你说是不是，何必多此一举呢？”

“可……如果她跟萨根不是一伙的，怎么会和萨根一起来找这儿呢？”老孙皱着眉头说。

“有可能她被萨根利用了。”陆所长心事重重地说。

老孙想了想，又提出异议，“如果她跟萨根不是一伙的，她应该偷偷来会陈家鹄才对。”

陆所长摇头，“这没有必然联系，半夜三更的，她一个女人家，人生地不熟的，即使想来也不一定敢来，敢来也不一定来得了。”

老孙犹疑地看着所长，“难道你认为惠子不是间谍？”

陆所长说：“也不能完全认定，看以后事情的发展吧。我想，这次行动怎么都会有个结果的。”说罢，两人径直往后边的小院走去。一进院门，他们就看见石永伟一个人在明晃晃的院子里踱着步，仿佛在想着什么。陆所长走上去跟他打招呼，“石厂长，不好意思，我们可能要多耽搁一两天。”

“没事，”石永伟淡淡地说，“就怕你们要钓的鱼不来咬钩。”

“你怎么知道我们在钓鱼？”陆所长一阵惊诧，死死地看着他，“有谁给你说了什么？”

“谁也没跟我说什么，是我自己看出来的。”

“你去那个房间了？”

“就在围墙外面都能看得到。说实话，上次你们给陈家鹄送子弹，我就预感到他以后会有很多是非。是不是有人想陷害他？”

虽然老孙知道自己并没有跟他说过什么，但怕他看到了太多，说出来难免会让领导不悦，给自己找麻烦，便插话：“你放心，我们都在保护他，他不会有事的。”然后有意把话岔开，问他，“哎，听说你有两个哥哥在军队里。”

石永伟点头，叹了口气说：“已经有两三个月没有音讯了，也不知道他们在哪里，说不定都牺牲了。”陆所长听了，不觉一惊，久久看着他，问：“你父母亲呢，都健在吧？”问得石永伟顿即变得黯然神伤，沉默半晌，才答：“父亲给鬼子炸死了，就在来重庆的路上。”真是问错话了，陆所长连忙向他道一声对不起，随后又问：“你现在重庆有亲人吗？”石永伟扭头看了看屋里，“有，母亲和一个小妹，都睡了。”

既然老人家已睡，陆所长觉得不便久留，便告辞离去。石永伟却追出来，有些迟疑地望着两人，欲言又止，到底还是言了，“你们可不可以告诉我，家鹄究竟在你们那儿做什么？”看老孙转头望着陆所长，石永伟又补了一句，“我不会跟人说的，我保证。”

陆所长盯着他，坚决地摇了摇头，“对不起，我不能跟你说，希望你也不要再找人去打听，后会了。”说罢，头也不回地走了。他其实是不敢回头，怕石永伟再向他求情。

陆所长根本没有想到，这一走，竟是他们一生的永别。毫无疑问，如果知道这是永别，告诉他又何妨呢？从他们分手后，石永伟留在这个世上的时间只剩下最后的几个小时。对一个即将离世者还如此决绝，使陆所长事后愈发感到无地自容。为什么陆所长要握着石永伟冰凉的手号啕大哭？因为他想求得石永伟对自己的原谅啊。

月华似水，天高气爽，凉爽的晚风惬意地吹拂着，远近的山野、竹林、农家无不浸融在这清风明月里，宁静柔媚，如诗如画，美得有些让人心动，又让人心悸。皎皎明月，宜于对酒当歌，吟诗作画，谈情说爱，但显然不是杀人越货的好辰景。陆所长与老孙从后院绕出来，明亮的月光把他们的影子照得结结实实，铺在地面上，仿佛是有重量似的。陆所长料定今晚敌人不会有行动，对老孙交代一番，走了。

送走陆所长后，老孙回到办公室，一支烟还没有抽完，小周从外面匆匆闯进来，说外边出了一点小小的状况：刚才被服厂西面的树林里突然溜出两个人影，分头顺着围墙在磨磨蹭蹭地走着，那样子不像在散步，也不像在偷窥什么，倒像在地上找寻什么东西。

老孙问：“会是什么人？”

小周说：“不知道，我想上前去查问一下，但又担心在敌人行动前暴露了目标，所以前来汇报。”

老孙看看小周，笑道：“难道今天晚上会有行动？”

小周沉思道：“今天来犯事不是见他的大头鬼吗？”

老孙说："鬼也有撞南墙的时候，走，看看去。"

刚走出大门，城里突然传来空袭警报声，呜啦呜啦地升上天空，撕碎了朗朗月华和宁静的深夜。小周跺着脚朝天骂："你狗日的，真是要遭天杀，晚上还来轰炸，疯了！"

老孙看看天空，有些警觉地对小周说："你快回到岗位上去，通知大家要注意，敌人可能是通了风的，就是想趁空袭之机来犯案。"

小周迅速离去，老孙又回到办公室，准备给三号院打个电话问问情况。电话打到一半的时候，老孙听到头顶已经传来飞机的引擎声，他迅速挂掉电话出来察看天空，发现有两架飞机好像就在附近高空盘旋。说时迟那时快，院子西边的田野里突然传来一个响声，"声音"尖叫着升空，停落在被服厂上空，爆炸出一大片雪亮。

——是照明弹！

紧接着又是一颗，在东边升起。

顿时，被服厂和附近的树林、山野被照得通亮，如同白昼。照明弹升空之际，飞机的引擎声明显地往这边扑来，可以想象飞机在迅速往这边俯冲。照明弹落地之际，黑暗中，一条火线顺着被服厂的围墙燃烧起来，火线越拉越长，越烧越旺，熊熊火光像一条火龙将被服厂牢牢箍死。转眼间，两架飞机就从夜空钻出，朝着已被一大圈火线包围的被服厂俯冲下来。

直到这时老孙才反应过来，心想糟了，敌机是专门来炸这里的，于是大声疾呼："快撤！快撤！敌机来炸我们的厂区了，所有人快撤出厂区！快撤！快去防空洞……"

老孙一边疯狂地奔跑着，一边声嘶力竭地喊着，可是在那天震地骇的飞机轰鸣声中，他的喊声连自己都听不见，何况那些沉睡的人。当时石永伟刚睡下，还没有睡着，他感到情况不对，连忙起床叫醒母亲和小妹，准备带她们去防空洞。母亲腿脚不灵了，他背着她正要出门时，一枚炸弹呼啸着朝他们的屋顶飞来，轰的一声巨响，屋子飞上了天。

这是爆炸的第一枚炸弹。

紧接着，炸弹接二连三地落下来，被火圈围住的被服厂顿即陷入了敌机的狂轰乱炸中，爆炸四起，火光闪烁，烟雾升腾，喊声震天……这次轰炸，敌人疯狂地扔下了三十二枚日 SI-C 重型炸弹和三枚毒气弹，其威力足以毁灭火线内地上地下所有的建筑和生命，包括地上飞的蚊虫和地下钻的蚯蚓。

第十二章 风语

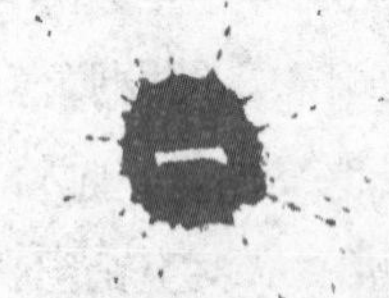

现在是八天前，一九三八年九月二十六日，大轰炸的前一天下午，这个城市至少有一千一百三十一名平民正在度过他们今生今世的最后一个下午。

时令已近中秋，山坡上的杂树、野花错落开放，呈现出山野那特有的繁复而又略为凄迷的色彩。一阵风过，树枝摇晃，成熟、干燥的枯叶从树上沙沙地落下来，红的如斑蝶，褐的如麻雀，绿的如果皮。山野，因它们而生动；秋天，因它们而告别炎热，变成温暖。

天空一片放晴，教室外阳光干爽、清亮，那是蓝天映衬的效果。有几只胆大的麻雀，不懂得人的禁忌，竟停落在教室的窗台上，掀着尾巴，探着脖子，唧唧喳喳地交谈着，仿佛在探看和讨论着这神秘的世界。教室里静悄悄的，学员们全都专注地看着海塞斯在黑板上飞快地写着一组组电码，不知道教授今天又要把他们带到什么样的密码世界里去。只有坐在最后一排的陈家鹄，举着头，目光穿过窗洞，越过一丛灌木梢，落在远处的山坡上。他的手上使劲揉捏着一个小纸团，一张小纸条正在不停地搓揉中化为纸屑。

这张小纸条是刚才他上课翻开书本时发现的——不知何人何时，在他书中夹了这张小纸条，其内容比上一次还要激烈直白：

汪精卫一心降日，蒋介石三心二意，国共合作，貌合神离，抗日救国大业，举步维艰。时下，中华民族的志士仁人均云集延安，你一定要擦亮眼睛，投奔光明啊。看过纸条，请立即销毁。

陈家鹄默诵着纸条上的话，一遍又一遍。

与此同时，海塞斯正在黑板上板书电码——

2753 2834 2915 2996 3077 3158 3239 3320 3401 3482
3563 3644 3725 3806 3887 3968 4049 4130 4211 4292

海塞斯在黑板上写完最后一组电码，转身要求学员们起立向后转时，陈家鹄才回过神来。海塞斯看学员们转过身去后即开始擦黑板，把刚写的二十组电码全都擦掉，一边说道："现在你们可以回忆一下刚才我抄的有多少组电码，这些电码有什么特点。不要交流，只要回忆，只要思考，我的问题还没有提出。老规矩，我的问题一旦提出，独立答题比快速更重要。"

大家努力回忆刚才在黑板上看到的那一长串电码。陈家鹄也在回忆，尽管刚才他没看黑板（他在看落叶纷纷），只是在起身的瞬间瞄了一眼。

擦完电码后，海塞斯让大家转过身来，"首先我要恭贺各位，都顺利通过了上一次的模拟测试。你们要感谢我手下留情，坦率说这次测试难度系数不高，同时也要感谢自己没有被我吓唬住。这次我玩的是欺骗术，原理正如我把东西搭在这讲台上让你们去找一样，你们总以为我不会把东西藏在你们眼皮底下，首先一定会去翻箱倒柜地找，可翻箱倒柜找不到之后会不会蓦然回首呢？这次我考的就是这一个。恭喜你们，你们的脖子都灵巧，蓦然回首，她在丛中笑。"说着海塞斯带头鼓掌。

鼓完掌，海塞斯笑道："你们不觉得又上了我的当？哈哈，我在分散你们的注意力。好了，言归正传。"他伸出一只巴掌朝大家晃了晃，正色说道，"我的巴掌只朝你们亮了一下，半秒钟，如果我问你们刚才看见了什么，它是一个什么东西，有什么特点，我相信你们人人都能答出来。为什么？因为你们很了解它，很熟悉。所以，如果你觉得我下面提的问题太难，要知道这不是我的问题，而是你自己的问题，说明你对它不熟悉，不了解，同时也说明上一堂课的内容你没有完全充分地掌握。现在我请你们拿起笔，在纸上写下两个问题：第一，电码总共有多少组？第二，第一组和最后一组是什么？我这考测的是你们无意识状况下的记忆力，和对电码的灵敏度，这也是一个破译员必须具备的素质，对数字要过目不忘。”

大家坐下来，在本子上分头写开了。海塞斯走下讲台一一查看，发现大家都写对了：共有 20 组电码，第一组为 2753，最后一组为 4292。

海塞斯回到讲台上，将第一组和最后一组电码又写在黑板上，然后提出他的第三个问题：“这些电码有什么特点？你看出了几个，一个？两个？三个？还是 N 个？”

他给大家三分钟的思考时间。

三分钟后，海塞斯下来收走了每个人的答案，看都没看压在讲义夹下，对大家说：“现在我来公布答案，这些电码有四个特点，第一个特点：每一组的个位数在逐一增一，第一组是 3，第二组是 4，第三组则是 5，第四组为 6，依此类推，请发现了这个特点的人举手。”

大家都举了手。

海塞斯点点头，接着宣布了第二个特点：偶数组必比奇数组大 81。“81 是你们中国古代数学中最大的数字，加 81 就是加一个最大数。现在我们第一组数是 2753，第二组则为 2834（2753+81），第三组为 2915（2834+81），依此类推，都是这样的。现在请发现了以上两个特点的人举手。”

这次只有两个人举手，他们是陈家鹄和李建树。就是说，林容容和张铭程出局了。海塞斯笑了笑，对林容容和张铭程说：“怎么回事，既然能够发现第一个特点，就应该能发现这个特点，个位数加‘1’，十位数加‘8’嘛，为什么顾此失彼？还是记忆力的问题，记忆力不够强。好了，下面我来说第三个特点，是第一个数与最后一个数之和必等于第二个数和倒数第二个数之和，依此类推，都是 7045。现在请发现以上三个特点的人举手。”

这次只剩下陈家鹄举手。海塞斯禁不住笑着向他走过去，问陈家鹄还有个特点发现了没有。陈家鹄点头，说：“每一组电码减去 1234，正好是一首中国古诗的明码电报。”

“请问内容？”海塞斯问。

“白日依山尽，黄河入海流。欲穷千里目，更上一层楼。”

同学们都惊愕地看着陈家鹄，特别是林容容，目光里有几分欣赏，又有几分嫉妒。海塞斯则哈哈大笑，拍着陈家鹄的肩头说：“还要上楼？你上的楼已经够高的啦。”

可以想象，如果海塞斯知道，几个小时后山下演算室的父子俩将帮他从二万五千粒沙子中淘出一粒金子，他的笑声一定会更加开怀、响亮，他对陈家鹄的夸赞也一定会更加热烈高调，甚至不惜以贬低自己的方式抬举他。不过“如果”的话最好不要说，说了挺没趣的。事实上就在同一时间，在山下，萨根已经把摧毁被服厂的种种家伙如数转交给少老大，被服厂和石永伟等人幸存的时间已经屈指可数——没有如果。

依然是八天前。

这天萨根实在是忙得晕头转向，由于黑明威不期而归，一下子给他生出一大堆事：先是见黑明威，然后紧急赶去粮店见少老大，然后是赶回家修电台，修好了电台又马上给“宫里”发电报……这么多事，都是火烧眉毛的急，不能怠慢。为什么这天他要与汪女郎失约，以致让陆所长苦等不见，就是这原因：事太多，分身无术啊。

话说回来，当萨根将黑明威从成都带回来的那只装满家伙的木桶交给少老大后，少老大一下对照明弹非常感兴趣——因为不认识，所以好奇。他将它从木桶里取出来，握着它问萨根：“这是什么玩意儿？”

萨根从空酒瓶里摸出一张纸条（是电报），递给老大：“你先看这个，这是‘宫里’转发到成都的电报，要求我们尽快找到黑室，把它炸掉，夷为平地。”

少老大看罢电报，疑惑地自语道：“这上面怎么不要求我们杀陈家鹄了？”

萨根说：“我们不是已经报告说他在黑室嘛，既然他在黑室，把黑室夷为平地，难道他还能独活？除非他是猫投胎的，有九条命。”

少老大又端详起手上那个像鸡蛋的东西，“夷为平地，就用这玩意儿？我看它不像炸弹，更像个鸡蛋。”

萨根解释道：“这不是鸡蛋，也不是炸弹。这是照明弹，定时照明弹，最先进的，可以自动升天，而且照明时间比一般照明弹要长。”

少老大颇为不屑，“什么照明弹，又不是拍夜场电影，照明弹有什么用，还不如给我们几捆炸弹。”

“嘿，这可是个好东西，”萨根笑道，“等我们找到了黑室，它就是空军的眼睛，炸弹的眼睛。不瞒你说，虽然我们已经有十多天没有跟‘宫里’联系了，但我敢说‘宫里’一定有了新的行动方案，大方案，要动用空军来配合我们的行动。”

少老大怔怔地看着手上的东西，“你认为只要我们找到黑室，‘宫里’就会派飞机来轰炸黑室？”

萨根说："否则给我们送这玩意儿来干什么？百分之百错不了！"不容置疑的用词和神情，感染了少老大。后又听说烧坏的电台配件都已买回来，他便让萨根立刻回去修好电台，迅速与"宫里"联系，请求最新指示。

果然不出萨根所料，他的电报刚发出去，"宫里"便立刻回电，命令他们：火速查清中国黑室的具体位置，配合空军，将之夷为平地。当萨根将电文在电话上读给少老大听后，后者因情动而迷乱，忘乎所以，神不守舍。恍惚间，他看见漫漫夜幕下，照明弹如烟火一样爆亮，将黑夜照得如同白昼，与此同时，天空中出现帝国空军经典的飞行梯队……"要真这样该多好啊。"他喃喃自语，又自问自答，"会这样吗？一定就是这样的。"

然而让少老大万万没有想到的是，正是萨根跟"宫里"的这次联络，给黑室侦听处揪住了"狐狸尾巴"。

逮住它的人是蒋微。

在无线电的海洋里侦寻一部无名新电台，犹如在城市里面找一个面容特征模糊的人，其难度不言而喻。这部电台已经开设半年多，以前一直没有揪住它，这次蒋微之所以能将其擒拿归案，有两个原因：一是刚换了配件，信号变好；二是许久不联络，突然联络，事先双方没有约定，呼号时间自然比较长。蒋微正是在萨根不停地呼叫中注意到这部电台的。

电台那么多，怎么去发现一部无名新电台？这当然首先需要经验，有时也需要运气。就经验而言，每个国家的电台都有一定的特征，比如机型，日产机型和美国机型有不同的声音特质；再比如报务员的手法，不同国家的报务员手法上也有细微的差别，包括呼叫联络的用语习惯也各自有一些特点，比如说"再见"，东方的国家一般习惯用"GB"，欧美国家一般爱用"BB"。诸如此类。这些区别需要经验来辨识。蒋微从事侦听工作多年，类似的经验非常丰富。萨根的手法是"美式"的，但其使用的机型又是"日式"的，这就是矛盾，就是异常。

蒋微就是这么盯上萨根的，并且当天就抄到了两份电报。

一个美式手法的人，用日式机型发报，且信号强度为一级（优），其对方则为日式手法、日式机型，信号强度为三级（一般）。这个基本面提供的信息并不复杂，一般的分析师都能解读出相应的信息，即有一个美国人在为日本人干活(因为对方手法和机型均为日式)，而此人所在的地域应在重庆或者重庆附近（因为其信号强度好）。

海塞斯根据以上信息，推测这是一部特务电台，上线在南京或者上海（信号强度一般），下线在重庆或附近。这是黑室侦控的第一条特务线路，被海塞斯命名为“特一号线”。

那么这个美国人是谁？

陆所长一下怀疑到萨根。

海塞斯要陆所长说出怀疑的理由，后者由于事情涉及陈家鹄，不想谈，回避了。只有结论，没有证据，海塞斯是不会信服的：他对陆所长的怀疑持“保留态度”，也许还有一个美国人的尊严在起作用。陆所长让他“等着瞧”，他深信只要萨根上钩了，电台一定会有反映。

现在是三天前。

这一天，萨根带惠子去被服厂探查情况。当天晚上，特一号线便出来与上线联络，并发长报一份。陆所长闻讯后兴冲冲地来到海塞斯办公室，见面就劈头盖脑地问：

“听说特一号线发报了？”

海塞斯点头称是，继而开心地笑道：“幸亏我没跟你打赌，这一回你料事如神啊。”陆所长很兴奋，滔滔不绝地说：“现在你相信了吧？你啊，有时候要相信别人的智慧，我们中国有句老话，叫三个臭皮匠顶一个诸葛亮。诸葛亮是我们中国历史上最伟大的人物之一，那真正才叫料事如神啊。”

海塞斯对他摆摆手，“行了，你别跟我来这种莫名其妙的鸿篇大论，我要说，如果你不对我隐瞒什么，我会更相信。告诉我，这个萨根到底是个什么人，你掌握了他什么内幕？”陆所长把来龙去脉向海塞斯做了介绍，只是删除了跟陈家鹄和惠子有关的内容。海塞斯听了，连忙抓起电话通知侦听处，要他们守死特一号线，因为他估计今晚特一号线的“上线”将给“下线”回电。

电话是杨处长接的，杨处长告诉他：他们已经抄到一份回电，正准备给他送过来。不一会儿，阎小夏敲门进来，送来侦听处刚抄到的特一号线的最新电文。回电不长，只有七组电码，是萨根去电的十分之一还不到。

陆所长问海塞斯：“你估计这份回电在说什么呢？”

海塞斯看罢电报，走到特一号线电报流量统计表前看，发现该条线总共才收到五份电报，回头对陆所长说：“你看，才收到五份电报，难道你就想让我破译它？”

阎小夏在一旁附和道："这样要破译它太难了。"

海塞斯对陆所长说："你们中国不是有句老话，叫什么巧妇怎么怎么的？"

"巧妇难为无米之炊。"阎小夏说。

"对，"海塞斯走到陆所长面前，绘声绘色地说，"现在只有几粒米你就想让我架锅煮饭，可能吗？不是我危言耸听，事实就是这样，没有足够的流量，破译工作就是无米之炊。"

"那应该要多少流量才能架锅呢？"陆所长认真地问。

"这不一定。"海塞斯说，"正常情况下至少得要几十上百封吧，但像这条线也许可以少一点。你要问我为什么，我可以告诉你，因为你给我们提供了一条重要线索，就是萨根今天给上面的去电，我们现在虽然没有破译它，但大致内容其实已经知道，他肯定在向上面汇报他今天去了哪里，发现了什么。像这种电报对我们破译帮助就特别大，如果运气好也可能由此敲开整部密码。"

陆所长本来想说一句祝他运气好的话，但话到嘴边又收回去了，因为上次他曾以上帝之名祝教授运气好，结果惹得教授大为光火。这次他吸取教训，绕了个弯子，问他："那你说怎么样才能运气好呢？"

海塞斯干脆地说："请你走，给我时间。"

陆所长倒也好，同意走，可刚走出门又回来了，"对不起，我还有个问题要问，那天（逮到特一号线的第二天）敌机来对平民区实施大轰炸，之前之后特一号线都没有动静，没有联络，没有发报，这是为什么？"

海塞斯不假思索地告诉他："很简单，说明这条线路跟敌机轰炸无关。换句话说，现在重庆至少还有一条特务线路。"

确实如此，以前敌机多次轰炸都是针对军事目标，且基本上是想炸哪里就炸哪里，大致无误，如果没有这边特务配合，不可能这么准确的。所以，海塞斯早断言重庆有敌人的特务电台，责令侦听处八方侦察，四处排查。蒋微逮到特一号线时，海塞斯以为就是他想象中的"那条线"。但第二天大轰炸的前后，特一号线没有任何动静，海塞斯便知道这不是他想象中的"那条线"，"那条线"还在天上飞。就是说，萨根这条线是侦听处在寻找另一条线时意外发现的，歪打正着，实属萨根运气不好——可能是因为汪女郎对他变了心的缘故吧。身边的女人都对他心怀鬼胎，鬼魅能不缠着他吗？萨根的命盘已经翻转，他斑斓的羽毛将被一一撕去，露出丑陋的本相。

问题是，"那条线"为什么久久找不到呢？

找到了！

就在当天晚上。

就在陆所长离开海塞斯，回去的途中，经过侦听处，他顺便闯了进去。杨处长正准备给海塞斯打电话，看见他，愣了，“你……怎么来了，我正准备给你们打电话呢。”

“这说明我们心有灵犀啊。”陆所长走上前，问他，“什么事？”

“又侦察到了一部敌台。”杨处长放下电话，往正在专心抄报的蒋微指了指说，“刚发现的，正在发报。”

“是吗？”陆所长怀疑地问，“确定吗？”

“这不正想打电话让教授来确认一下。”

“那快打啊，他在办公室，我刚离开他。”

海塞斯接了电话匆匆赶来，简单了解了一下情况，便直奔蒋微而去。蒋微还在抄报，戴着耳机。海塞斯过去，打开扬声器，辨听电波声。杨处长在一旁解释说：“你听，这电波声音，和特一号线下线的机型很相似，我觉得。”

海塞斯听一会儿，颔首点头说：“是同一种机型。”

杨处长介绍道：“我了解了一下，这是日产 SC-3 型发报机的声音特质。这种发报机的特点是体积小，功率大，便于携带，是目前日本外遣特务普遍使用的机型。”

海塞斯又听了一会儿，关掉扬声器，去看蒋微抄报。电报蛮长的，已经抄了满满的一页报笺，还在继续抄。海塞斯一边看着一边沉吟道：“就是它，这回应该没错了，就是我们一直在找的那条线，给敌人空军通风报信的那条线。”陆所长问：“你是怎么看出来的？”海塞斯看着杨处长，“你说呢？”杨处长说：“这是敌人空军的电报格式。”

“对。”海塞斯说。

蒋微抄完一页报笺，遂将它往边上一抹，继续在新的报笺上抄。海塞斯把抄完的报笺拿起来端详着，“嗯，没错的，就是敌人空军的电报。”顺手从桌上抓起一支铅笔，注明：特二号线。随后走开去，一边对陆所长解释道：“这是敌人空军放出的眼线，是飞机和炸弹的眼睛，没有他们提供的数据，飞机不知往哪里飞，炸弹不知往哪里落。这些特务不除，以后轰炸只会越演越烈。”

陆所长说：“这就要看你的本事了，只要你能破译他们的电报，这些狗特务就是长了翅膀也跑不掉。”

海塞斯停下脚步，指指自己，“就我一个光杆儿司令，破得了这么多吗？我又不是孙悟空，拔根毛就可以生个兄弟出来。”

“你不是还有助手嘛。”陆所长说。

“有比他更优秀的人，为什么不给我？”

陆所长知道他又要老话重提——让陈家鹄下山，便故意支开话去，“这么说现在我们身边至少有两路特务，他们各自为阵，都在为鬼子服务。”看海塞斯没接腔，又接着说，“其中一路特务里就有你的一个同胞，哈，真是龙生九种，种种不同，同是美国人，有人是我们的朋友，有人却是我们的敌人。”

海塞斯知道他在玩什么把戏，瞪他一眼，“谁是你的朋友，我觉得你是我的敌人，处处跟我作对。”掉头对杨处长笑道，“不，你不一样，你是我的朋友。如果没有你和你的部下帮我找出电台，抄录电报，我就成了无本之木，无源之水，就像你们中国人讨厌的泥胎菩萨，只享受烟火不会灵验，办不了任何事情。”转身又对陆所长说，“我觉得你像个讨厌的泥胎菩萨。”说罢，气鼓鼓地走了。

陆所长看看杨处长，苦笑一下，叹息道：“你说谁是菩萨，他才是菩萨，我都要时时给他赔小心。不过只要不是泥菩萨，能给我干活，我赔什么都可以。”

说罢，也走了。

从侦听处出来已是深夜，陆所长心中装满了事，无比着急却又无从急起，使得他心头有千钧重，压住了疲惫，没有了倦意，索性在院子里散起了步。重庆的秋夜从来没有“夜凉如水”，即使过了中秋，伴随着秋虫晚蝉的叫声，地表依然在用力释放着夏日留下的热量。只是江风携来了清爽，叫人能够透心一快。

陆所长迎着江风，手指交叉，双手往前平推，然后伸成一个“大”字，狠狠舒了一口气。这个动作自然使得他抬头仰望起夜空来：这晚天气很好，星月齐空，那满天的明星仿佛不解人意，欢快地向这个满目疮痍的大地洒下闪烁而精致的光芒；反倒是那弯下弦月，在星光中显得疲惫而倦怠，仿佛睡着了一般，安静而神秘。陆所长突然觉得，自己似乎从来也没有看到过如此富有魅力的星空，它打破了以往平淡的静谧，隐隐露出宇宙浩瀚的狰狞，充满了难以置信的活力。陆所长心中的千头万绪，就这么在如织的星光中渐渐理得清晰，千头万绪从一瞬间开始，变作一条越来越明白的线，而这条线的起点和终点都指向了同一个地方，那就是陈家鹄。

是的，是他，陈家鹄！海塞斯也好，萨根也好，惠子也好……包括杜先生在内，人人都有动作，人人都有目的。在他们所有或简单、或繁复、或直接、或吊诡的动作以及或好心或歹意的目的中，直接指向的都是陈家鹄。他陆某人如何对待陈家鹄，势必成为一切问题的关键。

那么，该如何对待他呢？答案其实很明显：就是让他尽快下山，进入黑室工作。这也就意味着必须尽快将陈家鹄和惠子的婚姻一刀两断。

可又如何来下刀呢？陆所长的思绪像夜色一样弥漫于天际。自然，让惠子消失掉最简单，最容易，但也是最为不妥的。天下没有不透风的墙，倘若让陈家鹄看出点什么破绽，他要报复起来也是最致命的。想来想去，还是只有让陈家鹄对她死心，主动和她分道扬镳为好。而要达到这一目的，有且只有一个办法就是：拿出足够的证据证明她是日方间谍。今天惠子陪萨根去被服厂，这件事一度让他兴奋了一下，觉得这就是证据，但现在他又觉得事情没这么简单。他想，如果惠子和萨根是一伙的，他们就没必要多此一举，找汪女郎去邮局打听地址，她完全可以亲自去的。她为什么不亲自去，舍近求远地去找汪女郎？这有点情理不通。情理不通就是证据不圆，有缝隙，有漏洞。会不会是惠子被萨根利用了？这个老色鬼！他一时陷入了纠结中，苦思，冥想，困惑，胶着，迷茫，乏力，无助……随风包抄着他，吞没着他，他感觉到了夜风的冷。

依然是这天晚上。

海塞斯的心情却与陆所长截然相反。

海塞斯离开侦听处，直接回了破译楼。在灯光昏黄的走廊上，海塞斯遇到了值夜班的钟女士。再昏黄的灯光也遮蔽不了钟情人那双写满三分幽怨和七分渴望的眼睛，就像黑暗中的猫眼，能够穿人心魄，伴随她身上淡淡的香水味，温柔地刺向海塞斯敏感的神经纤维。海塞斯没有迷醉，他上去把住钟女士的双肩，像情人却更像是长者，面色凝重，用散淡而严肃、平静而不容辩驳的口吻对她说："今晚有更重要的事情要做，你应该比我更能理解，所以……改天吧。"钟女士略为不安地点点头，是理解的意思，支持的意思，然后轻轻挣脱海塞斯的手臂，悄无声息地走了，像个懂事的女儿。

海塞斯目送她的背影消失在走廊上，掉过头来，仿佛什么也没有发生过，继续往办公室走去。对于海塞斯而言，如果说还有什么事情能比女人更重要，那一定是非破译莫属。

接下来的几个小时，海塞斯一个人待在办公室里，拿着萨根今天从被服厂回来后发给"上线"的电报，时而伏案苦索，时而手握雪茄凝望不语，时而再三端详电文，时而丢开电报倒头在沙发上大睡。有一会儿，他走到窗口把半个身子探出去，既像是疲劳之后呼吸窗外的新鲜空气，又像是把自己作为一个目标投放出去，期待上帝的运气之箭能够将他射中。这份电报大致内容是可以想象的，如果运气好，完全有可能一头撞破南墙，飞天而去，在天际采撷到灵感的仙果。破译这种密电（内容已经局限到很小的范围），犹如在人头攒动的人群中找一个特定的人（如果内容没有局限，漫无边际，则如人皆分散在四方八角），有时候一眼看去就找到了，而且刚开始的第一眼最重要。这也是他为什么要在今天晚上来搏一搏的原因，因为他对“第一眼”充满了期待。

遗憾的是，任由他怎么凝神苦索，就是没感觉，把脑袋敲开也没感觉。神奇的“第一眼”没有降临啊，海塞斯不由心生倦怠。他决定到此为止，把电报往办公桌上一拍，狠狠地抽一口雪茄，没想到连雪茄也同他作对，竟沾了茶水，一股臭气。海塞斯怒极反笑，一个抛物线把雪茄丢出窗外，就好像要把今晚的晦气和烦躁一起丢出去。

扔掉雪茄，海塞斯来到窗前，久久立着。

五分钟后，钟女士气喘吁吁地出现在他的面前。

她是故意小跑上来的。她似乎知道，自己能把海塞斯吸引的也许只剩下那团高耸浑圆的酥胸（乳头像少女一样粉红）。所以她要让自己微微喘气，因为喘气不但会使面色变得红润，重要的是胸部会上下颤动。这对男人有着最直接的视觉冲击，以及极大的脑神经系统杀伤力，尤其当她事先解开衣服上端的两颗纽扣，其效果更加出彩。

豪华、宽大的沙发是他们相爱的床铺，躺在沙发上，钟女士深深地吸了一口气，闭上了眼睛，变成了水，所有力气都随之消散无影。她静静地躺着，就像是一种回归，像水归到了水中。很奇怪，她已经多次躺在这沙发上，但今天晚上却最给她这种感觉：一种强烈的回归的感觉，从未有过，至深至切。她坚定不移地确信，她要回归的地方就是这个男人的身体：他粗糙的肌肤，干燥而蜷曲的黄色体毛，浓郁而略为刺鼻的体味，还有他那粗壮如吼的呼吸声……这一切，一切之一切，都是她的家，都是可以躺下的地方，躲藏的角落。她的情绪从未这么饱满过，身体的欲望从未这么高涨过。她似乎已冥冥地预见到，这是最后一次，是为了告别的聚会。所以，从海塞斯开始脱她衣衫时，她就有一反过往的表现：呻吟不已。

呻吟。

呻吟。

呻呻吟吟。

她一向以默默无声而著称，即使高潮时也咬紧牙关不吭一声，今晚神秘陌生的呻吟声，注定海塞斯将以最激烈的方式进攻她，进入她的体内，占有她，给予她，与她进行最充分的交流和融合，最疯狂的高抛和坠落，最持久的，最深刻的，最生命的，最死亡的……啊，死亡，带着最激烈和最痛苦，将我引向最平静和最快乐——

她在高潮时居然想起了一句诗。

只是很遗憾，她的呻吟没有在最后一刻爆破，变成破天破地的嘶鸣长啸，她依然以习惯的方式，咬紧牙关、紧闭双眼、极度苦痛的方式表达了最高端的痛苦和欢悦。当海塞斯放开她时，她又如前一般双手捧着脸嘤嘤哭泣了。海塞斯以为她又发狠咬破了嘴唇，挪开她手，发现嘴唇虽然鲜红如血，但可以肯定绝没有流血，不禁生奇。

“你怎么了？”海塞斯把她揽在臂弯里，一边亲吻着她一边喁喁低语，“是我把你弄痛了，还是喜极而泣？”她羞愧地一笑，好像泪水里隐藏着罪恶。海塞斯接着说：“你注意到了没有，今天你有变化，你发出了像小猫一样哼哼唧唧的声音，我觉得这是你给我背过的最动听的一首诗。”

她真的会背很多诗，每次云雨之后海塞斯都会请她背一首诗，有时两首。今晚她背的是一首徐志摩翻译的英国诗——

当我死去的时候
亲爱的
请别为我唱悲伤的歌
我坟上不必插上蔷薇
也无须浓阴的柏树
让盖着我的青青的草
淋着雨也沾着露珠
假如你愿意请记着我
要是你甘心可忘了我

这首诗，抄录在她丈夫的诗抄本上的最后一页，可以想象，她丈夫或许在抄完这首诗后不久便撒手人寰。也许这是一首不吉祥的诗，有魔力的，一诗成谶。她不明白自己今天为什么会如此悲伤，背出这么一首让她伤感的诗。当她下楼回到办公室时，她知道为什么了——这是天意！

她在办公室里见到了双眼通红的陆所长。

从此，她再也没有见过海塞斯。

看来，那真是一首不吉祥的诗。

不过，她还是要感谢它，正是它——这首诗，为她举行了一个和海塞斯的告别仪式。她觉得老天对她还算公平，别了，还是有一个仪式，不至于让她的思念无从挂靠。

第三天，也是被服厂遭炸的当天。

早晨。夜里山上下了一阵子春雨似的小雨，淅淅沥沥，绵绵软软，裹挟着薄薄的寒意和白雾，润物细无声。现在雨过天晴，培训中心隐没于一片亮绿的山色中，显得格外清新迷人。湿润的晨风是雨的尾巴，悠悠地吹拂着，一尘不染的树叶发出沙沙的呓语，如同一个刚刚洗浴完毕的面色清丽的女人，一边梳着茂密的头发，一边曼声低吟。

陈家鹄穿着一身运动装从宿舍里跑出来，林容容也穿着一身运动装，紧随其后，像一对恋人，你追我赶。经过门卫室的时候，陈家鹄看见那个蒙面人正立在窗前，如幽灵鬼蜮般地注视着窗外。陈家鹄落落大方地扬起右手，跟他打了个招呼："早上好。"蒙面人视若不见，毫无反应，依旧用那幽灵鬼蜮般的目光注视着窗外。

林容容追上来，惊讶地问他："你怎么跟他打招呼，我都不敢看他，怕晚上做噩梦。"陈家鹄心想，你上当了，我故意当你的面跟他打招呼，就是要让你来跟我说说他。我需要了解他，你一定能满足的。

"你知道他是什么人吗？"陈家鹄放慢步子，与她并肩而跑。

"我哪知道他是什么人。"林容容抱怨道，"真不知陆所长是怎么想的，竟找来这样一个人看门，害得我晚上都不敢出门。"

"这你就错了，他是为你站岗放哨的，壮你胆的。"

"还壮我胆？我胆子都给吓没了，整天像个鬼，在院子里乱转。"

"他才不是鬼，他是英雄，我听说他打过徐州战役，立过大功。"

"是吗？"

"你怎么比我还不了解他？"

“我干吗要了解他？我才不想了解他。”

一来二去，陈家鹄发觉好像无法从她嘴里了解到什么，便提快步子，一边有意丢下一句刺激她的话：“看来你要了解的黑名单上没他的份。”林容容使劲想追上来，一边大声嚷嚷：“什么黑名单，你胡说什么。”陈家鹄噌噌地往前冲出十几米，回头又甩过来一句：“藏头掖尾的林同学，恕我直言，你现在已经是一部明码，蒙不了谁啦。”言毕，又掉头噌噌噌往前冲，转眼把林容容远远抛在后面，气得她绝望地停下来，朝他的背影高声大骂：“神经病你！”

山谷把她的声音收下又放出来，一遍一遍地回响着。

陈家鹄听了，转过身，双手做成喇叭状对林容容大声说：“听，天在骂你。再听着，我的话不会有回音的。”

林容容很奇怪，他的喊声一点不比自己低，可真的就是没有回音。她想一定是他双手做成喇叭状起了决定作用，便照他样子把双手做成喇叭状对他喊：“陈家鹄你听着……”本来还想说“我的话也没有回音”，可是才说半句回音已经四起，惊得她一下哑了口。

其实，除了把双手做成喇叭状外，喊话时要面朝山下，头微微低下，这样声波被定向地传送，像高山流水一样顺着山谷流出，才不会有回音。返回时，陈家鹄告诉她道理并示范给她看时，林容容心里第一次涌起一股莫名的冲动。冲动是形而上的，只有一种感觉，没有确切的内容：她不知道想要什么，只是觉得心跳加速，脸上会聚着热度，想必是脸红了。

连日来海塞斯心里对陈家鹄也有种莫名的情绪，他和陈家鹄有约在先：若他提供的破译敌21师团密码的方案正确，海塞斯要奖励他下山跟他太太幽会。其实上一次上山海塞斯就应该向他报喜，但最后只字不提：既是因为他没有想好怎么带陈家鹄下山，更是因为他的虚荣心在起作用。他为黑室立下的第一功竟有幕后英雄，这实令他不齿。他真想改变这一事实。当然他有权力篡改事实，只要他下狠心，闭着眼睛说一句瞎话就行。他在犹豫，在矛盾，所以避而不谈。这次上山他知道再不能回避不谈，因为即使要撒谎——方案有误——现在也该撒了。陈家鹄不是门外汉，他心里有数的，这么多天过去，演算该出结果了：成或败。他必须要做出选择，要么实话实说，要么篡改事实。

思来想去，海塞斯还是下不了狠心。他觉得贪天之功比虚荣心更令他不齿。所以今天一上山，海塞斯便把陈家鹄叫到一边，悄悄向他报了喜，道了贺，并敦促他做好准备，今晚他将来带他下山幽会。这个突发而至的喜讯令陈家鹄心旷神怡，也是心猿意马。上课的时候，他控制不住地去想惠子，想她均匀的鼻息，想她安静的面庞，想她洁白细腻的皮肤和香若幽兰的乳房……他像喝了浓香的醪酒似的，飘飘然，晕晕乎，海塞斯上课的声音完全被惠子的声音淹没。不知怎么的，他突然想起惠子在上一封信中提到，她曾在大街上遇到有人骂她是“十三点”。惠子问他这“十三点”是什么意思，是不是跟耶稣殉难于十三日有关。想到这里，陈家鹄不禁笑了。同时不禁的还有他的手，他居然在海塞斯面前也写起了信，真是乐坏了。

醉了。

晕了。

十三点了。

信还没写完，下课了，陈家鹄还在奋笔疾书，浑然不知，如醉如痴。海塞斯已经走到他身边，他依然旁若无人，忘乎所以。似乎不可思议，他身上有个神秘的开关，一旦打开，世界和自己都消失了，其形其状，如同梦游，如同痴呆。医学上这叫“神游症”，俗称迷症，属于梦游症的一种。梦游症一般发生在六到十二岁的少儿期，进入青春期后多能自行消失。迷症多为先天遗传，以男性高智或低智者居多，一旦缠身终生难愈，且年龄越大发病率越高。迷症发病症状一般只有几分钟，若持续半个小时以上，百分之九十的人都将无法回到常态，他们会永远活在病发时的状态中，喃喃自语或唠唠叨叨地度过终生。

陈家鹄这次发病的时间很短，是被海塞斯强行惊醒的。海塞斯过来发现他在写信，很生气，蛮横地抽走他的笔记本，他就这样被惊醒了，听到海塞斯正在摇头晃脑地当众朗读：

“我的傻老婆，你怎么连这个都不懂，十三点就是傻瓜的意思。中国计时是十二小时制，中午十二点之后叫下午一点，没有十三点的说法，十三点就是指这个时钟坏了，比喻人神经错乱了，有病了。你不是十三点，你很聪明，我看你的字大有长进，是受爸爸的影响吧，像这种情况，我们中国人爱把它说成：近朱者赤，近墨者黑……”

这是他奋笔疾书写下的“大作”。开始陈家鹄没有反应过来是怎么回事，等他反应过来后一把夺过笔记本，恼羞成怒地走了。海塞斯对着他的背影说：“你要向我道歉，否则我要取消我的承诺。”

陈家鹄又像犯了迷症，头都不回，一往直前，走出了教室。林容容追出去喊他回来，他依然不闻不顾，径直往宿舍楼走去。路上碰到上基础课的王教员，她是来上下一节课的，看见他气呼呼的样子，问林容容：“他怎么了？又不想上我的课？”林容容说不是，王教员还不信，沉下脸，责怪她，“他这样子哪像还要来上课？你就整天替他打掩护，我看你真是迷上他了，连我都要挤对，没良心的东西。”现在山上只有她们两个同性，私底下早成了可以胡说八道的闺密，说话没轻没重的。

林容容上前挽住王教员的胳膊，格格格地笑道：“我的王阿姨啊，你说话太歹毒了，人家是有妇之夫，我迷上他不是饮鸩止渴、自寻死路吗？你觉得我有这么傻吗？我傻至少你也不会让我干这种傻事。”

王教员正色道，“不，你有机会，他跟他那女人迟早要分手。”

林容容发了愣：“你这话什么意思？”

王教员哼一声，“就这意思，他们要散伙。”

“为什么？”

“这不很明显嘛。”王教员心里有底牌，根本不怕问，“你说陈家鹄会不会被淘汰？不会吧。如果你们这些人将来只有一个进黑室，我看那就是他，你说是吧？”当然是的。“可他妻子是个日本人你知道吗？你说组织上会让一个日本女人的丈夫去神圣的黑室工作吗？这就是你的机会。”

林容容无比惊讶，满脸愕然地盯着她：“你怎么知道这些的？”

王教员哧的一笑，“这又不是什么秘密，你现在不也知道了嘛。”

其实，林容容早知道陈家鹄妻子的情况，但她也知道他们伉俪情笃，相爱甚深，绝非一般外力所能破坏。所以，林容容看陈家鹄就像隔着一扇牢不可破的铁门，铁门里的风光再好，那是人家的。可现在有人告诉她，那扇铁门实为一方朽木，轻易可破，而且绝对要破。这是真的吗？林容容突然觉得呼吸吃紧、吃力，王教员的话如一根银针深深地刺入了她的穴道，她痛并快乐着。

“你要跟我道歉，否则我要收回我的承诺。”

梦寐以求的东西已经近在眼前，又远在天边。一整天，陈家鹄都被这句话深深折磨着，如果给他机会，他愿意道歉，因为他太想下山去看看惠子。可是等他冷静下来，教授已经下山了。海塞斯没给他机会，没有同情他——他以为自己气呼呼地走，会让教授产生同情，去宿舍找他。没想到海塞斯连个招呼都不打，走了，把他吊了起来，让他一分钟一分钟地去猜测，玄想，煎熬……天黑了，期待和恐惧像黑夜一样笼罩着他，炙烤着他，吞噬着他。他一遍遍徒劳地检查着下山应该带的东西：几片红色的枫叶，一封未寄出的信，一块斑斓的矿石，一盘造型奇特的树根；一次次去户外倾听山路上的动静，又一次次带着失望而归。当一个人的心已飞到另一个地方，而他的身体却不得不停留在原地时，烦躁便化成了煎熬。这种煎熬足以将人变成笼子里饥饿的野兽，眼睛发出幽幽的绿光，那是富有攻击性的信号。

如果海塞斯晚上来十几分钟，今晚林容容一定会受到攻击，因为她已经注意到陈家鹄的异常，几次开门出去，又回来，脚步声透出一种烦躁的不安。要不是今晚有事——她要洗澡，她早过去找他搭讪套热乎了。过去极可能受到攻击，遭到奚落——烦死了，你还来添什么乱，走开！

一定的。

不知怎么的，陈家鹄对林容容自开始便少了一份客气，多了一份傲慢，经常对她冷嘲热讽，爱理不理。这可以理解为他们关系比较亲随，也可以分析成，由于林容容身份的特殊，她在与人交道中过于主动、热忱（尤其对陈家鹄），反而让人少了一份尊重和珍视。何况陈家鹄还看穿了她的伪装，似乎更有理由慢待她了。好在今晚林容容要洗澡，一时无暇去关心他。这鬼地方洗澡很麻烦的，尤其是女性，要自己去锅炉房拎热水到房间，洗了澡又洗衣服，忙碌下来一两个小时不够。等她一切就绪，一身清清爽爽、清清新新准备去找陈家鹄时，突然发现一辆车停在他们宿舍楼前。

皓月当空，月华皎皎，即使关了车灯，林容容依然轻易地瞅见，从车上跳下来的人是教授，他径直去了陈家鹄宿舍。

陈家鹄自然比谁都早发现教授的驾临，因为今晚他的耳朵一直为汽车的声音张开着，期盼着，车子还没有开进大门，还在山路上颠簸，车声游丝一样的轻小又摇曳时，他已经先觉察到了。当看到教授从车上下来往他宿舍里走来时，他发现自己的双脚在微微颤抖，仿佛教授要带他去天外似的，期待和畏惧一起把他折腾成了废物。

不等海塞斯推门，门自动开启。透过门框，海塞斯发现他穿戴整齐，手里拎着一只布袋子，整装待发的样子，都懒得进门了，像个将军一样，手一挥，下命令：

“走！”

就走了。

就上了车。

上了车，海塞斯丢给他一顶假发，一副假胡子，吩咐他："戴上。"

"有这必要吗？"陈家鹄捧着它们，像捧着一只小兽一样。

"我听说孙处长派人在保护你的家人，你要不被发现就得靠它们。"

"你没有向上面请示？"陈家鹄瞪大了眼，"你的面子他们不可能不给的。"

"现在请示也来得及，但你不妨可以先下车了。"海塞斯翻了翻白眼，"我想让你下山去工作都不行，还想让你回家去儿女情长？做梦。"

"这……"陈家鹄迟疑着，"我们的门卫认识我的。"

"所以你想走就别啰唆，快戴上！"

陈家鹄乖乖地戴上假发、假胡子。这玩意儿他戴过，就在来重庆的船上。他一边戴着，一边油然想起满脸络腮胡子的老钱和为他牺牲的小狄，想起他对蒙面人的怀疑——赵子刚走了，可动员他去延安的纸条依然不断，蒙面人的怀疑余地更大了，他几次想跟他交涉一下，一直没机缘，悬着。此时他突然想，如果蒙面人认出他，为难他，他是不是可以口头暗示他一下，或讨好他一下？看他有什么反应，这本身就是一种交涉。纯属胡思乱想。人在做一些非常规的事情时，总会有些胡思乱想。

最后，蒙面人没有为难他们，冒出来了一个更可怕的人，轮不到他了。月光很亮，海塞斯没有开车灯，慢慢开出来。拐过弯，前面就是大门，海塞斯正想打开车灯，提醒门卫开门，却看到月光下，大门口，横着一辆小车，把大门挡了个霸道。

完了，是陆所长的车！

说来正巧，陆所长从被服厂回单位的路上，在大街上，正好撞见海塞斯的车子。都九点了，他还在外面转什么？而且还自己开车，胆子太大了！跟着他，就跟上了，一路跟上了山。如果一个人下山倒也罢了，深夜私自外出，缺乏安全意识，顶多教训教训而已。哪知道，车上居然还窝着个陌生的家伙，不，不，认识的，戴着假发套假胡子而已。

陆所长走上前来，冷笑道："这位大胡子先生怎么没见过，是谁啊？"一把扯下陈家鹄下巴上的假胡子，当扇子扇着汽车尾气，"真不愧是大博士，头脑就是好使，连这种花招都想到了，让我这个做了多年反特工作的老特务都自叹不如啊。"

陈家鹄还逞强，强颜笑道："这个掩耳盗铃的东西，我还烦它呢，被你发现了，正好可以不用戴。"取下了假发套还给海塞斯，对他说，"估计走不成了，我先告辞了。”

“别走！”陆所长喝道，“说，你们要去哪里？干什么？”

海塞斯怕陈家鹄说实话，把责任大包大揽在自己头上，目的是让陆所长同意先把陈家鹄放走。等陈家鹄一走，他轻松下来，对陆所长发起攻击，“嗳，所长阁下，你别这么凶好不好，你问我们想干什么？我们能干什么？还不是为了给你干活。我有些情况想跟陈同学商讨一下，资料太多，带上山太麻烦，所以想请他下山去，就这样，没什么。”

“没什么？”气愤让陆所长失去了往日对海塞斯的尊敬，他厉声吼道，“说得轻巧！你的办公室是随便什么人都可以进去的吗？”

“难道他是随便的什么人吗？”海塞斯也提高了声音，摆出一副骂架的姿态。

陆所长放低了声音，但目光依然怒气冲冲，“你该清楚，他还是学员，还没资格进那地方！”

海塞斯不以为然，冷笑道：“他有没有资格我比你清楚。”

陆所长晃晃手上的假胡子，又指指海塞斯手上的假发套，“哼，这就是你说的资格吗？有资格干吗还要装神弄鬼？”

海塞斯气恼地从陆所长手上夺过假胡子，瞪着眼说：“这还不是被你逼的，我说他可以下山了，你就是不听。我就不知道你们在想些什么，凭什么不让他下山来。”

陆所长上前，冲着海塞斯的耳朵，咬着牙关小声吼道：“你别装糊涂，我告诉过你是什么原因，我们正在调查他的女人。”后面一句话几乎只有海塞斯一个人听得到。

海塞斯退开一步，不屑地说：“我干吗要装糊涂？我是觉得你说的那些原因根本不成立，纯属荒唐！所以我就根本不放在眼里。”

两人就在大门口，当着司机和蒙面人的面，你顶我撞，争得面红耳赤，呼呼地喷着粗气。直到海塞斯真的生了气，不理睬他，执意要开车走时，陆所长才意识到刚才对海塞斯的态度可能过于严厉了，便主动上前示好，“行了，我们都有些冲动，我说了些气话，请你原谅。但是你想过没有，如果让杜先生知道了，他非把我脑袋拧下来。”

就在这时，山下突然传来空袭警报声。月光虽好，但毕竟是夜晚，在陆所长的记忆里，这是第一次在夜间拉响空袭警报。他顿时有种不祥的预感。他担心这可能跟被服厂那边的敌情有关，便匆匆赶下山去。上车前他拥抱了教授，并把身上的一包烟送给他，叫他晚上就待在山上，别下去。“鬼知道又有什么名堂，万一真有轰炸呢，山上总比山下安全。”他这么对教授说时，根本没想到山下被服厂那边的安全已经出了大问题。

当陆所长赶到被服厂时，轰炸已经结束，偌大的厂区成了一片火海，到处都在熊熊燃烧，轰然坍塌，滚滚浓烟和飞扬的尘灰合谋拉成一张巨大的天幕，密不透光，把皎皎月华阻挡在天外。这是一道黑色的屏障，把被服厂的天和地、生和死、过去和现在彻底隔开了。救援人员正在全力救灾，抢救生者。然而，抢救出来的一个个人，有男有女，有老有少，就是没有一个幸存者。一具具尸体，像从山上砍伐下来的木头，被集中放置在地上，在明亮的月光下，甚至可以清楚地看到他们未瞑的双目。

很长一段时间，陆所长一直立在尸阵前，默默看着，过度的悲伤看上去像无动于衷。当看到石老板的尸体被抬出来时，他终于忍无可忍，崩溃了，那撕心裂肺的悲恸，那长啸嘶鸣般的哭声，那汹涌澎湃的泪水，把滚滚浓烟都震颤了，都打湿了，变得摇摇曳曳，变得凄凄迷迷了。

第十三章 风语

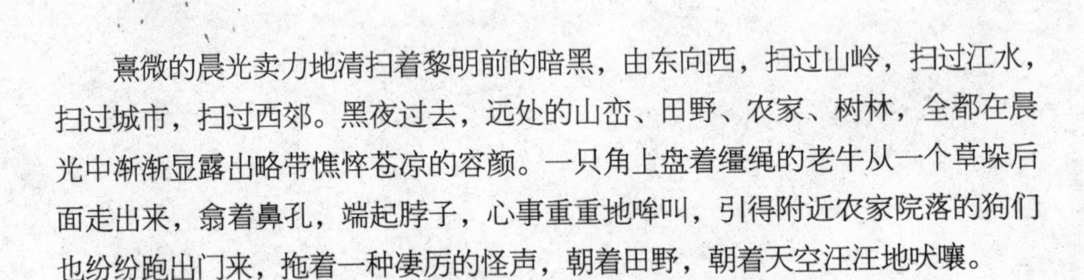

一

熹微的晨光卖力地清扫着黎明前的暗黑，由东向西，扫过山岭，扫过江水，扫过城市，扫过西郊。黑夜过去，远处的山峦、田野、农家、树林，全都在晨光中渐渐显露出略带憔悴苍凉的容颜。一只角上盘着缰绳的老牛从一个草垛后面走出来，翕着鼻孔，端起脖子，心事重重地哞叫，引得附近农家院落的狗们也纷纷跑出门来，拖着一种凄厉的怪声，朝着田野，朝着天空汪汪地吠嚷。

西郊又迎来了它新的一天。

可晨光能扫走黑暗，却扫不走人们心底的恐惧与悲伤。在初升的朝阳的映照下，被炸成焦土的被服厂的悲惨景象，更是让人触目惊心——救援人员已从废墟里挖掘出一百多具尸体，大多残肢断臂，血肉模糊，有的甚至连脑袋或下肢都炸飞了，仅剩胸腔部分，血淋淋地摆放在瓦砾遍布的空地上。这次轰炸，炸毁房屋上万方平米，炸死军民一百二十七人，多为被服厂员工和家属，厂长石永伟一家三口无一幸免。那个临时被调到库房去当保管员的老门卫，由于人老跑得慢，被炸死在库房内，和几百吨被服一起烧成了灰，连尸骨都没了踪影。老孙的部下小林也被炸弹炸飞了，除了找到他脚上穿的那双皮鞋外，别的什么东西也没找着。除了小林外，黑室还有三名战士遇难。

老孙和小周也受了伤：小周被一块炸飞的瓦片击中头部，老孙的脖子则被飞来的弹片划伤。此刻，他们刚接受了救治，头上和脖子上裹着白纱布，正从医院出来，看见陆所长垂头丧气地立在风中，好像在等他们——其实是在等车。

不一会儿，车子开过来，停在陆所长身边。

老孙看所长要乘车走，追上去问："你去哪里？"

"我还能去哪里？杜先生那儿。"陆所长知道，这一切都是由于他对敌情判断有误造成的，他必须马上去向首座汇报、认错，去迟了，错上加错，罪加一等。所以，要尽早去。

老孙劝他，"还早，你还是先回去休息一下，别累垮了身体。"

陆所长凄然一笑，"脑袋都要保不住了，还谈什么身体。要剐要杀，都听凭他发落了。你们没事吧？"

都说没事，老孙还说要陪他去。陆所长摆摆手，不置一词，迟缓而默默地上了车，像一夜之间变成了一个行将就木的垂垂老者，只剩一身空洞、沉重的皮囊。

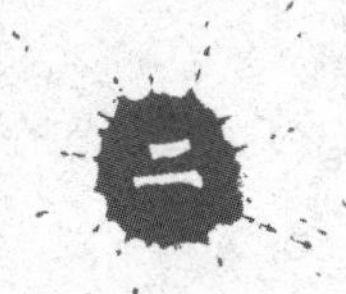

杜先生一向儒雅，有大将风度，极少对人发火，可今天他一看见陆所长，就禁不住怒火冲天，拍着桌子吼道："陆从骏！你都给我干了些什么？我完全可以叫人枪毙你！就是为了给萨根下个套，居然惹出这么大一堆事来，毁了一个军工厂，还死了那么多人，而且大都是无辜的平民百姓啊！我不枪毙你，那些死者的亡灵也放不过你！"

陆所长垂头立着，任其谩骂。

杜先生接着骂："更荒唐的是，你付出了那么大代价，竟还一无所获，萨根照样逍遥自在，我们照样奈何不了他。说，你还有什么高招可以治他，不要出馊主意，搞什么暗杀活动，你想杀他不如先杀我。告诉你，他必须活着，但同时又必须给我滚蛋，滚回美国去！"

此刻哪有什么高招，他还没有完全从噩梦中回过神来。陆所长呆呆地立着，等待杜先生继续骂。他不怕骂。他渴望骂。从某种意义上说，骂得越凶，处罚就将越轻。骂是亲啊！

杜先生恨恨地瞪他一眼，"没有现成的就回去想，我不想看见自己像个暴徒一样大发雷霆。"

陆所长一个立正，敬礼告别。

杜先生指着他鼻尖警告他："记着，我不是不处罚你，是暂时将头寄在你脖子上，要是再完不成任务，我就摘了你的脑袋！”

脖子上不觉飕飕地掠过一缕凉气，直到回到自己的车子里，陆所长才渐渐缓过气来，抚摸着凉飕飕的脖子，瘫靠在椅子上长吁短叹。他突然感到一种深深的无助与悲哀：别看他平时威震四方，人见人怕，可他的一切，包括他的生命，其实都掌握在他人手里。他早已被捆缚在一个强大无比的巨物上，变成了它的一枚钉子，他要毕其一生，竭其全力，为它贡献自己的一切，甚至包括他的脑袋。

老孙是忠诚的，虽然没陪陆所长去问罪，但他的心一直替陆所长捏紧着，回到单位，才小睡一会儿便被杜先生要枪毙陆所长的噩梦惊醒了。醒来后，他一直在办公室惶惶不安地等所长回来，同时又挖空心思在想，如何才能力挽狂澜，将功赎罪。这会儿他听到陆所长回来了，连忙出去迎接。

“回来了。”

“嗯。”

“没事吧？”

“怎么可能没事。”

“杜先生怎么说？”

“还能怎么说？没枪毙我就算烧高香了。”

“下一步怎么办，那些人抓不抓？”

“抓谁？”

“粮店那帮家伙，我的人已经守了整整一夜，还等着你下命令呢。”

“他娘的！”陆所长猛地一拍自己的脑门，“真是昏了头我，怎么把这事给忘了。抓，立刻抓！”

老孙恨恨地说：“本来早就该抓，这帮王八蛋，杀了我们那么多人。”

所长说：“抓他们可不是为了报仇，而是为了治那个王八蛋，萨根那个王八蛋！现在我们要把他赶走，叫他滚蛋，只有一个办法，就是把粮店那帮家伙抓了，抓了活口好审问，收集证据！”

老孙问：“要不要向杜先生请示一下？”

陆所长瞪一眼，“请示什么？还想遭骂啊，这不明摆的事情，有什么好请示的。就是到时你一定要注意，如果那个王八蛋在场，千万不能伤着他，否则杜先生非把我勒死不可。这狗日的是外交官，有护身符，我们暂时动不了他。”

“躲得过初一，躲不过十五。”老孙说。

“如果他不在场，”陆所长想了想说，“一定要抓个活口，今后可以指控他。”

“明白。”

老孙领命而去。

可惜的是，这次行动又失败了。

原来，敌人早怀疑小周的身份，看到他和老孙一起走进粮店，尽管装得像是一个主人、一个棒棒，是来买米的，但总是有些异样，经不起审视。那个坐在柜台里负责收钱的日本特务，感觉到他们提的米袋子里好像藏着枪，不管三七二十一，竟从柜台下面拖出一支枪来，率先朝他们射击，很疯的，就像一条被踩了尾巴的狗。好在老孙和小周有备而来，避闪及时，迅速还击，击伤了他。

粮店里顿时枪声大作。

楼上的少老大听见楼下枪声，知道有人来端他们的窝子了，一边吩咐桂花烧毁文件资料，一边也找出枪来朝楼下射击。受伤的日特宁死不降，负隅顽抗，他发觉老孙他们想抓他活口，更是嚣张，挺身而出，连连击发，一边指挥幺拐子往楼上撤退。幺拐子农夫一个，哪里见过如此场面，枪声一响，吓得浑身颤抖，手里的枪怎么也拉不开栓，逃跑也选错了路线，竟往后院溜，正好被埋伏在外边的战士擒住。

受伤的日特从楼梯上的窗户里发现幺拐子被擒，居高临下，对着幺拐子头顶开一枪，打得他脑袋开花，当场毙命。接着，他又准备朝老孙的手下开枪，情急之下老孙一枪夺了他的命。

少老大和桂花隔着楼板袭击楼下，火力很猛，一时间小周很被动，有生死之虞。老孙带人冒死往楼上冲，高喊着要抓活的。少老大知道情况不妙，放火烧了房子，一边带桂花拼命突围。当他发觉难有逃脱的希望后，他把最后的子弹给了桂花和自己。

老孙等人冲上来，奋力扑灭了火，翻箱倒柜、破墙挖地搜索，结果既没有发现电台，也没有发现密码本，所有可能成为证据或有用的东西，都化为一堆灰烬，神气活现地（冒着丝丝热气）躺在烧焦的楼板上，对所有来看它的人发出阵阵嘲笑声。

杜先生从电话上得知消息，大怒至极，可又实在不想开口骂人，什么话都没说，愤愤地压掉了电话，对身边的秘书发牢骚："连个活口都抓不着，饭桶！一群饭桶！"

跟秘书发牢骚挺没趣的，反而暴露了内心的无助。杜先生气哼哼地去院子里踱步，散心，泄气。中午吃饭前，他有了主意，回来对秘书发号施令："立刻通知新闻办，就鬼子炸我被服厂这个事马上组织一篇特稿，明天让我们所有报纸都在头版登出来。”

第二天，一篇题为《美外交官勾结日军，我军工厂连夜遭袭》的文章就在当地所有大报小报上隆重刊登出来，大胆而又辛辣地揭露了事实真相：

> 兹我军管某科研基地夜遭敌机偷袭，夷为平地，百余人葬身火海。发生这一特大惨剧，事因美利坚驻华使馆内出奸贼，无耻为日本军方当走狗所致。
>
> 据悉，美利坚大使馆工作人员XX，利用职务之便，探得我军管某科研基地的地址。在亲自前往查看、确认无误之后，XX将此地址向日本军方透露。该科研基地系我军远程武器研究中心所在，历来为日本军方所忌惮。得到XX提供之地址，日军如获至宝，立刻组织了这场轰炸，导致该科研基地在无任何防备之情况下，遭到毁灭性的破坏。工作人员以及他们的家属全部127人无一幸免于难，我军的远程武器科研工作也因此遭到了前所未有的重大打击。
>
> 日本为我敌国，其野蛮凶残无耻世人皆知，做出此等禽兽行径并不奇怪。奇怪的是美利坚国系我国盟友，本应与我国政府、军队、人民同心同德，并肩抗击日寇的侵略暴行。孰料大使馆内竟会隐藏有XX这样的无耻败类，不但置两国盟约于不顾，更做起了日本人的走狗，帮助日鬼破坏我核心机构，杀戮我抗战精英和无辜同胞，是可忍孰不可忍。当然，我们坚信XX的作为只是他的个人行为，于情于理，美利坚国都不可能允许自己的使馆工作人员为日本国效力。故，我等切望美利坚国驻华大使詹森先生能够珍视两国友谊，站在公平、公正的立场，依法对XX进行处理，还死者一个公道，给生者一份信念……

消息一下传遍山城的大街小巷，民怨沸腾，骂斥之声直指美驻华使馆。有个老人气得不行，又无处发泄心中的愤怒与怨恨，竟从自家茅厕里掏了大粪，挑到美国大使馆去，将那臭气熏天的屎尿倒在门前。有几个放学回家的小学生，还潜到美使馆后面的梧桐林里去，用弹弓瞄准玻璃窗，一齐朝它发射小石子，打碎窗玻璃数块。

事实上，这也是杜先生差人安排的。

杜先生的用心似乎未能瞒得住陆所长，后者看到报纸后，像迷航已久的水手突然看到了一线陆岸，兴奋地拍着桌子对老孙感叹道：“妙，妙！真不愧是杜先生，居然在仓促之间想出这么一手反客为主的高招，我想现在美国大使馆里一定闹翻天了！”

老孙却担忧地说：“你怎么还高兴？美国人在中国这么多年，什么时候受过这种气？他们肯定要对我们兴师问罪，这样要赶走萨根岂不是难上加难了？”

陆所长训斥老孙目光短浅，“你呀，怎么就这么笨，难怪老是把我们的事办砸！我们现在急需大使馆的官员跟我们坐到一张桌子上来论理，问题是他们凭什么要这么做？他们一无义务，二无责任，不可能听凭我们摆布。换言之，我们已经到了有力气没法使的时候，龙游浅水，虎落平阳，非常之境地必须采用非常之手段，否则就是坐以待毙。杜先生这么做等于是把包袱扔给了他们，他们无论接与不接，都会前来兴师问罪，来了，我们就有了对话的机会。”

“问题是我们还没有拿到萨根是间谍的证据。”

“是啊，这只老狐狸。”陆所长说，“不过我想杜先生一定自有主意，否则他不会贸然去捅这个马蜂窝的，他既然敢捅就一定有他的后续手段，断然不会被马蜂蜇到。”虽然不知道杜先生有什么主意，但自己倒是有了一个主意，“既然杜先生已经主动出击，我们也该有所行动。”

“怎么行动？”老孙问。

惠子到底是不是萨根的同伙，陆所长一直在犹疑中，他希望她是，所以格外担心她不是。到底是不是？机会来了！陆所长有些得意地说：“你快去买一份报纸给陈家鸿送去，让他下班就带回家，把消息捅给惠子，就说报上所说的美国大使馆的奸贼实为萨根，看她是个怎么样的反应。”

陈家鸿带着报纸回家的时候，家燕已从街上买了报纸回来，他父母、惠子和家燕都已经看过消息，正在数落鬼子的残暴和那个未名的美国人的不义。家鸿觉得这正好，热烈地加入到议论中，情绪激动，心有另谋。说着说着，家鸿把矛头直指惠子。

家鸿说：“惠子，有句话，我不知道该不该说。”

家鸿很少对惠子说话，惠子有点受宠若惊的意思，赶紧正襟危坐，恭恭敬敬地道：“大哥，有什么话请你尽管说吧。”

家鸿说：“我听人说，报上讲的美国使馆的那个内奸，就是你的那个萨根叔叔。”

一石激起千层浪，一家人都惊而震之。惠子更是惊愕得脑充血，一时意识混乱，竟用日语喃喃自语道：“萨根叔叔，怎么会是他，怎么会是他……”说得一家人呆若木鸡，面面相觑。

家鸿厌恶地看着她，情绪失控，训斥她：“闭上你的嘴，我们听不懂，也不想听。但你要听着，我的话还没说完呢。”

“家鸿，你怎么这样说话？”母亲出来干预。

“上楼去，别给我没事找事。”父亲也发话了。

家鸿原地不动，他有任务在身，不会轻易收场的。他叫父母别管，继续对惠子说：“我还听说，那天你还陪你的萨根叔叔去视察过那个地方，你不觉得这事也跟你有关吗？”

“什么地方？”惠子很茫然。

“难道你还陪他去过很多地方？”家鸿冷笑道。

“我只陪他去过一个地方。”惠子这才有点反应过来，怯怯地说。家鸿问她是哪里，她说了。家鸿一针见血地指出：敌人轰炸的就是那个地方！

“不可能。”这下惠子急了，毫不客气地反驳他。怎么可能呢？如果真要是这样，家鹄不是出事了？想到这儿，惠子变得底气十足，坚决地说：“大哥，我不相信，这绝对不可能！”

之前家鸿早已经跟老孙合计过的，目的就是要把惠子引去现场看，话赶到这儿，他似乎已经很好说了，“不信你可以去看，反正你认识那个地方。可我担心你可能认不出那地方了，因为已经被夷为平地、化作焦土了。不过你放心，报纸上有地址，我找得到，我可以陪你去。”

计划最后有点变动，因为家燕和他们父母亲执意要一同去看，家鸿怎么阻挠都不行，只好都去了。一去，麻烦大了，老父亲和惠子各自认出这地方：父亲认的是石永伟的被服厂（他来过），惠子认的是家鹄的工作单位（也来过）。当他们俩望着眼前这片被炸成焦土的废墟和废墟上遍布的斑斑血迹，心都被掏空了，老人家为石永伟及家人的生死着急，惠子为家鹄的安全担心，两人的情绪都非常激烈。尤其是惠子，像中了邪似的，一个人哭哭啼啼地沿着围墙去找陈家鹄的假宿舍。当发现陈家鹄的宿舍楼已经坍塌成一堆废瓦烂砾，家鹄的衣服、用具，她的相框、信等等，有的夹在瓦砾间，有的在随风飘……所有一切，在惠子看来都像是看见了家鹄的尸首一样，她疯狂地扑倒在废墟上，疯狂地呼喊，疯狂地搬挖破砖烂瓦，直到昏迷过去。

老孙和所长都在现场，他们远远地躲在车上，用望远镜在观察惠子，看她的反应。没想到，她的反应会如此激烈、疯狂、拼命。他们从望远镜里看到全家人都为惠子的昏厥急得团团转，没办法——总不能见死不救吧——只好把车开过去，做了个好人，把惠子送去医院抢救。

这下可好了，黏住了——陈家人正要找他们问事呢，他们居然主动撞上来。废墟上四处是家鹄的“遗物”，说清楚，是怎么回事。惠子很快苏醒过来，把来龙去脉一讲，一家人更是坚信家鹄出了事，都围着老孙和陆所长不放，一定要他们说清楚陈家鹄到底怎么了。

“没事，没事，陈家鹄什么事都没有，他好好的，一根头发都没少，你们放心……”两人好话说尽，又是安慰，又是保证，却非但没有起到安抚作用，反而激怒了老父亲。老父亲像老狮子一样发威了，冲上前一把抓住陆所长的衣襟，一下把他推到悬崖边：“听着，你算是听过我课、喊过我一声老师的，请你给我一个面子，我要见人，马上带我去见家鹄，否则别怪老夫不给你面子！”

事已至此，陆所长知道只有一个办法才能安抚惊慌悲痛的一家人，那就是让他们在电话上跟陈家鹄相见。于是，陆所长将他们一家子带到渝字楼去，给陈家鹄拨通了电话。

在电话里听到陈家鹄响亮而又欢快的声音，一家人悬着的心才落了地，你一言，我一语，纷纷露出笑脸，喜乐起来。惠子是重头戏，压轴的，最后才轮到她上场。话筒送到惠子手里，掉了，因为她的手抖得厉害，筛糠似的，拿不住。又递给她，又丢了，最后不得不用两只手紧紧地捧着才解决问题，那样子看上去有点滑稽，但你绝不会笑，而是想哭。

“家鹄，是你吗……家鹄家鹄，真的是你吗？呜呜呜，家鹄，我没有做梦吧家鹄……呜呜呜，我好……我很好……呜呜呜，我真的很好……呜呜呜，我没有哭，我是高兴，我太激动了家鹄……呜呜呜，家鹄，我好想你啊……呜呜呜，家鹄，我好想你呀……”

那一声声真切的哭诉和呼唤，把全场的人都感染得泪水盈眶。

一向以铁石心肠自诩的陆所长也觉得看不下去，干脆把脸转向一边，假装去看窗外的风景。窗外哪儿有什么风景？即使有风景也看不见，这些天来他只要一定神，目光就会涣散，被服厂劫后地狱般的画面就会自动浮现在他眼前：焦土碎石，断壁残垣，鲜血横流，死尸遍野，一派狼藉……这差不多也正是陆所长此刻的心情：惠子这道必须迈过去的坎，只怕比想象中的更加难迈了。

虚惊一场的不止是陈家，就连重庆八路军办事处的人也着实受了惊吓。

以前叫八路军重庆通讯处，现在虽然没有正式命名挂牌，但实际上大家都已经这么认为了。随着武汉沦陷在即，武汉八路军办事处的人相继转移到重庆，包括山头首长。山头首长在党内是知名人士，天上星在他面前是个学生辈，所以他来了后，虽然中央尚未明文下令成立重庆八路军办事处，但天上星包括其属下的组织都已经自动听候他的吩咐，大家开口闭口、当面背后都称他为首长，无条件接受他的领导。

今天上午八点多钟，天上星偶然看到报纸上的消息，觉得说的好像是黑室的事，不由一惊，连忙向山头首长去做汇报。这是件大事，事关黑室和陈家鹄的存亡。可山头听了不急不躁，只是很随意地看了一遍报道，然后淡淡地说："我已经知道了，正要找你商量呢。"

天上星很奇怪，晃着报纸说："报纸刚来的呀，你怎么知道的？"

山头笑道："你的消息不灵通嘛，刚才已经有一个人给我打来电话，说的就是这件事。"

能跟他直接通话的人没几个，加之是能提前获知这种高层内幕消息的人，天上星马上想到是大首长。大首长这几天正好在重庆，准备过两天去延安，杜先生假惺惺地视他为上宾，安排他住在曾家岩。

"大首长给你来电话了？"

"嗯。"山头笑笑，他是个和蔼的老人，"你这个人消息不灵，但头脑还是蛮灵光的。"

"大首长怎么说？"

"大首长要我们赶紧调查清楚，敌机偷袭的是不是黑室。"

天上星有些不解地望着首长，"难道大首长怀疑不是黑室吗？"

山头说："嗯，大首长认为是黑室的可能性很小，我也这么觉得。你想，如果真是黑室被炸了，杜先生想瞒都还来不及呢，现在反对他的势力有增不减，他在报上大声嚷嚷，不就成了授人以柄、自找麻烦了吗？"

天上星心想确实也是，便松了口气，"那我们现在该怎么做？"

山头想了想，吩咐道："你立刻去打电话，把李政和老钱叫来，我们一起吃个午饭，碰个头，将各方面的情况都汇合一下，研究一下，看一看，究竟是发生了什么事。"

午饭前，李政和老钱都赶了过来，可大家把各自掌握的情况汇拢后，依旧还是云遮雾罩的，不明就里。特别是李政，他早上看到报纸上的地址后，知道那是石永伟的厂区，连忙赶去现场看，得知石永伟一家人均已牺牲，悲痛万分，这会儿脸上还重叠着悲伤的阴影。他看看山头，沉痛地说："首长，说真的，我都被搞糊涂了，到底是怎么回事呀，敌人怎么会去炸那儿呢？那儿肯定不是黑室。"

山头点点头，问："那你知道黑室在哪里吗？"李政说不知道，他又问天上星和老钱，两人也都说不知道。"但是你们都知道陈家鹄在黑室，这说明我们的工作出了问题，"山头看看大家说，"我们把陈家鹄放手后没有牵住他那根线，让他飞走了，无影无踪，因为我们都不知道黑室在哪里啊。"

"是的，首长，"天上星说，"这是我的责任。我想着他刚进黑室，一时不会有什么变化，没有及时地去联络他。"

山头对他摆摆手，说："现在我们不是在找谁的责任，而是要找黑室，找陈家鹄。"说着打开抽屉，打开一个讲义夹给大家看，"你们看，大首长给我们转来了这么多电报，都是八路军在前线截获的，如果能及时破译出来，对我们打击日寇帮助一定会很大啊。"

李政叹着气说："唉，如果当初能够把陈家鹄留在我身边就好了，我随时可以喊他帮我们干这活儿。"

天上星看看首长，诚恳地说："放他去黑室是我决定的，当时主要是为他的安全着想。"

山头笑道："不是说了嘛，我们不找责任，你不要觉悟太高。当时的情况我是了解的，要是我也会这么处理，安全第一嘛，留得青山在，不怕没柴烧。如果陈家鹄那时被鬼子暗杀了，你才要承担责任，现在你没责任。"回头拍拍李政的肩膀说，"李政同志，我知道你和陈家鹄是同年月同一天在同一条街上出生的，你们的关系非同寻常，你的工作热情也很高，我觉得下一步寻找陈家鹄的责任你应该多担当一些，有问题吗？"

"没问题。"李政胸一挺，果断地说。

"所以我不着急，有你在，我心里就有底。"山头又拍拍李政的大腿，"我相信即使他现在不在你身边工作，你照样能发挥独一无二的作用。"

李政说："请首长放心，我一定全力以赴，争取尽快完成首长的任务。"

山头说："好，我等着你的好消息。"掉头问天上星，"你看，你还有什么好的建议？我认为下一步你们小组的工作可以把这个作为重点，大首长确实很关心陈家鹄的情况啊，希望我们能够尽快找到他，因为我们需要他的帮助。”

天上星沉思片刻，清了清嗓子说：“有件事我一直没向首长汇报，也没跟同志们讲起过，现在看来是到该讲的时候了。其实我在陈家鹄进黑室前已经安插了我们一个同志进去，我当初为什么同意放陈家鹄去黑室，一则是情形所迫，胳膊拧不过大腿，二则也是因为里面有我们的同志，可以随时启用他，做陈家鹄的工作。”

李政乐了，喜滋滋地笑道：“我早就有这种预感，你在里面安了人。”

天上星接着说：“这位同志只跟我单线联系，他也是刚被安排进黑室的，在他进黑室之前我们见过一面，我专门向他提到陈家鹄有可能要去黑室，希望他尽最大可能去接近他，发展他，对他开展工作。但是这么长时间了，他跟陈家鹄一样消失了，从没有出来跟我联系过。我不知道发生了什么事，所以现在我们必须尽快找到黑室，找到地方了，就可以争取跟他们取得联系，下一步的工作才能顺利开展。”

李政说：“我们单位的赵子刚被退回来了，这是一个突破口。”

天上星听了很是兴奋，“是吗？你怎么不早说呢，你早该去找他了解一下情况啊。”

其实李政早找过他，只是赵子刚才吃过亏——吃了一堑，长了一智，对有关黑室的情况很警惕，很谨慎，旁敲侧击根本不管用。李政意识到他是有意在防范自己，也是很谨慎，没有去深挖。关键是没有正当的理由不便去深挖，挖了容易挖出赵子刚的疑心，给自己惹来不必要的麻烦。但转眼间情况突变，现在李政觉得已经拥有一个“光明正大的理由”，便决定铤而走险一次。

当天下午，就在陈家一家人在渝字楼跟陈家鹄电话上相见的同一时间，李政把赵子刚叫到办公室里，开始对他进行“深挖”。两人相对而坐，先聊了一阵单位里的事，当开场白过渡。过了渡，李政煞有介事地拿出那张报纸，问赵子刚：“这报纸你看了吧？”

“看了。”只扫了一眼，赵子刚说。

“你知道这是什么单位吗？”李政问。

“不知道。”赵子刚说，“报上说它是科研重地，具体什么单位没说。”

李政笑道："现在的报纸啊，真是欲加之罪何患无辞，胡乱安一个耸人听闻的名头就跟家常便饭一样容易。什么远程武器科研重地，吓唬人的。我太了解那个单位了，一个军用被服厂而已。"

"是吗？"赵子刚来了兴趣，"想吓唬谁呢？"

李政摇头叹气，面色沉痛地说："吓的人多呢，包括我，都被它搞得烦死人了。"怎么回事？李政开始言归正传，"你不知道，敌人炸的这个军用被服厂，厂长就是陈家鹄在日本留学时的同学，双方父母亲的关系都很好的。可现在，那厂长一家人都死了，陈家鹄的父母到处找他，想让他回来跟老同学一家人的遗体告个别。任务交给我——找陈家鹄的任务，可我找了一大圈都没人知道他在哪里，他好像去了天上，找不到了。后来一想，操，知道他的人其实就近在眼前，我还舍近求远去瞎找，真见鬼了。"

"谁知道他？"赵子刚小心地问。他已经有预感，明知故问。

"你啊，"李政脱口而出，"难道你不知道？"

"我……"赵子刚支吾道，"我……我想……他不可能出来的。"

"关键是在哪里，知道了地方才能说下一步的话，什么事情都是可以争取的嘛。"

"嗯……"赵子刚在犹疑中变得坚定，"很抱歉，我不知道他在哪里。"

"你也不知道？"李政有意大声惊叫道，"怪了，你们不是同窗过嘛。"顿了顿，笑道，"真人面前别说假话，再怎么说我是送你过去又是接你回来的人，陈家鹄呢也是我的老同学、老朋友，有些事想瞒我是瞒不了的。"

"陈家鹄跟你联系过吗？"

"当然。"

"那他怎么没告诉你地方？"

"操，就是这么怪，那天我该说该问的都说了、问了，偏偏忘了问这事，他也忘了说了。"

"他不可能跟你说的。"

"为什么？"

"那是保密的。"

"你说不知道也是因为保密？"

"这是规定，不能说的。"

李政突然爽朗地大笑道："当然你不能跟大街上的人去说，可我是大街上的人吗？"言下之意很明白：我是党国的人，又是你的顶头上司，你有什么不能说的？

赵子刚当然明白他的意思，所以显得很为难又很无助，支支吾吾了半天，最后还是拜倒在“血的教训”面前，守住了秘密。但他也不想开罪人力处长，所以为自己的保密编了一个挺像回事的说法：“过了江，在南岸上了车后，他们把我们的眼睛全蒙了，去的时候是这样，回来时还是这样。所以，具体在哪里我真的不知道，只是凭感觉应该在山上，车子颠颠簸簸地开了好一会儿才到。”

李政想，大致方向有了，可以去找找看。自然，如果再追问一个他说的“好一会儿”是有多长时间，以后找起来肯定要更容易。但李政当时有点心虚了，怕再这么问下去让他多疑，弄巧成拙，又想也许这样就可以找得到，顶多是多花点时间而已。总之，李政没有追问下去，他想以“多花点时间”来避免可能有的“弄巧成拙”，结果错失了一个难得的见到陈家鹄的机会。

真正是一个难得又难得的机会啊，李政为此悔恨不已。

这是后话。

第十四章 风语

美国驻华大使馆位于使馆区临江北路一号（现渝中区健康路一号），其建筑坐西向东，临江，砖木结构，两层楼，通高十米，面阔三十二米多，进深十二米多，有房屋二十八间，外墙红砖勾白缝，拱形门柱，带回廊，风格典雅，仿巴洛克。毗邻的是美国新闻处，同是西式砖木结构，一楼一底，通高八米，面阔二十六米，进深七米多，共有房间十五间。

这一天上午的早些时候，一辆黑色的高级轿车缓缓停在美国大使馆楼下，车上下来两个人，明显的是一主一从：杜先生和他的秘书。杜先生推开秘书过分贴身的跟随，抬头望了望插在楼顶、在风中飘扬的星条旗，便踏着台阶一步一步往上走。

巴山夜雨涨秋池，昨晚又下了一阵雨，把台阶冲洗得干干净净，像新砌似的。雨后清新的阳光洒满街道，洒满青葱的梧桐树林，将整个美国大使馆都托浮在一片绿云之上，托浮在灿烂的阳光中，显得极是卓尔不群，扎眼刺目。作为国民政府的先遣官员，杜先生刚到重庆时，一眼相中这座具有欧洲艺术情调的建筑，把它巧妙地转为公产，纳在自己名下。他曾计划要将它划给国民政府下面的一个艺术委员会做陈列馆用。可美国大使馆西迁到重庆后也看中了这座建筑，竟不由分说地通过上层关系把它从杜先生手里强买了过去。买就买了，没什么的，问题是大使阁下仗势欺人，自始至终没有和杜先生见上一面，这就有点小瞧人了。

为此，杜先生对大使詹森先生一直耿耿于怀，没有必要的外交事务，他是绝不到使馆来的。有时坐车路过这里，他也要别开脸去，尽量不去看它。

今天之行，杜先生是在期待中的。自组织刊发了那篇报道后，杜先生就开始等待美国大使馆找他问罪。他已从陆所长给他的分析报告中确信，萨根不仅是日本间谍，还可能在使馆内窝藏有秘密电台。杜先生就是要趁此机会，向美方提出抗议，让萨根滚蛋。

会见是在二楼的接待室里进行的。由于大使詹森不在重庆，接待杜先生的是萨根的顶头上司密特先生，他是美国大使馆的政务参赞，大使不在，由他临时代管使馆事务。密特先生身材高大，作风干练，西装革履的，很有几分绅士风度，也很有美国人那种大模大样的派头。他匆匆走进接待室，见到杜先生，立即停住脚步，脸上交织着怒气和倨傲，昂然站在屋子中央，仿佛在等待杜先生惊慌失措地道歉。但出乎他意料的是，杜先生只是彬彬有礼地除去手上的白手套，镇定自若地走上前，抚胸微微一躬，说："尊敬的密特先生，我是杜德致，很荣幸能在这里与您相见，我谨代表……"

密特先生挺着胸脯，傲慢地打断了他的话，要他闲话少说，拍着茶几上的报纸，直奔主题，"听说这是您签发的稿子？"杜先生点头称是。密特先生冷冷地看着杜先生，"光敢做敢当不够，我要您给我一个明确而又可以让我接受的理由——您凭什么要伤害我个人和美国政府！"

杜先生微微一笑，说："先生阁下，准确地说，是您的人在伤害我和我的政府。虽然您这儿秋毫无损，但是三天前的夜里，就在这儿向西六公里之外，炸弹丢了一地，大火烧了一夜，死者亲人的哭声震天动地……"

"这跟我美国政府有什么关系！"密特先生又一次打断杜先生的话，那种所谓的绅士风度荡然无存，有的只是美国人惯有的霸道和傲慢。

"有关系，"杜先生不卑不亢地说，"正如报上所言，这一切都是由您的一个部下一手策划并指挥的。"

密特先生略略一怔，但倨傲的神情丝毫不减不损，目光依然咄咄逼人，瞪着杜先生，"谁？今天我把您请来就是要讨一个说法，这个日本间谍是谁？有名有姓地报来。恕我直言，如果你说不出个所以然，对不起，我将以我们国家的名义向贵国政府状告你！"废话，要说不出个所以然我怎么敢摸你的老虎屁股？杜先生浅浅笑着，庄重地说道："好的。但是，如果我告诉您这个人，我也将以我们国家的名义要求您将此人驱逐出境，永远不要再踏入我国领地！"

"不但要有其人，还要有其证据。"密特先生提高声音说。

"只要阁下站在公正、公信、公开的立场上，我相信什么都会有。"

"说，是谁？"

"您的下属，萨根先生。"

密特先生怔住了，但依然挺着胸脯说："对不起，空口无凭，我要证据。"

杜先生便将早已准备好的文字资料和几张萨根从事间谍活动的照片，交给密特先生。照片清晰地记录了萨根派汪女郎打探地址，去被服厂察看虚实，去粮店与少老大接头等情况，可谓人证物证俱全。文字资料有两份：一份是详细地讲述了他勾结日本间谍惠子，不择手段地组织谋害了一名从美国留学回来的中国数学家陈家鹄——这次轰炸的本意是要杀害他，并罗列了这次轰炸的伤亡情况；另一份则显示了萨根在日本多年的生活轨迹，他与日本军方的暧昧关系——他的日本老师是个狂热的军国主义分子，其儿子还是日本军方的一个情报官，惠子是他们派出的间谍。云云。

"除此之外，"杜先生口头补充道，"我们还接到过几个匿名电话，说贵国使馆内暗藏有日本国间谍，一直在配合日本军方试图捣毁我黑室，暗杀我著名数学家陈家鹄等人。"

"哼，"密特先生冷笑道，"匿名电话？难道你宁愿相信一个匿名电话，而不相信我们两国政府缔交多年的友谊？"

杜先生回敬道："我今天专此来与阁下会晤，并直言不讳，正是我相信并珍爱两国政府的友谊友情的证据，要不我就下令抓人了。"

"你敢！"密特先生觉得杜先生的话好像一把利器，刺在了自己不可一世的自尊心上，情绪突然失控，咆哮起来。

"明的不敢，暗的有何不敢？"杜先生冷冷地笑，笑里藏刀，刀锋上闪耀着一种无法无天的流氓劲，"要知道，这是战争时期，重庆的天空上时常盘旋着罪恶的敌机，生命就像是您身边的青花瓷器，不管它是否价值连城，都实在是太渺小太易碎了。"

"你是在威胁我！"

"不，我这是在晓之以理，希望阁下能明察秋毫，弘扬正义，对萨根这种国际败类做出应有的处理。"杜先生至诚至真地说，"倘若参赞先生对此事置若罔闻，任由萨根在我领土上继续胡作非为，我国政府将保留外交交涉的权力，哪怕将事情扩大化，也要捍卫我抗战之利益与国家之尊严。"

密特先生眉毛一挑，看样子上了火要发作，杜先生哪里会给他这个机会，前面的话音未落，后面的话接踵而至，声音又快又大，"当然，这样的假设我们不希望发生，也相信不会发生。不过是表明我们政府的立场与态度罢了。如有得罪，还请密特先生和美利坚国人民海涵。"

密特先生耸耸肩，火是没有了，话也变软了，且带着笑意，但满脸不屑讥讽的神情，分明是剥掉了笑容中仅有的友善的成分，变成赤裸裸的讥笑和嘲笑。“尊敬的杜先生啊，很抱歉，你不觉得就凭这点真假难辨的东西让我来结束一个人的职业和荣誉太牵强了吗？”

“如果先生愿意赋予我特权，我可以搜集到更多更直接的证据。”杜先生说。

“你要什么权力？”

“允许我搜查萨根的私人住所。”

“荒唐！你以为这是你家开的饭店吗？”密特先生恼怒地说。

“当然不是。”杜先生笑道，“我知道，当我踏入这个院门，无异于踏入美国本土。所以，没有阁下的特许，您就是借我十个胆我也不敢多迈出半步。”既要示强，又要示弱，这才是上兵伐谋。

密特先生哼了一声，“你知道就好。你还应该知道的是你的要求很荒唐，你就是掏出枪逼着我，我也不会给你这个特权的。”杜先生听了不禁哈哈大笑，“阁下作贱我真有一套，倘若我杜某今天身上还揣着枪，那只能说明我无能啊，身边连个玩枪的人都没有。放心，阁下，我身上没有枪，但我身边不缺玩枪的人，多的是。”窗外阳光如炽，密特先生走到窗前，用宽大的背脊对他说：“当你炫耀你的枪时，最好不要忘记看看这些枪的产地，也许上面刻着‘USA’。”

杜先生特意转过身去，用背脊对着他的背脊说：“也许吧，所以我乐意退而求其次，希望密特先生以维护两国人民的利益为重，以澄清事实、是非为由，对萨根的住所进行搜查。据我的部下汇报，他身边密藏有一台秘密电台，专门与日军特务头子联络。”

密特先生转过身来，走到杜先生跟前，略带鄙夷地笑了笑，说：“搜查？杜先生，您以为我们美国公民的权益就像你们中国公民，是可以任意践踏的？对不起，我没有这个权力。”

杜先生严肃地说：“你个人没有这个权力，但你代表的是美国政府，我现在代表的是中国政府。难道我们两国政府之间的友谊还及不上一个嫌疑人所谓的权利？”

密特先生不以为然，提高声音说：“可他代表的是美国公民，在没有任何证据可以起诉他的情况下，他的一切私人财产——当然也包括他在使馆的房间，一律都受到神圣而伟大的美国法律的保护，任何人都不能以任何理由对它进行侵犯。”

杜先生不觉摇了摇头，叹息说：“这也就是说，我刚才所言的一切，对阁下来说不过是戏言，甚至比街头流言还不值得尊重？”

密特先生耸耸肩，“你怎么理解是你的事，跟我无关。”

杜先生狠狠地盯着密特先生的双眼，脸上的表情突然变得非常严厉，他掷地有声地说：“中国有两句老话，一句叫纸包不住火，另一句叫门旮旯里拉屎——总是要天亮的，说的都是一个道理，那就是事情总有真相大白的一天。到了那一天，事实证明萨根就是一只藏匿在阁下身边的大鼹鼠，对不起，我将以中国政府的名义对贵国政府和新闻界公开我们今天的谈话内容，到时就请先生不要怪罪我杜某人做事不讲人情，对先生不够尊重。而且我相信，这一天不会太远的。”

说罢，杜先生起身告辞，脚步声有力、铿锵、快速。

密特先生想发作，却发现他转眼已出了门，气愤难忍之下，禁不住用英语冲着大门骂了一句脏话。

密特先生气咻咻地回到自己的办公室，一屁股坐在了椅子上。他的目光从墙上崭新的美国星条旗移到了办公桌上。桌上摆着两样东西，一是他和可爱夫人的合影，另一个便是他任职以来得到的最为珍贵的东西——美国政府颁发给他的金质荣誉勋章。这是密特先生一生都引以为傲的两项光荣，是他生命的光荣象征和意义。他夫人是他的大学同学，导师的女儿，举校闻名的校花，且祖上是纯正的英格兰移民，具有与英国皇室沾亲带故的贵族血统，在学校里可说是人见人夸，人见人爱，美丽得像孔雀，骄傲得像公主。而他，不过是新泽西州一个小小的牧场主的儿子，母亲还有八分之一的印第安人血统，照重庆话说，他就是一个从穷乡僻壤里走出来的农民娃娃，甚至连农民娃娃都不是，只是个惨兮兮的放牛娃而已。所以，挽着如此美貌高贵的妻子，走进教堂去成婚的这一天，成了密特先生记忆库里最大的亮点，随时随地都会油然想起。此刻他又仿佛看见那一天的他，英伟得像个自己的陌生人似的，昂首挺胸，高视阔步，红润的脸上放射出奇异的亮光，燕尾服的领子，和他的脖子一样地硬直。密特先生一直将这一天、将他的妻子视为他生命的荣耀，人生的骄傲。而那枚金质荣誉勋章就更不用说了，一个既没拿过枪又没打过炮的外交官，能获得国家颁发的如此殊荣，本身就是对他人格、人品和工作业绩的最大肯定和褒扬。

密特先生坐在办公桌前，久久地凝视着这两样东西，心潮起伏，神思飞扬，仿佛回到了他强大的祖国，回到了辽阔的新泽西州，回到了他美丽高贵的夫人身边。他知道，自己很希望夫人在身边，尤其是这种时候，他很愿意听取夫人的意见，但是这鬼地方整天是生死考验，他不敢。为了夫人的安全，他宁愿让自己经受相思和孤独的折磨。他承认，自己脾气越来越差，经常露出一个乡下小子粗暴的德行，好冲动，瞧不起人，嘴里带脏字。他不敢想象，如果刚才夫人在场，看见他对杜先生的那个样子，她不知会有多难过。在他记忆中，夫人熟睡时都是面带微笑的。想到这里，他脸上挤出一丝笑容，站起身来，走到隔壁助手的办公室，吩咐他去把萨根叫来。

助手应声而去，可走到门口，又被密特先生叫了回来，后者低声在他耳边交代了几句。目送秘书走远，消失在楼梯口后，密特先生默默地回到办公室，拉开抽屉，拿出杜先生递交的两份报告和登着相关报道的报纸，都放在办公桌上，然后走到窗前，面朝窗外，站着。灿烂的阳光破窗而入，照在密特先生那美国味十足的脸上，但却驱不散他眉宇间隐含的忧悒与愤怒。

不久，萨根蹑手蹑脚地走进来。

其实，杜先生的到来和离去，以及他们停在使馆外面挂着中方军用牌照的轿车，都被他看在眼里，想在心里，一种不安已潜伏于心。此时杜先生刚走，密特先生便叫他上去，更是让他觉得情况不妙。可萨根毕竟是只老狐狸，尽管他进屋后有些忐忑和拘谨，但很快就镇定下来，以他们美国人特有的幽默，朝着密特先生朗声笑道：

“请问参赞阁下，叫我来有何吩咐？”

密特先生蓦地回头，尽量掩饰住内心的厌烦，虚张声势地笑道：“没什么特别的事，找你来就是想跟你说说天气的情况，今天的天气我看真糟糕。”萨根不知道密特先生的葫芦里卖的是什么药，他知道今天天气很好，但依然走到窗前，立在阳光下，假意地抚摸了一下阳光，圆滑地点了点头，说：“阁下的意思是太阳太大了？”

密特先生走回到办公桌前，一边不痛不痒地说：“你该明白，我说的是我的心情，我内心的天气，乌云满天飞啊。”说得萨根心里也是乌云压顶。密特看看萨根接着说：“就是说，天上没有乌云，乌云在我心里，在我身边。”

“头儿，”萨根凑上前问，“到底出什么事了？”

“有人在为日本人做混账事，当间谍。”

“谁？”

“我听到的说法是你！”

萨根一怔，即刻装出满脸的无辜，无辜又变成生气，生气又变成愤怒，“荒唐！谁说的？这是污蔑！天大的污蔑！”

密特的心情控制得不错，他缓缓拿起桌上的报告和报纸，一边说着一边都递给他：“我也希望这是污蔑，只怕你满足不了我的希望。看看中国政府递交的报告和报纸吧，但愿你不要因为羞愧而脸红。”

萨根接过密特先生递上来的报告和报纸看起来。与此同时，密特先生的助手和使馆助理武官大卫·巴雷特少校已经潜入萨根的房间，在地下室里轻而易举地寻找到了他藏匿的秘密电台。

报告的内容多半已登在报上。报纸，萨根当然是早看过了，但他依然装着没看过，第一次看，认认真真地看着。看得很慢，很仔细。这些情况报纸上都登了几天了，我没看，这说明什么？我跟这事没关，我不关心它。萨根不是个鲁莽的人，他很有心计的。其次，他也在利用这个时间调整心理，盘算对策。调整得很不错，手不抖，心不跳。密特先生一直默默地察看着他的神色，希望能看到一丝异常。但是很遗憾，没有，丝毫没有，他神态十分镇定自如，甚至嘴角泛起一丝嘲讽的笑意，最后竟眉飞色舞地抬起头来，跟他上司像拉家常似的，随随便便地说：

“我还以为发生了什么事，就这事啊。这跟我有什么关系？您说有人控告我在为日本人做事，就是凭这几页纸吗？这太荒唐了。再说，报纸上面没有我的名字啊，只有一个代号叫XX的人。如果他们掌握了确凿证据，为什么不在报纸上公开我的名字，而要用XX来代替？我的上司先生，请允许我表达也许您不喜欢听的观点，我不叫XX，XX是什么意思，是数学方程式吗？其次，据我所知，我们使馆内也并没有一个叫XX的人。在我看来，这篇没有丝毫事实依据的报道实在不值得我们大惊小怪，而这两份报告更是无稽之谈，谁都知道，我萨根痛恨日本政府，我在十五年前断然辞去公职，就是为了抗议日本政府野蛮无耻的行径，他们把我母亲的名誉毁了，这比当众扇我耳光还要令我难受，这里居然还把我说成跟日本政府一直关系暧昧，难道您不觉得可笑吗？这么公然失实地诋毁我，不过是中国人的又一个愚蠢的象征而已。我足可宣称，中国政府这种彻头彻尾可笑可耻的行为，不能证明我什么，只能证明他们自己的愚蠢、野蛮、无耻。”

密特先生有些惊讶地望着他，“可我更愿意相信中国人的一句俗话，无风不起浪。”

萨根坦然地点着头说：“是的，以您的身份而言，谨慎便是美德。但请原谅我直言，即使要循风而动，也应该是实实在在地依法寻取实证，而非听信小人的一面之词。如果就此怀疑我——一个跟随了您多年的属下和朋友，我只能说我感到非常遗憾和难过。”

反守为攻，攻得好漂亮！

密特先生一时找不到合适的措辞，只好顺着他的话说：“放心，我会调查的，我的职责就是保护你和我们使馆的名誉，杜绝发生一些不必要的误会和矛盾。”

这时助手走进来，对萨根礼节性地点头示意后，走到密特先生身边，将嘴巴凑到他耳边悄悄地说了一些什么。萨根不免紧张地注意到，密特先生在不停地点头，脸上的表情竟突然变得诡秘了，怪异了，有震惊，有怨尤，仿佛还有一丝得意和冷笑。总之，是那么五味杂陈着，意味深长着，时不时地冷眼瞟一下萨根，瞟得萨根不自觉地毛骨悚然起来。罢了，密特先生开始表演起来，一边忙忙地收拾起东西，一边对萨根解释道："今天就这样吧，我有事，我们回头再聊。"

"如果需要的话，"萨根笑着说，并没有站起来，"我乐意奉陪。"

"谢谢，我想还是需要的。"密特率先站起身，居高临下地对萨根说，"我刚才说了，我会根据你的要求认真展开调查。我喜欢调查，喜欢用事实来说话，所以我要奉告你，若要人不知，除非己莫为——这是中国的又一句老话。你在中国必须要学习他们的老话，那是他们古人的智慧，学会了可以变成你的武器去战胜他们，现在我觉得你比较被动。当然，你放心，我不会让我的属下成为一个无辜的牺牲品的，不管怎么样，你是做了也好，没做也好，别人是诬陷你也罢，还是揭发你也罢，我一定会找出证据来的。"

萨根看上司滔滔不绝的样子，第一次觉得无话可说。

同样是夜晚，但美国大使馆的夜晚是与众不同的。

由于担心鬼子的飞机再来夜间空袭，许多人家和单位都不敢点灯，整个重庆几乎成了一潭黑灯瞎火的死海。即便是使馆区内，大多数地段和建筑也是黑洞洞的，路灯形同虚设，屋里虽然有照亮，但窗帘总要拉得死死的，百米之外难见光影。唯独美国大使馆，屋里屋外，照明灯盏盏通亮，将那座巴洛克风格的建筑和屋顶之上高高飘扬的星条旗，明目张胆地置于明旺的灯火中，通体一片璀璨。如果你在空中俯瞰，则会轻易发现，美国大使馆、新闻处，包括江南岸的大使馆酒吧、国际总会等屋顶，都铺着一面巨大而鲜艳的星条旗。天黑黑，地黑黑，偌大的城市陷入一片漆黑中，但这几个地方却因为漆黑而变得更加明旺醒目，鲜艳的星条旗像一个喧哗的广场，构成一个色彩斑斓、情绪热烈的世界，使这个城市没有因为漆黑而死亡。

这就是美国人的强悍与牛气（多少也掺杂着一丝宝气）：你日本人敢炸中国的军用设施，敢炸重庆的平民百姓，但你就是不敢炸我美国国旗。凡是有星条旗飘扬和铺张的地方，即便在时时处于日本飞机威胁下的危如累卵的重庆，也是最安全的。这种美国式的强悍与牛气自然也贯注在密特先生心里，他的助手明明已在萨根的密室里搜出了秘密电台，但他就是不想按中国人提出的要求，将萨根驱逐出境，让他滚回美国去。他认为这样做太伤他们美国政府的面子，即使证据确凿，他也不能这样干。他要按他们美国人的方式，处理萨根。

这天晚上吃罢晚饭，密特先生踏着薄暮在院子里小走一会儿：既是在等萨根回去，也是在思考怎么来修理萨根。远处，山岭的背后泛着一片昏红，他知道那是燃烧的晚霞。同时，他又觉得自己心里也升浮起这样一片昏红。大使在昆明,昨天晚上他把萨根的情况用电报向大使做了汇报,今天下午大使给他回电，授予他全权代表大使负责调查和处理。这说明大使暂时回不来，同时也说明大使对他的信任。

他喜欢这种感觉，权柄在手，高高在上，人为鱼肉，我为刀俎。

萨根回来了，他前脚跨进宿舍，密特先生后脚就紧跟了进去。

密特先生用目光巡视一番屋内，发现屏风之后确有助手说的一块木头盖板。他难以想象，这屋子里怎么会有这么一个肮脏的地下室。其实这是房子老主人以前藏酒的地方，萨根是使馆内有名的酒徒，又是使馆西迁的首批先行人员。詹森大使是一九三八年八月率队入驻此地的，包括密特，而萨根作为三名先行者之一，年初就来到重庆，落实使馆西迁的准备工作。他是捷足先登，又有一个对酒之醇香十分敏感的大鼻子，第一次进楼来看房子时就被一缕陈年醇香牵引到了这间屋子。酒徒配酒窖，名正言顺，其他职员还不要呢。就这样，这间屋子理所当然地成了他的宿舍。

密特先生以前虽然来过这里，但不知道这屋子里还有个地下室，今天助手告诉他秘密后，他觉得有点不可思议，所以专程来探视。根据助手的描述，他轻而易举地发现了那个秘密的角落，那块“遮羞布”——盖板，并且不避讳自己的“发现”，目的就是想让萨根觉得心虚。

萨根哪知道有人已经搜查过他房间，他沉浸在自己的盘算中，准备以一只老狐狸的心思和一副老无赖的嘴脸，来应付上司可能有的盘问。他通晓美国的法律，也摸透了上司想做绅士的脾气，心想只要自己死不认账，他一个参赞，又不是什么大使，无予夺生杀之权，能把他怎么样。所以，密特先生进屋后那副装腔作势的样子并没吓倒他，他一直潇洒地昂着头，笑吟吟地迎着密特先生的目光，那意思再明显不过了——哈，上司先生，你有话就直说吧，别在那里装模作样了！

密特先生装作没有看见萨根的表情，环顾了一下室内，叹着气说：“萨根先生，论年龄你是我的兄长，论资历你更是前辈，说实话看在多年同僚的分上，我不想跟你撕破脸皮……”

萨根一点也不买他的账，立刻打断他，“年轻的上司，什么实话假话，如果你还要继续昨天的话题，对不起，我不欢迎你造访我的私人居所。”

密特先生冷笑两声，再次将目光投射到密室的盖板处。萨根似乎铁了心地不怕他，昂着头说：“哪怕是面对总统阁下，我也只有一句话——我没有为日本人做事！”

密特先生摇着头嘲讽道：“我想总统先生恐怕是没兴趣听一个有辱国家荣誉的败类狡辩的。”

萨根勃然大怒，狠瞪着密特先生说：“谁是败类？你就算不信任我，也应该遵循我们伟大而公正的美利坚法律！在我们的法律里，证据才是上帝，你以谗言作证，我想我是无法容忍你一再诬蔑的！”

“诬蔑？”密特先生又是一阵冷笑。

“是的，我的荣誉已经受到你和你所说的荒唐事实的严重侵犯与污蔑！在我没有下定决心告你诽谤之前，请你离开。”

密特先生哈哈大笑，说：“萨根先生，这里不是好莱坞，你就不要再跟我演戏了。你口口声声跟我谈荣誉，哈哈，如果你心里尚有美国的荣誉，就不会勾结日本人！”说着便拉萨根走到屏风后，指着那块盖板，厉声喝道，“我不想与你无谓争执，你要证据是不是？那好，把你的地下室打开吧，我隔着厚厚的地板，已经看到你的罪证，是一个铁家伙，会发出嘀嗒嘀嗒的叫声，是不是？”

仿佛一脚踏入阴曹地府，萨根顿时像被抽干了血的僵尸，脸色突地变得异常苍白，站在那里动弹不得，心里想要说话，但嘴巴又张不开来，像被那块遮羞布封住了。

密特先生看着对方冷笑道：“怎么，不敢打开吗？”萨根期期艾艾地支吾着说：“那……只是储藏间，是我存放美酒的地方……怎么，阁下也好酒吗？”密特先生讥讽道：“难道只有酒吗？”萨根讪笑道：“当然还有空酒瓶和一些杂货废物。”密特先生看他如此镇定，心里固然恼怒，却也暗暗佩服他的心理素质。“难道没有我说的铁家伙吗？打开吧，有与没有，都请让我一睹为快。”密特先生不想跟他啰唆，恨不得上前亲自动手。

萨根终于缓过神来，硬着脖子说：“对不起，这是我的私人领地，我没有义务和兴趣让你一睹为快，除非你拿来搜查证。”

密特先生既厌恶又鄙夷地说：“你说得对，我没有搜查证，不能进去查，但我要告诉你的是，我是看在美利坚合众国的荣誉上，不想逼你太甚，也不想让中国人笑话我们出了一个为日本人效劳的败类！”随后吐纳一口气，将目光像刀子一样地刺向萨根，“我虽无权搜查你的房间，但有权撤你的职！”

萨根大声嚷道：“你以为这是你家开的公司吗，可以任意解聘员工？别忘了，你不是大使阁下，我要把你的所作所为全部报告给大使。”

密特先生哼一声，掏出大使的授权电报给他看，然后指着他鼻尖骂道：“老实跟你说，我知道你这屋里有电台，不缴它不是我缴不了它，而是想给你个机会，但你执迷不悟，把我的好心当做了软弱。现在你有两条路可以走，一，主动把电台交出来；二，我派人来搜缴，如果搜不到我引咎辞职。给你半个小时，你自己选一条路走吧。”说罢掉头欲走。

萨根的防线终于崩溃，连忙上前拦住他，做出一副可怜巴巴的模样，请求密特先生原谅，还说他是被逼的。密特先生对他吼道：“住嘴！你堂堂一个美国外交官员，谁能逼迫得了你？狡辩的鬼话还是留着对应该说的人说吧，既然你承认了，就把电台交出来。”

萨根浑身发颤，仿佛被什么东西刺穿了心脏，眉毛胡子都绞在了一起。他知道，一旦交出电台就铁证如山，他可不想就这样认栽，被使馆扫地出门，像一条丧家狗似的被赶出中国。于是他决定走示弱路线，哭丧着脸，向密特先生哀求，明天再交出电台。

“你还想耍什么鬼名堂？”密特先生盯着他，就像盯着惠斯特牌的对手，满腹狐疑，不知他要打什么牌。

“不，不，”萨根连忙摆手说，“这是为我的安全考虑，今晚电台要联络，约好的，我不能不明不白地消失了，我不干了必须要对他们有个交代，找一个合适的说法，比如离开中国，或者其他……说法。否则，他们会怀疑我的，如果他们知道我的身份已经暴露，一定会把我干掉。”

哼哼，密特先生冷笑道：“现在你知道怕了？迟了，用中国人的话说，你是门旮旯里的屎，我们这里不是垃圾场，不需要你这样的角色。刚才你也已经看了大使的电报，大使明确表示，只要证据确凿，就革职走人。为了你的安全，我同意你明天再交出电台，也就是说，我允许你晚上再使用一次电台。但是有一点你必须清楚，你已被革职，从现在起你已不再是我使馆官员，你的行为与我使馆没有任何关系，我给你三天时间，收拾东西走人！”

说罢，密特先生丢下呆若木鸡的萨根，转身离去。

萨根像遭到致命打击似的瘫坐在椅子里，脸色苍白，浑身冷汗倒流。他知道如果不能对上司采取有效的反击行动，他将什么特权都没有了，这样的话他就同重庆街头的地痞混混或浪迹于市井陋巷的下贱妓女没多大的区别，别说黑室的人可以随时抓他，甚至只要稍有点权势的人都可以随便地鄙屑他，欺负他。不用说，现在他很明白，上司已经派人来搜查过他的房间。

铁家伙，铁家伙……在幻听幻觉的电波声中，萨根心头之恨像融化的雪水一样聚拢，他恨密特，也恨自己，小看了这个装模作样的乡下小子。他真没想到这小子这次出手会这么狠！这么卑鄙！这么无耻！三个感叹号像三记耳光扇得他火冒三丈，眼冒金星。他霍地站起来，紧咬着牙关，愤怒和恐惧像两道火焰，轮流烧灼着他，炙烤着他，令他浑身发热、颤抖，双眼血红，双拳紧握，像一只被逼急了要跳墙的疯狗。

墙是跳不了的，他只好在屋子里团团乱转，恨不得逮着一个什么东西，狠狠地咬上一口，扒它的皮，撕它的肉，狠狠发泄一通。

可是片刻间，他又清醒过来，要求自己冷静下来。他想，密特固然可恨，但现在自己还没条件恨他，那个铁家伙是他的尾巴，他必须尽快剪掉它，让它从这个屋子里消失！

密特先生过去很喜欢喝咖啡，可到了中国后又喜欢上了喝茶，每天早晨到办公室，他总是要先泡上一杯上好的龙井，端到鼻尖前，闭着眼睛晃着头，将那缕缕清香吸了又吸，闻了又闻，然后才小小地喝几口，又大大地喝几口，直喝得满肚子清气荡漾、周身血脉通泰后，他才开始有条不紊地处理公务。

这天早晨，密特先生刚在办公室里泡上茶，还没来得及喝上一口，门就被人敲响。“请进。”不想进来的是萨根。密特先生鄙夷地看他一眼，见他两手空空，皱着眉头问他：“电台呢？你该交出电台了。”

萨根完全是一副死猪不怕开水烫的样子，大大咧咧地笑了笑，说：“对不起阁下，我已在昨天晚上请人将电台转移走了。”

“什么？”密特先生脑袋顿时一片空白，“你……把它转移到哪里去了？”

“这当然是秘密。”萨根颇为体面地笑道。

“你无耻！”密特乱了方寸，勃然大怒，骂他。

“我是无耻，但并不意味着我该死。”萨根徐徐道来，“如果你不想我死，电台必须转移走，否则只要我走出使馆大门，哪怕中国人不把我干掉，日本人也会把我干掉的。”

“那是你的事！”

“也是你的事，因为我是美国公民，保护我生命和财产的安全是你的责任。”

“你是我们美国人的败类！”密特先生愤怒地吼道。

萨根责问道：“难道这就意味着我该死？我有亲人，妻子、孩子、老人，他们在加利福尼亚的蓝天下时刻盼望着我回家，活着回家，而不是尸体。如果你也希望我活着回家，电台必须交出去，否则日本人会怀疑我的忠诚，对我下毒手，哪怕我回到美国，他们也饶不了我。所以，请原谅我欺骗了你，因为我不想死，我相信你也不会希望我死，虽然我无耻。”

说的都是大实话，沾亲带故，生死攸关，斥之则无情，捧之则不忠，令上司哑口。密特气极无语，厌恶透顶，懒得啰唆，索性一竿子插到底，“你走吧，我不想再看见你了，我会尽快安排你走的，保证你活着回到美国。”

萨根却得寸进尺，进一步要求密特先生对他做出让步——暂时不要对外宣布撤他的职。“因为中国黑室的人已在怀疑我，在这样一个敏感的时候，您若是对外宣布此事，等于是要我的命。”萨根充分阐明他的意思，“我一旦没有了外交豁免权，恐怕一走出使馆大门，就会立即遭到中国人的伤害。”

“你的意思是还要让我包庇你？”密特先生狠狠地剜他一眼，恼怒地说。

“不是包庇，是保护。”萨根昂着头说，“我已经为我的行为付出了撤职的代价，即使还有更大的惩罚，也应来自美利坚法律，而非中国人的肮脏的手。”

“放肆！”密特先生吼道。

“事实就是如此。”萨根耸肩缩脖，不乏洒脱。

“出去！”密特忍无可忍，指着他吼道，“你马上给我出去！”

萨根纹丝不动，面色阴沉地瞪着他，咬着牙，一字一顿地说，像遗言，又像通牒：“最后我还要告诉你，我的阁下，我已经写好了遗书，如果我暴死在这个肮脏的城市里，都是由于你出卖了我，我将请求家人起诉你。”

这是威胁，是挑衅，是藐视，是肆无忌惮，是小人的疯狂，是流氓恶棍的无赖。太无耻！太无耻了！密特先生做梦也没有想到眼前的这个家伙竟是如此无耻，这般恶劣。他开始后悔没有按照中国人的要求在发现电台后立刻将他扫地出门。他想压制住自己的冲动，可是马上又听到内心一个声音在对他大声呼号：是可忍孰不可忍！密特放弃了忍，很不绅士地扭曲了脸，擂着桌子咆哮：

“滚！你给我滚出去！”

萨根哼哼地冷笑几声，转身走出去，步履生风，潇洒得很。

与此同时，在相隔几站路的大街上，老孙正驾车载着惠子，送她去重庆饭店上班。秋日的早晨，天高气爽，但街上的车并不多，多的是人，上班的人，买菜的人，还有郊区进城来挑粪的人。不论是挑的粪，还是挑粪的人，都散发出熏人的气味，所到之处，人们纷纷捏着鼻子，皱着眉头，避着他们，或疾步快走，或急步而停。

老孙和惠子是在天堂巷的口子上不期而遇的。惠子刚走出家门，来到巷子外面的大街上，就撞上路过的老孙。

这是巧合吗？当然不是。老孙现在身负秘密的重任，任重道远，需要稳扎稳打，步步为营，逐步推进，第一件必须做的事情就是要在惠子面前为萨根“平反昭雪”。当初专门请家鸿递话给惠子，把萨根说成日本间谍，现在反其道行之，这是怎么回事？老实说，这个连老孙自己都是一头雾水，搞不明白。所长是昨天晚上布置给他任务的，让他今天设法见到惠子，把“话”传给她。

惠子不是萨根，要见她蛮容易的，就在巷子外的街上守着就行了。这不，惠子准时出来了，老孙跟着她把车开过去，停在她身边，装着是碰巧遇上的样子，客气地把她喊上车。车子开出一会儿，老孙扭过头来问她，这两天有没有见过那个美国外交官萨根叔叔。惠子一副很生气的样子说：“我再也不想见他了！”

“为什么？”

惠子沉着脸说：“他是个坏人！报纸上说的那个……当间谍的外交官，就是他！”

“你听谁说的？”老孙认真地问。

“我大哥说的。”

“家鸿，他怎么能这么乱说话？”老孙摇了摇头，叹道，“萨根怎么可能给鬼子干活呢？真不知他从哪儿道听途说的，太不负责任了，完全是胡言乱语，要是让萨根听到了就麻烦了。你比我更了解美国人，他们是惹不起的。”

惠子惊讶地望着老孙，用目光敦促他往下说。老孙笑了笑，开始把已经打过几次腹稿的话玲珑地倒出来，意思只有一个：家鸿说的肯定有误，他有充分的事实可以证明，萨根根本不是什么间谍。惠子听了，自然十分高兴。

要说惠子其实也不怎么看重与萨根的交往，她甚至有点不喜欢这个“叔叔”，总觉得他过于轻佻浮游，油嘴滑舌，好像他们日本国混迹江湖的浪子、艺人，虽洒脱，但不受人尊敬。她看重的是另一个方面——作为一个日本女人，此时来到中国做人家媳妇，虽说为了爱情天经地义，却不合时宜，易遭人怀疑和白眼。如果这时候，跟她多有来往的萨根叔叔是个日本间谍，她身边的人又会怎么看她？肯定是更要遭人白眼和怀疑了。所以，当听老孙这么肯定地说萨根不是日本间谍，笼罩在她心中的乌云瞬即散去，她仿佛一下看见了明朗的天空，灿烂的阳光，心情格外轻松，格外的快活。近朱者赤，近墨者黑。她想，这下至少可以堵人嘴，不让人往她身上泼脏水，心里踏实了许多。

高兴的事总是接踵而来，惠子刚到办公室就接到楼下总台的电话，说是有她的信。又是陈家鹄的信！她取了信，身轻如燕，一口气跑回办公室，迫不及待地坐到椅子上，拆开信，愉快地读了起来：

> 惠子，昨夜我又做了一个梦，梦到了耶鲁的教室，好多鸟儿栖在窗外的枝头声声欢叫，叫得人心烦意乱，身体发热，高烧不止。在二千九百七十七个小时以前，在湛蓝的天空下，在青青的草地上，有一只鸟儿终于第一次唱出了美妙的歌声……

这可是只什么鸟啊！

惠子的脸一下潮红了，一股让她心颤的热流瞬间淌满她的心田。她不由想起他们初恋的时候，有一天他们去郊外踏青，陈家鹄请她看一幅杂志上的油画：一个金发碧眼的小男孩，扯起裤头，让一个同是金发碧眼的小女孩看他的裤裆。惠子看一眼，脸就腾地辣辣地红了，举起拳头要打陈家鹄。陈家鹄居然一口咬住她的拳头，趁机抱住她，把她压倒在草地上。有一会儿，她真切地感觉到他身上有个硬硬的棒状物顶了她一下，陈家鹄意识到后立刻调整了姿势，想掩盖过去。哪知道，当时还不解男女之事的惠子以为这是陈家鹄裤袋里的东西，偏偏追问他是什么东西。陈家鹄说那是他的小鸟，并引诱她去他的口袋里摸索，摸到的自然是一个“陷阱”……他们就这样踏上了陌生的旅程，充满渴望又紧张地打破了彼此身体的禁区，沐浴了人生第一场雨云之欢。第一次总是刻骨难忘的，回想起来有太多的细节和丰富的表情，甚至当时天空的颜色、草地的湿度，此时惠子都觉得历历在目，鲜活如初，令她沉醉，迷途难返。

萨根不合时宜地造访，把惠子从遐想中拽了回来。

这几天，萨根天天都是想方设法地要来见惠子，目的无疑是想从惠子口中证实陈家鹄的死讯。但是惠子听了家鸿的说法后，简直恨死他了，坚决不愿见他，明目张胆地躲他，避他。第一次萨根给她来电话，约她下楼去喝咖啡，惠子一声不吭扣了电话，躲掉了；第二次惠子听到他上楼的声音，知道他要来找她，想躲来不及，索性反锁了门，死活不开。这一次，萨根学聪明了，进了楼道没有跟人打招呼，悄悄地摸进来，见了惠子，先声夺人地说：

“惠子，今天你可不要躲我，我有正经的大事要跟你说。”

“啊……”惠子激灵一下清醒过来，赶忙捂住自己红烫的脸孔，有些不好意思又不乏欣喜地叫了一声“萨根叔叔”。

萨根不由得一愣，不知道昨天还不理他的惠子，今天怎么就突然变了态度。不管如何，变了是好事，萨根乐于接受。他呵呵地一笑，显得很是高兴，问她："是哪股风又把你吹成了我熟悉的惠子了，告诉我，前两次你为什么不想见我？"

惠子脸上的红晕尚未消去，羞怯的样子倒是非常适合她向萨根认错道歉。在萨根的追问下，惠子把她错怪他的来龙去脉简单说了一下，只是隐去了家鸿和老孙两个具体的人名。萨根听了，假装倒吸一口凉气，就像真的被诬蔑了一样，大言不惭地感叹道：

"原来是这样，有人在陷害我。"

"是的，"惠子说，接着又问，"你知道他们为什么要陷害你吗？"

"谁知道呢，" 萨根摇摇头说，"也许是鹿死其茸，虎死其皮，要我死的人可能是在觊觎我的位置吧。"

借此，萨根把他在大使馆的地位大大地美言一番，基本上是把自己描绘成了密特先生，随后这样说道："你想想，在这样的一个时间和这样的国家当外交官有多么诱人，其一，国际名声好听，乱世出英雄嘛，有了这段经历，那就是莫大的财富；其二，如果昧了良心，战争财发起来又快又容易，可谓名利双收，谁不眼红？"可现在他心里是在流血，老窝被端了，少老大两口子都死了，他是名利双失，羊肉没吃成还惹了一身骚。

想起自己现在落魄的处境，萨根决定对惠子做点铺垫工作，以便离职后好自圆其说，"你不知道，前两天还有人在我背后捅我刀子，想逼我辞职呢。说实话我倒并不贪恋这个职位，只是想替可怜的中国人做点事情，不是因为爱，而是出于同情。不过，鼠辈的诋毁，愚民的以讹传讹，这些我都可以忍受，我就是没想到竟然连你惠子也差点相信了他们的鬼话。"

惠子不由得又红了脸，歉意地站起身来，朝他真诚地鞠了一躬，"真是对不起，萨根叔叔，我再次请求你的原谅。"萨根上前扶着她的肩膀，亲昵地刮了她一个鼻子——这是他第一次对惠子有这么亲密的举止，惠子很不好意思，连忙退后一步。

"你看，你看，"萨根指着惠子乐呵呵地笑道："你又当真了，你我之间何必这么认真。中国人是不喜欢认真的，他们有一个著名的逻辑：A 是对的，B 也不错，凡事马马虎虎就行了，你的家鹄难道没有教你这些吗？嗳，说到你这个夫君，我也替你发愁，怎么这么久了，还不回来看看你？最近有他的消息吗？"

这才是萨根连日来一直想见惠子的真正目的——探听陈家鹄的生死。惠子不知是他的计谋，听他提起陈家鹄，顿即脸放异彩，赶忙点头说："有，有，我们通过电话了。"

“你们通过电话？”萨根无比震惊，“什么时候？”

“就是那天，他们单位被炸的第二天。”

“啊，被炸的是他们的单位啊？”萨根假装第一次听说，显得无比震惊，“他好吗？听说炸死了好多人啊。”

“是啊，幸亏我们家鹄命大，轰炸的时候正好不在单位，出去了。”

“那他现在在哪里？”萨根精神恍惚，像是在梦游。

“不知道，但我相信他就在我们身边。”

“嘿嘿，你又想跟我保密呢。”

“真的，我真不知道他在哪里。”

不知道就是不知道，任凭萨根怎么设圈下套也是没用的。

这次见面真是让萨根懊恼透了，是雪上加霜的那种懊恼。原以为，虽然少老大死了，但毕竟还有冯警长和中田，更关键的是还有电台，他可以藉此择机向“宫里”邀功领赏，即使母亲回国的事泡了汤，至少还可以拿到一笔丰厚的赏金。完成了这么大的两项任务（炸了黑室又杀了陈家鹄），他想赏金一定会有很多。没想到，陈家鹄竟然死里逃生了，倒霉！倒霉！萨根呆呆地站了半晌，实在是无心再留，便借口使馆有事，向惠子告辞了。

惠子客气地将他送到楼梯口，一直看着他下楼，直到看不见为止才转身回去。不知是因为高兴，还是吃了什么不洁净的东西，还是别的什么原因，刚回到办公室，惠子突然觉得胃里翻江倒海起来，一股强烈的浊气和酸味像滚滚浓烟，从食道里喷涌上来。她赶紧捂住嘴，冲进厕所，趴在洗脸盆上呕吐。以为是要把肠子都吐出来了，结果涕泪汪汪地呕了好一阵，呕得双腿发软，眼前一片黑暗，却只是呕出几口浊气和黄水，并无实物。

是干呕，不知为什么。

萨根离开惠子后，其实没有打道回府，而是去了楼下咖啡馆。他心情恶劣透顶，真想撞见汪女郎找她发泄一通。可现在还是上午，汪女郎还在补觉呢，偌大的咖啡馆里一个客人都没有，服务员也只有两个，冷清得很。萨根要了一杯咖啡，像个被人遗弃的败兵之将，一个人缩在一个角落里，满脸愁容地傻坐着。他想起自己已经有些时日没有见到汪女郎了，而现在看来恰恰是这些时日他背运得很。莫非她真是我的福将，怠慢不得？这么想着，他决定今天无论如何要等着见一下汪女郎，改一改当前的霉运——他哪里知道，他目下的霉运遭际都是因为汪女郎叛变了他。

窗外，还是惯常的灰蒙蒙的天，正如他此刻的心情。这个城市，这样的天气是易于被人忽视的，因为经常是这样的天气。但是由于连日来诸事不顺，此刻又是孤苦伶仃的感觉，让萨根对这样的天气产生了从未有过的憎恨。他觉得难以置信，自己转眼间已经成了一个在劫难逃的可怜虫，在单位已被革职，在外面组织已经被捣毁，虽然还有冯警长和中田两个死党，但也不敢去见——他们也不敢见他，因为他的身份已经暴露，见他等于自寻死路。今天凌晨，他冒着电话被人窃听的风险，给冯警长打去电话，让他派人来把电台转移走。不错，没有尾巴，电台顺利转走了，算是了掉了一件大事。他知道，电台必须安全转移走，否则“宫里”一定会怀疑他的忠诚的。现在他必须要“宫里”信任他——该死的密特揪住了我的尾巴，我的后路可能要被他葬送，现在我只有全心全意跟着他们干了。萨根这样想着，心里其实很不好受，因为可以想见，以后他不大可能像以前那么受“宫里”人的宠了。

昨天夜里，“宫里”给他最后一份回电，只有一句话：全体暂时按兵不动，等待来人接应。他希望“宫里”迅速来人，给他支付已经发生的赏金。他已经想好，陈家鹄幸存的消息他要守口如瓶，不对任何人说，这样一定可以拿到一笔不小的赏金。手上有一笔巨款，即便真被密特开除他觉得也有退路，何况他和密特的斗争还胜负未定呢。大使没有回来，电台已经被转移走——证据不见，他有条件在大使面前申冤、诉苦、求援，把密特的秉公执法咬成徇私舞弊、公报私仇。干这些事——捏着鼻子咬人，昧着良心害人，把黑的说成白的，把反的说成正的，萨根是很擅长的，这些年来他练的就是这本事，把道德和伦理这些老古董当做垃圾看待，弃之如丢烟头。赤脚的不怕穿鞋的，萨根是个赤脚大仙，而密特的皮鞋总是擦得铿亮，照耀出他对绅士的憧憬之心。今天早晨，他已经朝密特铿亮的皮鞋狠狠地吐了一口脏水，战鼓已经擂响，下一步该出什么招，怎样出招才能以利再战？萨根苦苦思索着。

恍惚中，萨根突然眼前一亮，看见陈家鹄从照片上走下来，在对他笑。开始萨根还没有意识到这个幻觉的真实含意，他看到的是嘲笑，他受到的是被奚落的苦滋辛味。后来，一阵晕眩的黑暗之后，他猛然获得了一个宝贵的启示：陈家鹄还活着，这正是他反咬密特的致命武器！他想起那天密特给他看的两份中国政府递交的内部报告中，其中一份报告中赫然提到“陈家鹄”的名字——一位从美国留学归来的中国数学家，妻子叫惠子，而他的罪名之一就是串通惠子合谋暗害其夫君。报告中专门强调指出，年轻的陈家鹄“不幸葬身在火海中”。

哈哈，好啊，好啊，陈家鹄，你没死既是我的痛，又是我的甜，我将用你的生命铸造一把剑，去跟可恶的密特贴身刺杀，胜利将一定属于我。想到这里，萨根哪里还坐得住，拔腿就走，扬长而去，什么汪女郎，什么霉运遭际，都抛到了九霄云外。

萨根开着那辆墨绿色的雪佛兰越野车回到使馆，刚刚走进自己的寝室，就有人来敲门。来者是使馆的助理武官大卫·巴雷特，他面色严峻地要求萨根马上交出汽车钥匙，同时警告他以后不能随便出门，出门必须要经得他同意。

萨根瞪着巴雷特冷笑，问他："这是密特先生的命令吗？"巴雷特点头说是。萨根不以为然地摇摇头说："对不起，我不能从命，因为我相信密特先生会很快改变他的命令，我这就去找他。"说罢还真的往外走，一边对巴雷特不乏嚣张地说，"你如果不信，可以跟我去，当场听听。"

密特先生见萨根推门进来，后面还跟着巴雷特，不悦地瞪了巴雷特一眼，转而轻蔑地对萨根说："你以为这是大街上的咖啡馆，可以想进来就进来？都给我出去！"

萨根非但不走，反而迎上去，不卑不亢地要求密特先生听他说几句话，"就一分钟，我说完就走，请多包涵。"这个无赖简直越来越放肆了，密特先生怒视他一眼，拉着一张马脸回到办公桌前坐下，正色警告他道："记住，一分钟，说完就走。"

萨根假模假式地一个深鞠躬，然后抬头拿腔拿调地说："尊敬的阁下，我们之间产生了太多的误会，原因在于您偏听偏信，被无耻的中国人所愚弄，我真诚地希望您能明察秋毫，明辨是非，消弭对我的误解。"

"是吗？"密特先生轻蔑地打断他，冷笑着说，"误会？什么误会？"

"我不是谁的间谍，你无权革我的职。"

"这话你应该早些时候说，现在说迟了。"

"事实就是事实，不在乎迟与早。"

"事实？你的意思是你有了新的证据，可以证明你不是间谍？"

"正是。"萨根冷静从容地说，显得胸有成竹。

密特先生知道他又要诡辩，腾地站起来，"我没时间听你胡扯这些乱七八糟的东西，如果你非要胡搅蛮缠，我建议你写成报告，失陪了。"说着疾步往外走去，他感到跟这个无赖再多说一句话都是对他人格的莫大羞辱。

萨根伸手拦住了他，"你不想听？你应该耐心一点，听听我说的，否则等大使回来了，你会后悔的。"

“是吗？”

“是的。”

“后悔的该是你吧？”

“是你，除非你能拿出足够证据，证明我杀了陈家鹄。”

密特先生冷笑一下，回转身去从抽屉里拿出杜先生交给他的报告，啪地摔在桌上，“你的意思是这还不够？”

萨根淡淡一笑，捧起报告，不慌不忙地阐述起了他掌握的最新事实：“这报告上说，中国有个叫陈家鹄的数学家被日本特务杀害了，而我参与了这起谋杀，可事实并不是这样。事实是，这个叫陈家鹄的人现在还活着，我一个小时前才见过他。除非你能给我证明，这个人确实死了，那我今天下午就卷铺盖回国。”

“是吗？”

“千真万确。”

“有这个必要吗？”密特先生笑道，“就算这个人没死，能证明你没有在为日本人干活？要证明你是间谍要这么复杂吗？你不是间谍，你屋里的秘密电台又是怎么回事？”不想萨根却一脸严肃地说：“密特先生，饭可以乱吃，话可千万不能乱讲，我房间里什么时候有过电台？你看见过吗？搜到过吗？口说无凭的话不能乱说，你可是代表一个国家的，一言九鼎，不能这么信口雌黄。”

一旁的巴雷特想插嘴，萨根拦住他，对他说：“我尊敬的助理武官，你想告诉我你亲眼看到过我房间有电台？这是不可能的。据我所知，你们到现在也没有拿到搜查我房间的任何法律文书，也就是说你们到现在绝不可能去我房间搜查过，你们凭什么说我房间里有电台？好了，你们说有，我说没有，现在我为了证明自己的清白，我愿意带你们去我房间搜查，这不犯法的，我本人同意的。请吧，巴雷特先生。”

密特先生气得差点晕过去，他知道萨根是个无赖，可没想到他会无赖到这等地步，太混账了！简直连起码的人格、尊严都不要了！他愤怒之极，指着萨根声色俱厉，“你不要当了间谍还想当无赖，你也可以无赖，但不能无耻！你该明白我没有去搜你的房间是出于尊重你，把你当人看。你究竟有没有电台，现在电台在哪里，你自己心里最清楚！”

“对不起，我就是不清楚啊。”萨根大角度地摇着头，厚颜无耻地说，“我从来就不知道什么狗屁电台的事，当然，作为本使馆的报务员，我手上确实有一部电台，那是我的饭碗，也是你交给我的工作，难道这也有错吗？”

密特先生再没耐心跟他讲下去，跺着脚对他吼道：“你给我滚出去！滚出中国！”

萨根把双手抱在小腹前，颇有绅士风范地说：“你是绅士，不该说这样的粗话，至于我是不是该滚出中国，我刚说了，只要你能够证明陈家鹄确实已经在那场空袭中死亡，那我今天下午就卷铺盖回国，否则只有等大使回来了再说。我想大使先生决不会像你这样专横武断，没有确凿证据，仅仅听信了中国人的一番谗言就认定我是间谍，还要撤我的职。我又在想，发生了这么大的事，大使先生一定会很有兴趣听听我说的。除非你现在已经是大使，那我就只有走了，因为你不听我的。未来的大使先生。”

真希望此刻自己就是大使本人啊，哪怕只有一天，一分钟，把这个浑蛋处理了再说。虽然大使确实也赋予了他这个权力，可看他如此嚣张的气焰，密特先生担心他说的可能就是事实，这样的话将来事情闹大了，自己会吃不了兜着走，会非常的被动。这么一想，密特先生忍住了愤恨，决定一走了之。可哪里走得了，萨根得理不饶人，缠着他不放，张开双臂，左拦右堵，像只老鹰似的，坚决不准他出门。

“你想干什么？”密特先生强压着心中的怒火，瞪着他说。

“很简单，请您恢复我的名誉和工作。”萨根高昂着无耻的头颅，理直气壮地说，“否则我将请求启动司法程序来捍卫我的清白！”

事实上当时撤职报告还没有成文，被萨根这么一闹一吓，密特先生的胆子也小了。他是个瞻前顾后的人，心里悬挂着前程的单摆，不想、可能也是不敢跟这个十足的无耻之徒正面冲撞，最后折中了一下，以放假的名义暂停了萨根的工作，而不是撤职。

就是说，这一仗无耻的萨根赢了，从而使他有机会继续无耻下去。而被他的无耻伤害的下一个牺牲品，正是帮助他赢得这一仗的惠子。

第十五章 风语

人喝了酒播种容易影响下一代，兔唇，吊眼，歪嘴，智障，失聪……诸如此类，比例翻番。但据说水牛是酒后精血特别旺，若想一次产下两头幼崽，必须要舍得几桶老黄酒，是舍不得孩子套不到狼的意思。这一带的农民把水牛视为生产力和家境虚实的象征，一头小牛的价值绝对超过一个小孩。所以，都想方设法想让母牛创造产崽奇迹——要么量多，要么质高，其中给母牛喝上两桶以上的老黄酒，是沿袭已久的做法，众所周知，众所公认。问题是，发了情的母牛喝上两桶黄酒，常常骚劲十足，一反平时羞羞答答的常态，会半夜三更主动出击，漫山遍野地去找公牛。毕竟有两桶酒在肚子里作怪，牛神经麻痹，牛腿子失控，那个找法自然是莽撞的，不得要领的，像一只无头苍蝇，经常在一个地方打转转，撞南墙。

连日来，一辆挂着军用牌照的吉普车，在南岸的崇山峻岭里颠来簸去，穿梭往返，晕头转向，正如一只喝了两桶陈年老酒的母水牛，在迫不及待又不得章法地寻找公牛。

是李政在寻找黑室的培训基地。

南岸的山远远望去，山苍苍，林莽莽，好像蛮原始的，这样要去找一个单位也许是不会太难的，至少比在城市里找要容易。难就难在路多、单位多，一条条路去分辨，一家家单位去问询，麻烦就大了。李政第一天进山时信心十足的，以为山里只有一条路，用一天时间一定能够解决问题。但是一天下来，他知道厉害了，那些山远看是那个样子，格局一般，阵仗不大，走进去则完全是另一个样子，大路小径，石道土路，错综复杂；浩浩竹林间，森森树丛里，谷地里，甚至山洞里，私人别墅，农家村舍，公家单位，处处是人迹，是诱饵，是掩护。一天转下来，人车困顿，精疲力竭，却是一无所获。

第二天，依然如故。

第三天，照样无功而返。

第四天，李政着实累极了，歇了一天。这天中午，李政在单位食堂里遇到赵子刚，几次冲动想找他重新打听一下，讨个口风。所谓“南岸的山上”，范围太大，他需要一个小的限制，比如在东边还是西边，在国道大路上，还是小径深处。一个小小的提示，也许能给他天大的帮助。但赵子刚似乎从他的目光中看到了他的期待，有点躲着他，转来转去就是不往他身边靠。这也算是个“提示”，使李政及时谨慎地想到：还是别莽撞为好，万一让他多心怀疑自己的身份，反而是因小失大。就这样，南岸的山还是南岸的山，需要李政用耐心和时间去一片片探望、寻觅。

第五天是周末，李政早早起了床，草草吃了碗隔夜的菜泡饭，一如往常地从抽屉里拿出证件、介绍信和手枪、望远镜等用品，又带了些干粮和水，一一放在皮包里，下了楼，便驱车出发了。

夜里山上下过雨，山路泥泞得很，树叶湿漉漉的，泥泞的山路上不时可看到野兽踩踏留下的足迹。时令已过中秋，正是各路野兽频繁出动的时节，它们在为冬天储备食粮忙碌。因为进山的人越来越多，这些人中带枪的人又越来越多，现在这一带山里大的四足野兽是越来越少了，只剩下像野猪、獾这样繁殖能力超强的家伙。据说山里原来是有老虎的，老虎喜欢在大路边的岩石上拉屎，拉屎的时候是倒着走的，以此来掩饰它们的行踪。一则岩石上是留不下足印的，二则，倒着走拉屎，屎粒渐行渐小，容易给人造成错觉。这就是老虎的心计，但实际上很容易被识破，因为当老虎从岩石上往下跳时，往往会留下明显的足迹——实为欲盖弥彰。就这么一点心计，还没有一只猫狡猾，难怪它们要频频被猎杀，现在山里已根本寻不到老虎的踪影，只剩下它们的传说了。

几天下来，李政最常见到的动物是野兔、山鸡，仓皇的野兔不时从车轮下冒死逃窜，受惊的山鸡扑打着笨拙的翅膀哗啦啦从车顶掠过，时常洒下几片羽毛，像雪花一样飘飘扬扬，落在车窗玻璃上，又随风飘走。曾经有一只傻东西，瞎了眼，一头撞在前窗玻璃上，当场昏厥过去，成了李政进山唯一的猎物。

没有明确的方位，只有跟着路走。换言之，只要是没有走过的路都是方位，都是该走的路。今天李政闯入的这条路，在两脉山岭之间，一个狭长的山谷，有一条山涧小溪，路就在小溪之上。因为夜里才下过雨，小溪里水流潺潺，但水却不是想象的那么清澈，而是浑浊的，像洪水。这也是因为刚下过雨的缘故，雨水冲刷了泥土，泥沙俱下导致的。这说明两边的山不是石头，而是带土层的。从毛竹良好的长势看，这个土层还很厚。这些毛竹的头——竹梢——一律向山下倾斜低垂，使山谷显得更加狭窄，车行其中，不免感到拥挤、压抑。然而，李政却喜欢这种感觉，他想象黑室的培训基地应该就在这种鬼地方，草萋萋，风飒飒，山高路险，荒无人烟。

一直往里开，几公里开过去，没有见着一个人影，连一间破败的茅草屋都没有看见。这种情况在前几天是从没有碰到过的，同样是南岸的山，今天却好像换了一片天地，完全是一个深山老岭的感觉，一个死人谷，了无人迹。

这难道是偶然的？李政认为不是偶然的，而是因为这里面驻有一个秘密的有特权的单位，他们把这里原来的居民都清走了。这么想着，李政的心律不由得加快起来。但是山谷如此逼仄，一线天一样的，一块像样的平地都没有，怎么造屋安人呢？对此李政也有解释、自慰的余地：也许前面会豁然开朗，也许他们根本就没有生活在地面上，他们把山体挖空了，像野兽一样生活在山洞里——山是他们的房屋，也是他们的防空洞。

山道弯弯，草长莺飞。越往里走，越是山深林密，荒僻冷寂，不时可以看到松鼠、野兔、刺猬、鸟儿在路中央大摇大摆地嬉闹、觅食，甚至见到车子开来都懒得理睬。这本是应该引起李政警疑的，因为这说明这些小东西还没有见识过汽车，所以才不知畏惧，不闻不顾。但如果里面有黑室的基地，怎么可能没有汽车出入呢？李政误入歧途，却执迷不悟，只因他太想找到黑室的基地，似乎有点利欲熏心的意味，鬼迷心窍了。

不用说，李政此行的收场是悲惨的，他开掉小半箱油，结果只看到一个废弃已久的矿石场。就是说，这条路跟黑室包括其他什么单位、组织都没有关系，只跟多年前的某些人的发财梦有关，他们以为这里可以淘到金（也许是铜，或者其他宝贝），跑来大兴土木，开山辟路。从废弃的样子看，他们的发财梦并没有实现，山挖开了，挖得四处褴褛不堪，却都没有深挖，感觉是还在寻找中，破烂的工棚全是临时性的，没有一间像样的屋子，一切似乎都在初创中草草收场了，留下的是一副狰狞相——正如此刻的李政同志，当看到路的尽头居然是这么一个破矿场，他气得鼻孔冒烟，指天而骂。

他懊恼死了！

当李政站在破烂的矿场前骂天骂地时，蒙面人一如既往地立在树下当当当地敲钟。今天是周末，怎么还上课？陈家鹄为此而懊恼。他正在给惠子写信，他已经好久没给惠子写信了。最近一段时间海塞斯在破译特一号线的密码，几乎天天晚上都上山来跟他探讨破译情况，有时白天也来，陈家鹄的宿舍几乎成了他半个办公室，弄得他连给惠子写信的时间都没了。今天难得有空，不知哪个神经病老师又要占用他的时间。

扯淡！他对着教室那边方向嘀咕，你们以为破译密码是可以在课堂上教学出来的，整天补课，补课，有这工夫，还不如学女娲补天去。

这话其实也不对，他马上想到，跟有些人是可以学到东西的，比如海塞斯和炎武次二，两人在他心目中犹如狮子与国王，抑或蛇与阴险的女人。这些年，他一直试图努力抹掉记忆中的炎武次二的影子，这个人给了他太多，水和火，荣和辱，美丽和危险，舞台和陷阱，都给他了，多得让他盛不下，装不了，成了累赘和负担。所以，他要逃，要忘掉他，要砍断他，要跟他的学问——秘密学问——密码科学——一刀两断。但事与愿违，陆从骏的出现又把他拉近了，几年的努力在一夜间泡了汤。然后海塞斯的降临，又将他拉得更近了。

海塞斯是另一个炎武次二，公开的炎武次二。如今，两个人像一前一后两面镜子，把他的前后左右，过去和未来，都照得雪亮。两个人又像两个狱卒，一个牵着他，一个押着他，令他无路可逃，别无选择。这种情况下他也下定决心，决定好好跟他们干一场。他知道，真要干破译，他俩就是他的大金矿，取之不尽，用之不竭。他必须要去挖掘他们，开采他们。至于其他那些教员都是烂泥堆，没名堂的，他真不想把时间交给他们。

但蒙面人敲了一道钟，又开始敲第二道。陈家鹄知道他的德行，正盯着自己呢，如果他再不出门，他可能还会敲第三道，甚至是第四道钟。这个人也是个神经病，爱多管闲事（可能还是个共党分子）。想到他可能会再次敲钟，陈家鹄神经质地起了身，丢了笔，悻悻地出了门。

当陈家鹄走进教室，蓦地呆住了——教室已被临时布置成一个体检室，几个穿白大褂的人都拉开架势，各司其职，正有模有样地在给林容容等人看的看，摸的摸，听的听，好一派认真负责的样子。左立见他来了，发给他一张表格说：“以前都是海塞斯在考你们，今天轮到我来考你们了，所不同的是海塞斯考的是你们的智力，我考的是你们的身体。”

“陈先生每天登山跑步，身体一定好得很。”一旁的老孙插嘴说。他是带医生们来的，这鬼地方没人带谁找得到？

“那不一定。”左立扬了扬一对斗鸡眼，跟老孙抬扛，“照你这么说，那些登山、跑步的运动员身体就是铁打的。其实你不知道，他们浑身都是病。生命在于不运动，你知道吧，为什么乌龟、王八能活千年万年，就是这个理，不动，从来不动。”

左立本来对陈家鹄是蛮有成见的，但是后来发现海塞斯和陆所长都那么器重他，他的态度也变了。不看僧面要看佛面，要多种花少栽刺，他可不想今后在长官身边有个自己的刺头。

陈家鹄看得出，他说这些话明显是在取悦自己，属于热情过度，他不能让人家热脸孔贴冷屁股，便笑道：“我不想活千年，所以每天运动。尽管我每天运动，尽管生命在于不运动，尽管我的身体不是铁打的，但我想也不会是泥塑的。放心吧左主任，除了偶尔感冒过，我的身体还从没有出卖过我。”

左立嘿嘿一笑，不客气地打击他，“看你满嘴大话，难道就不怕天妒你？要知道，谦受益，满招损，做人要谦卑，别这么自以为是，自以为是的人容易招是非。”

“你就别咒我了。”陈家鹄说。

“我身上没有神性魔力，咒你也没用。”

山上毕竟人少，整天待在一起，低头不见抬头见的，时间长了大家都很随便。林容容跟左立就更随便了，两人表面是上下级，暗地里是同盟，说话没轻没重。这会儿她刚测完血压，一边把袖子放下来，一边走过来，笑着问左立：“左主任，如果他身体有问题，你会不要他吗？”

左立拉下脸，“废话，如果身体不行，就是天王老子也不要。”

林容容笑道：“他可是你的掌上明珠哦，即使有点瑕疵也是宝哦。”

但是宝贝今天真的出事了，也不知是陈家鹄遭了天妒，还是左立的乌鸦嘴起了作用。年轻的小护士量过陈家鹄的血压后竟然大惊失色，立刻把老头主任喊到教室外，窃窃私语一番后，老主任回来亲自上场，让陈家鹄躺在桌子上，用听诊器反反复复地听他的心脏，听了前胸又听后背，听了心脏又号脉，号了脉又掐他手指头、脚趾头。一番折腾后，最后确诊陈家鹄有严重心脏病，建议立刻下山做住院检查和治疗。

晴天霹雳！

“不可能，我不可能有心脏病。”陈家鹄不信，当场跟医生较起了劲，“我回国前才做过体检，都是正常的。”

老主任问：“是不是你最近精神压力太大了。”

陈家鹄说：“我有什么精神压力，我每天晚上都睡得香得很。再说，心脏病又不是什么传染病，说有就会有的，我做过多次体检，从来就没有医生说过我心脏有问题。”

老主任和气地笑道：“真是年轻啊，对自己的身体充满信心。但是你说的话不叫人信服，以前没有不等于现在没有。人的身体不是生来就有病的，所以总有个第一次，这不现在就有医生说你有心脏病了。”

“可我一点感觉也没有。”

“但我有感觉。”

“我怀疑你的感觉。”

“当然我也可能是误诊，但这个判断不是由你来对我下，而是由另一个医生和更高级的仪器。”

陈家鹄抗议的结果是让医生更加隆重地折腾了他一次。经过再次检查，老主任吃了定心丸，便懒得跟陈家鹄再做口舌之争，不客气地在体检报告上签署了意见和他的大名：有严重心脏病，建议立刻下山住院复检。

左立开始深深地自责，为自己之前说的那些话。那纯属戏言，心情好，想讨个热闹。而且，之所以对陈家鹄这么说，就是看好陈家鹄的身体，没想到一语成谶，成了乌鸦嘴。戏言成真了，不可思议，不可思议。他给陆所长打去电话汇报情况，后者一听情绪即刻变得恶劣，在电话上骂他：“你跟我说有个屁用，听医生的，快把他送下山来！”话筒的声音之大，即使立在门外的陈家鹄都听得一清二楚。

几分钟后，蒙面人看见陈家鹄上了老孙的吉普车，跟医院的救护车一道下了山，不禁浮想联翩。这是陈家鹄第一次下山，到底发生了什么事？他真想上去拦住他，问问他下山去干什么。可他坐的是老孙的车，老孙是单位的大管家，自己的上司，又怎么敢去问呢？只有胡思乱想。

李政从死人谷里转出来，远远看见前方有一辆救护车和一辆吉普车正在往山下开。有一会儿，他们的直线距离只有一公里远，如果用望远镜看，李政应该会发现那辆吉普车的牌照是他熟悉的——是老孙的车，车里还有一个他最最想念的人：陈家鹄。也不知为什么，也许是心情懊恼的原因吧，李政没有停下车用望远镜看一看，他只是在想：它们是从哪里出来的，那边肯定有什么单位。

山路泥泞，车印子比野兽的足迹明显一百倍，就是天黑下来都看得见，看不见还摸得着。就这样，很快，李政压着刚才那两辆车的轮胎印掉头往另一个山谷里开去。好了，这下终于踏上了正途，培训中心成了他足下的瓮中之鳖，跑不了啦。没有一刻钟，李政透过峡谷的一线天，看见了前方一片参天的树林和一面白色的围墙，以及围墙里的几个屋顶。

培训中心没有紧临大道，大门离大道约有三十米远，所以专门从大道上支出了一条小路。李政没有直奔培训中心，车子开过岔路口继续往前。但是开出几十米远后，他故意在低挡位上猛加一脚油门，车子轰的一声熄了火。如果有人在围墙里观察他，一定会以为是车子出故障了。李政要的就是这个效果，下了车，打开引擎盖，假装修理起来，一边修理一边用余光观察围墙那边的动静。

蒙面人早在观察李政。他已经养成习惯，只要外面有汽车声音传来，便从窗洞里向外张望，看看情况。他希望是陈家鹄又回来了，但不是的。是一辆不认识的车。这会儿，他看见司机下了车，打开盖子，钻进车头捣鼓起来，可以想见是车子抛锚了。如果车子是下山的，他也许会出来搭讪一下，见机行事（他做梦都想托人往山下捎去一个信）。但车子是上山的，他不是太感兴趣，看了一会儿便不看了。

李政修理了一会儿后，假装修不好，打开车门，拎了皮包，慢吞吞地朝培训中心大门走去，给人感觉是去求人帮助的。蒙面人听到有人敲门，从门缝里看到李政在使劲地擦拭手上的油污。

“什么人，敲门干什么？”蒙面人在里面问。

“对不起，打扰一下，我的车子坏了。”李政在外面答，一边从包里摸证件准备示人。

哗啦一声，蒙面人打开大铁门上的小铁门，走出来凶巴巴地问：“你是哪个部门的？”

李政见了他浑身一颤，手里的证件差点跌落在地上。他惊呆了，早在心里想好的一大堆话，被猛然出现的这个人全都噎了回去，好像吓坏了。其实他不是吓坏了，而是太激动，因为天上星已将这个潜伏在黑室的同志的“显著特征”告诉过他——高个子，面孔被烧坏，脸上可能蒙着黑套子。

这样的人在哪里都不会有第二个！

蒙面人见李政傻了似的不回答，看他手上拿着证件，擅自拿过来翻看，一边问：“问你话呢，你是哑巴啊，怎么不说话？”

李政惊醒过来，赶忙凑上去，小声说：“我找你。”

蒙面人白他一眼，哼一声，“找我？你知道我是谁吗？少跟我套近乎！”

李政扭头看看，见四周无人，便开始跟他对暗号：“徐州一战，生灵涂炭，天若有情天亦老。”这下轮到蒙面人惊愕了，瞪大眼睛直愣愣地看着他，半晌才反应过来，欣喜做答：“天圆地方，生死轮回，龙之传人永不灭。”

暗号对上，两人自是大喜过望。

蒙面人姓许，名中锋，字野生，两年前经天上星介绍加入中共地下组织，组织代号为“徐州”。徐州曾在涪陵中学当过国语老师，他爱写古体诗，擅长书法，是当地有名的先生。他性情豪放，乐善好施，每年到了年关时节，经常上街设点摆摊，免费为路人创作喜楹庆联。那些年涪陵的百姓人家，门前几乎都张贴着他的作品。两年前，天上星去涪陵开展工作（发展同志），住在客栈，客栈的门前屋里，厅堂走道，四处都挂着他的书法。一天，天上星闲来无事，在楼下过厅闲坐，顺便评点挂满四壁的书法，颇有微词。不料徐州正好在旁边，听得一清二楚又一腔怒火。一边，忍了又忍，一边，说了又说。终于，徐州忍不住上去跟他理论，话不投机半句多，结果理论不成，吵成一团，差点大打出手。不打不相识，两人就这样戏剧性地相识，成了朋友，后来又做了同志。抗战爆发后，川籍名将饶国华师长在社会上广纳贤士，招募能人，徐州根据组织上的安排，弃笔从戎，报名参了军，奔赴前线，参加了镇江、南京保卫战。在江宁一战中，他身负重伤，在半张脸被鬼子劈掉的情况下依然率残部死守阵地，亲手杀死五个鬼子，由此立了大功，当了大英雄。也正是靠这个名头，他才得以取得杜先生和陆所长的信任，被天上星安进了黑室。只是很遗憾，没有进入到黑室总部，而是上了山——从此，和天上星失去了联系。

此时，他对组织上有千言万语要说，但他说的第一消息却是令人沮丧的：就在半个小时前，陈家鹄下山了。就是说，李政和他几乎是擦肩而过。

“他去哪里了？”

“不知道。”

“他还回来吗？”

“就是不知道。”

“他是怎么走的？”

“今天来了几个医生给他们体检，走的时候把他带走了。”

“他身体不好吗？”

“就是不知道情况。”

情况太复杂，连陈家鹄自己也搞不懂。

按说既然是身体有恙，自然该去医院，但是下了山，很快，老孙和救护车分道扬镳：一个朝东，一个朝西，南辕北辙，背道而驰。也许是要带我去另一家医院，陈家鹄想，心脏病专科医院。但是去的地方，怎么看都不像一家医院。首先是地点不在市区，又是快出城的城乡接合地带，而且还是一个到处高墙深筑、行人稀落的地方。谁跑这种鬼地方来看病？可能是一家疗养院吧，陈家鹄又想。可等进了院门，陈家鹄又不得不否认了，门是厚重的大铁门，不是双开门，只有单门，开门的时候，需要保安使足气力拉着，往一侧的砖墙后面慢慢地缩进去。这时，几十米开外的人都可以听见铁门下面的小轮子在水泥地上碾出哗啦啦的刺耳的响声，像一道通往地狱的窄门、黑门。进了门，可见院内四处立着伞形的瞭望塔，石砌的高大的围墙上，还拉着粗粗的铁丝网，看着令人不寒而栗。如果说这是医院，陈家鹄想，一定是关疯子的精神病院。不过，他认为这儿更像是一座监狱。

对了，这儿就是一座监狱。

就在半个月前，这儿还关押着一百二十七名政治犯，现在这些人正在赶往贵州息烽集中营转运的途中。息烽集中营是军统最大的秘密监狱，于一九三八年十一月正式启用，之前那些包括张学良、杨虎城、张露萍在内的要员、犯人分别被关押在重庆、涪陵、酆都等多个监狱。这儿是关押女犯的地方，其后门和五号院的正门在同一条路上——止上路：一门是五号，一门是二十一号，相距不过百十米。

车子一直沿着围墙开，开了不多远，拐了一个弯，停在一棵麻柳树下。树苍老，大得一个人都抱不住。地上铺满了落叶和毛毛虫一样丑陋的柳绵条，显得又脏又乱。老孙下了车，带陈家鹄走进一个用水泥护栏合围起来的长方形的院子。院内有一栋两层高的石砌楼房，像碉堡一样粗糙结实，但装饰得又很洋派，廊道的柱子是木包圆柱，柱子上有彩色壁灯；通往二楼的楼梯搭在户外，扶手是锃亮的不锈钢；屋檐镶着一条红色的琉璃瓦线，四只角飞着四条四足青龙。院内有一套四人座的石桌石椅，撑着一顶崭新的白色遮阳伞。这会儿石桌上摆着一壶茶，两只杯子。茶壶升腾着一缕缕热气，仿佛是迎宾接客的笑容。

这儿曾经是监狱的办公楼，刚刚被整饰粉刷过，地上地下通体焕然一新，显得分外的整洁、清新。但是不管怎么样，陈家鹄对这楼还是没有一丝好感，他心里有种盲目的恐惧。

一路上，陈家鹄已经多次问过老孙：去哪里？这是哪里？你到底要带我去哪里？凡此种种，老孙一律以微笑、客套之言敷衍搪塞：对不起，陈先生，我只负责领路，无权回答你任何问题。尽管这样，进了院子，陈家鹄还是忍不住明知故问："这到底是什么地方？"

"你问他有什么用，他今天是哑巴，哈哈哈。"

声音洪亮，伴着开怀的笑声。

陈家鹄听出，这是陆所长的声音，却只闻其声，不见其人。

随着又一阵爽朗的笑声，陆所长从墙角的楼梯口冒出来，并快步走过来，后面跟着海塞斯。两人依次上前与陈家鹄握手问好，不亦乐乎。看他们乐呵呵的样子，陈家鹄已经猜到，自己的病一定是假的，是他们搞的鬼。这么想着，陈家鹄一扫刚才的阴霾，心情变得开朗起来，对两位直言不讳，"看来不是我的心脏有了病魔，而是你们的心里怀了鬼胎。"

"听见了没有？"陆所长看着海塞斯说，"一下破掉了我们的密码。"

"是你的密码，跟我无关。"海塞斯笑道。

"嗳，大教授，你怎么能这样说话，太不讲义气了吧？"陆所长用手指头点着海塞斯说，"这事怎么说都是你起的头，我不过是为你做嫁衣而已，非但讨不到你的好，难道你还要栽我的赃？"

"本来就是这样的嘛。"海塞斯耸耸肩，不乏假模假样地申辩道，"你什么时候跟我商量过？我一个小时前才知道你派医生上山了，那时候——陈家鹄，你可能已经被查出心脏病了吧？"

陈家鹄点头称是，接着笑道："我不关心你们谁是罪魁祸首，我关心的是你们判我这么重的刑，目的是什么，总不会是让我回家去看我的父母吧？"是明知故问，也是别有用心。

海塞斯对他做了个鬼脸，笑说："你回家想看的不是你父母吧，该是你的太太。我知道你对她日思夜想着呢。”

这话题可是陆所长不想提的，他连忙言归正传，“回家是不可能的，至少是目前……”

“什么时候可能？”陈家鹄打断他的话问。

“我不知道。”陆所长硬邦邦地说。

“我倒是知道的，”海塞斯笑道，“什么时候咱们破译了特一号线密码，大功告成之日，我想就是你回家的日子。”他是个局外人，体会不到陆所长的心情和难处，在敏感的问题上一点不避讳，令一旁的陆所长恨不得上去捂住他的嘴。

哪知道陈家鹄还不领教授的情，对他说：“这个赌博我不玩，玩不起。你该比谁都清楚，密码是世上最残酷的命盘，无论是谁，哪怕你是幸运儿中的幸运儿，跟它赌博都不会有好下场的。”

海塞斯指着楼上的某个窗户，认真地说：“今天你不想玩也得玩了。呶，你看，那就是你的办公室，都给你布置好了，资料我也给你都备了一份，上去看看吧。”

这简直比说他有心脏病还叫人出其不意，陈家鹄清晰地听到心里发出咯噔一声，脑子里一片闪亮的空白，像有个电灯泡挂在脑子里。他久久地愣着，怔怔地望着海塞斯，又看陆所长。

“怎么，没想到吧？”所长问。

“我的办公室？”陈家鹄答非所问，“什么意思？”

“就这意思，”陆所长干脆地说，“你工作的地方。”

“什么意思嘛，”陈家鹄终于回过神来，提高声音，略微不满地说，“你们能不能把话说明白点？你们做事怎么老是鬼鬼祟祟的。”

鬼鬼祟祟？用词不当！这是陆所长生平最痛恨的词之一，犹如一个人脸上的疤，是忌讳人说的。他严厉地瞪着陈家鹄，训斥道：“这叫鬼鬼祟祟吗？这是干我们这行的特点，是纪律，是要求，不到说的时候绝对不能说。”说着率先开步，往楼上走去，一边说道，“现在我告诉你吧，你已经毕业了，今后这儿就是你工作的地方。”

这里就是黑室？陈家鹄大为惊愕，忍不住左右四顾。在山上时，大家开口闭口都谈论山下的黑室，没想到黑室是这个样子：监狱的样子。今后我将在监狱里工作，陈家鹄想，死了都没人知道。他像吃了个闷棍，满脸戚戚然，有一种难以言喻的惊异在心里暗暗涌动，似乎随时都可能喷出嘴。但是几次张嘴，却是无音无语：他哑了，因为不知从何说起。

还是听陆所长来说吧，“准确地说，这里不是黑室，却是黑室的黑室。”陈家鹄追上去，一马当先，拦住陆所长，回敬道：“你的话我怎么越听越糊涂？你能不能尊重我一下，有什么话都明明白白地讲出来？我有大脑，能分析，别把我当小孩子来哄好不好。”

哈哈哈，陆所长煞住步子，嘲笑他道：“我发现你的沸点很低嘛。”抬头看着他，皮笑肉不笑，“别冲动，冲动会降低你的智商的。其实很简单，你现在还没有资格进黑室，但我们又需要你，教授很需要你，他天天摸着黑上山去找你太浪费他时间了，也不安全，我们就临时给你找了这个地方，请你大驾过来办公。怎么样？现在你该不糊涂了吧。”

“可这儿是监狱。”

“以前是，今后不是了。今后这儿就是黑室的一部分。”

“我不喜欢在这种环境里工作，好像我是个犯人。”陈家鹄想起惠子的哥哥曾经就是这样，把他关在一个地方，让他破译所谓的美军密码。

有些秘密是要终生烂在肚子里的，即使是对惠子，即使是在梦中，陈家鹄都不会吐露半点。海塞斯不愧是业内行家，几个回合下来就断定陈家鹄以前一定干过破译。

确实如此，陈家鹄曾在日本陆军情报部第三课（一个破译部门）学习、工作过四个多月——外界传言他拒绝了日本军方的邀请，其实这不是事实。实际情况是，时任陆军情报部干员的惠子哥哥，想在中国留学生中寻找一名破译中国军方密码的人才，便带着一份从张作霖部下手里窃获的中国密码（传言中被说成是美国密码），找到早稻田大学数学泰斗炎武次二先生。先生精通密码数学，以这部密码的结构和原理设计出了一道超难数学题，让不知情的惠子带到学校，在师生中传播。炎武次二声称他也解不了这道难题，以此激发包括陈家鹄在内的众多中国留学生的好奇心，引诱大家都去参与答题、斗难，便于他们选拔。最后，只有陈家鹄一个人的答案得到了炎武次二的认可，惠子哥哥便以要破译美军密码的名义，动员陈家鹄替陆军情报部工作。

优厚的待遇打动了陈家鹄，他秘密接受了邀请，白天正常在学校上课，晚上参加由情报部第三课组织的破译培训班的学习，历时三个月——这段经历鲜为人知，因为白天他照常在学校。凭着哥哥的关系，惠子也参加了这次培训，非正式的，有点旁听生的意思——就在这期间，陈家鹄和惠子两人产生了好感。通过学习，证明陈家鹄确有破译才能（惠子没有，哥哥只能给她机会，不能给她本事），学完后陈即被惠子的哥哥带走，关在一个地方正式接受了破译任务。

这是一九三四年五月间的事。

从一九三三年起，活跃在东北各地的抗日游击组织逐渐向抗日武装统一战线方向发展，零散的抗日游击队相继改编成东北人民革命军、东北抗日同盟军和东北抗日联合军等多支有组织、有统一阵线指挥的正规部队，抗日武装力量迅速壮大，给日满统治组织造成了极大威胁。日军开始了残酷的打击和镇压，但因对对手了解不足，信息严重匮乏，几次进攻、扫荡收效甚微，破译密码之事就被迅速提上了日程。起初，陈家鹄以为破译的是美国外交密电，但随着破译工作的逐渐深入，他发现他负责破译的竟是东北抗日同盟军的密电。这是他的国格和骨气无法容忍的，悲愤交加之下他销毁了所有破译成果，私自出逃。日方找到他，软硬兼施，试图规劝、胁迫他回去工作，他坚决不从，遂有后来的一系列是是非非，最终不得不被迫离开日本，去了美国。

正是这段悲愤经历，令陈家鹄非常反感陆所长给他安排的这个环境。它触动了他被侮辱、愚弄、作践的记忆，即使事隔多年之后他依然难平心头之恨之痛，故而提出异议，强烈要求更改地方。

但陆所长干脆地拒绝了他：

“对不起，这没有选择余地，只能在这里。”

“也许我在你的眼里就是个犯人吧。”陈家鹄揶揄道。几年前，这句话他曾对惠子哥哥说过，想不到今天只字不变地重用，甚至连说话的口气和神情都是一样的。他感到可笑又悲哀。人看来真是有命的，他想自己可能就是这个命，怎么逃也逃不出密码的旋涡。

陆所长沉下脸，警告他：“请你不要滥用我对你的尊重，我可以一定程度地忍耐你恃才傲物的德行，但不是没有底线的。我可以坦率地告诉你，这是杜先生特别为你挑选的地方，你没有嫌弃和改变的余地，所以我奉劝你，与其像个怨妇一样带着情绪哼哼唧唧，不如正视现实，尽快喜欢上它吧。”顿了顿，又说，“如果你觉得这是犯人待的地方，我可以再告诉你，你不是唯一的犯人，还有我，我就住在你楼下，你要有兴趣不妨眼见为实。”

说着，带陈家鹄先去看了他的房间。一对布艺沙发，一只黑色茶几，一张课桌一样大小的办公桌，一张单人床，一只床头柜，一盆花，似乎都才搬进来，没有放到位，散置在屋中央，挤成一堆，乱成一团。办公桌上摆着一部电话机，仔细看还没有接上线。床上撂着铺盖，还没有打开。最扎眼的是，铺盖团上斜躺着一支美式卡宾枪。房间的窗户关着，光线灰暗，但枪显然才擦过油，散发出黑亮的光。

陈家鹄看见枪，下意识地避开了目光，并绕着它走开了。陆所长却有意走过去，拿起枪，问他会不会使枪。得到否定的答复后，陆所长说：“这就是说，我是这枪唯一的主人。也可以说，我不但是你的邻居，还是你的警卫。”

海塞斯有意要缓和两人刚才对峙的情绪，这会儿看陆所长已经给陈家鹄一个台阶下了，便对陈家鹄道："我得告诉你，请你下山是我的主意，但事情都是所长阁下落实的。不要以为这是件容易事，不容易的，惊动了很多人啊。所以，我个人很感谢他，我觉得你也该感谢他，因为这对你来说也是一件大好事，可以提前进入工作状态。难道你喜欢待在山上吗？反正我是讨厌透了，你看看，都把我害成什么样了。"

海塞斯脱掉鞋子，褪下袜子，亮出脚上好几个水泡。

"你不是有专车吗，怎么还走得满脚水泡？"

"车子坏了！"

是大前天晚上，海塞斯照例上山去跟陈家鹄探讨特一号线密码的情况，下山时遇到大雨，汽车打滑，不慎磕破了油箱，抛锚在半路上，前不着村后不着店的地方。好在那天带了司机，司机把方向盘交给教授，自己则下车去推。在山上还推得动，到了平缓的山脚下，怎么都推不动了，司机要守着车，海塞斯只好一个人徒步回去。以为进了城会遇到人力车，结果见了鬼——因为下雨，走了一路都没看见一辆人力车，十几公里山路加雨路，把海塞斯走得狼狈不堪！

不过，这也成了陈家鹄下山的契机。

回到单位，虽然已是凌晨三点钟，但气愤难忍的海塞斯还是把陆所长从床上拉起来，跟他大吵了一架。海塞斯把他受的罪都迁怒于所长没有批准他的要求，让陈家鹄下山。

"我呼吁多少次了？我无法理解你为什么不放他下山，让我整天往山上跑！"老话重提，海塞斯情绪非常大，出言很不客气，"我觉得你根本不配坐在这个办公室里，因为你不懂得尊重我。既然我不值得你尊重，你可以另请高明。"说罢气呼呼地拂袖而去，袖管里甩出两把水，刚才他站的地方也积着两圈水。

一只落汤鸡啊！

陆所长不怕他生气，就怕他受凉伤了身体，卧病不起，赶紧连夜叫人烧了两锅开水，安排教授洗了一个热水澡，洗完澡又喝生姜红糖水。如此礼贤下士，总算平息了海塞斯的情绪，事后证明也保全了他的身体，没有生病。第二天，海塞斯中气十足地向所长来致歉，顺便又做起他的工作，要他放陈家鹄下山，措词诚挚，态度恳切。

其实，陆所长又何尝不想让陈家鹄下山？问题出在杜先生身上，他是高处不胜寒，危情四伏的一方祭坛，把一个日鬼女婿送进黑室，无异于把他自己送进了唾沫的旋涡中。再说了，陈家鹄，一个初出茅庐之辈，只是在课堂上有些出类拔萃的表现，值得大首长去涉这个险吗？事实上杜先生对陆所长已有明确批示，要让陈家鹄进黑室，首先要摘掉他的“黑帽子”。就是说，要棒打鸳鸯！要拆散他们！

这谈何容易？

当然，若有证据证明惠子是间谍倒也容易，但现在的状况很不理想，跟踪了那么久，掌握了那么多的情况，似乎越来越发现并证明，惠子是清白的。这方面的证据真的很多，比如说惠子在陈家鹄假宿舍前的那个昏迷，为什么昏迷？因为她吓坏了！如果她是萨根的同党，陈家鹄死了她高兴还不及呢，怎么吓成那个样子？还有，后来她跟陈家鹄通电话的那一份激动，演是演不出来的。就算她演技高，这些都是演出来的，那么当惠子得知萨根在帮日本人做事后坚决不见他，又作何解释呢？唯一的解释就是：她跟萨根不是一路人，她是清白的，她深深地爱着陈家鹄。

这就讨厌了！

很讨厌的啊！

现在陆所长心里很明白，惠子必须得是日方间谍，不是也得让她是，所以他才迫不及待地安排老孙去见惠子，给她传话，给萨根“平反”。他要给他们搭建一个自由交往的平台，交往得越多越好。一个频频跟萨根交往的女人，嚼嚼她是间谍的烂舌头也就算是有一面之词了。陆所长其实已经运筹帷幄，正在为惠子通往“间谍之路”积极地铺路架桥，但时下毕竟才开始，路未畅，桥未通，需要假以时日才能完工。教授啊，心急吃不了热豆腐，要学会等待。这么想着，陆所长还是好言规劝海塞斯别急。

可是接下来，海塞斯即兴胡诌了一件事，让陆所长自己也紧急起来。海塞斯说什么了？海塞斯说：“所长阁下，也许我该告诉你一个事实，我这次给他单独出了一道题，是我根据破译的日军第 21 师团的密码置换出来的。也就是说，只要他解了题，就等于他破译了敌 21 师团的密码。你猜怎么着了？他用了不到两天时间就解了题！”

严格地说，海塞斯说的不是事实——他根本没有单独给陈出过什么题。但其实这说的又是事实，因为敌 21 师团密码本来就是陈破译的。换言之，海塞斯正是用这种方式既维护了自己不实的荣誉，又婉转地道出了一个事实：陈家鹄破译了敌 21 师团的密码。为了突出强调弟子的了不起，海塞斯不惜放低自己：“你知道，我花了七天零三个小时才破译敌 21 师团的密码，可这家伙居然用了不到两天，只是我的三分之一时间啊。这说明什么？说明他的破译能力和水平已在我之上了。”

陆所长不觉听得呆了，忘记了插话。

海塞斯接着说：“我现在敢肯定地说，他以前一定从事过破译工作，决不像你们说的仅仅是偶然碰过，而是专门研究过，学习过，专职从事过。”陆所长屏息静气地听着，等着海塞斯继续往下说，“我可以再告诉你，现在他在配合我破译特一号线密码，感觉非常好。我为什么天天上山去，他不是美女，不是身体吸引了我，而是他的思想，他的大脑，他对日本文化的了解，他对日本密码有着超凡入圣的敏感和知觉力。我每次跟他交流，神经都会受到刺激、冲击，这是我在密码界混迹多年碰到的第一个人，可能也是最后一个。我有预感，要不了多久他一定会敲开特一号线密码的。”

海塞斯的话字字如珠玑般滚动在陆所长耳际，让他似乎听见了露珠滴落的声音，听见了风中花开的笑语，心里止不住地掀起一阵阵欣喜和激动。可陆所长毕竟是陆从骏，见过世面的，干过大事的，面对鲜血可以不动容，面对惊涛可以不改色，他把欣喜和激动全都埋在心底，不想让海塞斯掌控他。可听说他有可能在近期破译特一号线密码，终于还是隐忍不住，两眼绽放出亮光，喜形于色地启了唇：

“真的？”

“军中无戏言。”海塞斯点头笑道，“我们已经看见它的影子了，特一号线密码。现在我要问你，难道你觉得还有必要让他继续留在山上？难道你不觉得杜先生听了这个也会改变自己的想法？他已经远远超出了我们的期待，把他留在山上是在浪费他的才华，也是在浪费我们的时间。时间就是生命，就是胜利，你我浪费得起，抗战浪费得起吗？”

“嗯，”陆所长坐不住地起了身，踱着步说，“你说的这些很重要，正好我下午要去见杜先生，杜先生的反对也许是不能改变的，但我还是决定要犯他龙颜一谏！”

海塞斯露出微笑，向他友好地伸出手去，“这是一件你该做的事，杜先生的反对也许是可以改变的。”

陆所长暗自说道，你们美国人就是太天真，杜先生是不可改变的，要改变的只有我。陆所长心里很明白，如果要在短时间内解决陈家鹄下山的问题，只有一个办法，那就是：制造天灾人祸，让惠子命归西天。虽然只是一个一闪而过的念头，但陆从骏还是起了鸡皮疙瘩。

当天下午两点钟，杜先生如期在办公室接见了陆从骏，后者带来了一份书面报告，主要汇报的是惠子的情况：讨厌的情况。果然，杜先生一目十行地看了报告，对陆从骏拉下了脸，“就这事也值得你给我写专题报告？我不认为这是个好消息，难道你认为是吗？”

“我也认为不是。”陆从骏低眉低声地说。

“就是说，我们都希望她是我们的敌人。”

“嗯。”

“那还有什么好说的，你把她说成是就得了。”杜先生说。

“这需要时间。”

“你急什么，我没有限制你时间。”

“可教授恨不得让陈家鹄马上下山来，现在我们侦控的敌台越来越多，需要破译的密码也越来越多，海塞斯根本忙不过来，关键是陈家鹄确实已经具备了实战能力，留在山上是浪费了。”随后陆从骏把海塞斯跟他说的情况如实向杜先生做了转述，目的是要杜先生也要像他一样激动起来，继而紧迫起来，继而心狠手辣起来。

果然，杜先生听了确实很激动。

“真的？”杜先生两眼放出异彩，仿佛一下年轻了十岁，“他有这么神吗？”

“真的，海塞斯说他以前一定破译过密码，应该尽快让他来参与实战，可惜……”陆所长抬起头看着杜先生说，“我真恨不得把他的那女人干掉，好让他立刻下山来上班。”

杜先生低下头，思量片刻，说：“如果有证据证明她是间谍，干掉她也在情理之中，但现在的情况……”迟疑一会儿，长舒一口气，又显出老态地说，“先看看再说吧，不明不白地干掉她不见得就好，万一走漏了风声呢，那你就别指望她男人为你干活了。”

“嗯，那我还是先想想其他办法。”陆所长说。

“既然他有这么神，我看可以先让他下山来上班再说。”杜先生说。

“这……行吗？”

“进黑室自然是不行的。”

“那去哪里？”陆所长怔怔地望他。

杜先生瞪他一眼，“你这样看着我干什么，这有什么难的，要知道，并不一定要进黑室才能为黑室工作。你可以随便找个理由让他下山来，给他悄悄找一个地方待着为你工作，说白了，无非就是在黑室之外再设一个黑室而已嘛。”说着开心地笑笑，又说，“说来也巧，我刚好把你对门院子里的人都请走了，把他们弄去贵州了，院子空着，本来就准备要给你们用的。你们的业务要扩大，家属问题也要解决，那么点地盘怎么够？重新找地盘又太麻烦，所以我就盯上了对门的院子。我看以后啊，可以把对门搞成大家的生活区，吃啊住的都移到对门去，这边就完全是工作区了，你看怎么样？”

“那当然好哦。”陆从骏高兴得差点忘记了尊卑，声音里透出一股十足的精神气。

“别得意，还轮不到你得意。”杜先生挥了挥手，对他说，“我已经给你解决了陈家鹄下山的问题，你要给我解决他女人的问题，虽然不用急，但也不能拖久了，而且必须要神不知鬼不觉，不要留下一点点后患。动刀子不是上策，要治人于罪恶之中才是上策。”

“明白。”陆从骏起身一个立正，他知道接见已近尾声，该告辞了。杜先生也站起来，吩咐道：“那就这样，让陈家鹄先在那里待着，上班！要给我绝对保密，对外面任何人都不要说起，内部也要尽量缩小知情者的范围，仅限你和教授等少数人知道。”

“老孙瞒不了他的，”陆所长咧开嘴，笑道，“他要负责陈家鹄的安全。”

“废话！”杜先生亲切地骂道，“我是说少数人，没说就你们两个人。”

谈话这样结束，是陆从骏来之前没想到的，一个老大难的问题到了杜先生这里，只是随手一舞，四两拨千斤似的，轻易就化解了，圆满了。他乐颠颠地回到五号院，把好消息告诉了海塞斯。两个人心血来潮，当即带了老孙去对门院子看，门锁得死死的，也没有挡住他们的兴致。老孙总是随身带着万能钥匙，陆所长亲自动手，把门捣鼓开了。

这扇门是专门为陈家鹄开的。

与楼下陆所长的房间相比，楼上陈家鹄的两个房间——一为寝室，二为办公室——明显要整洁多了，墙壁粉刷一新，窗明几净，什物、摆件也丰富多了，且都已归位。尤其是办公室、桌子、椅子、板凳、电话、烟缸、收音机、书橱、文件柜以及休息的沙发、茶几，一应俱全，布置得妥妥帖帖的。两个屋角还摆了两盆水竹，绿得清新，发亮，一派春意盎然的样子——其实季节已至深秋，外面的麻柳见风就要丢树叶了。从后窗望出去，一排水杉几乎光秃秃的，只剩下树冠还残留着绿色，生机岌岌可危的样子。

桌上有一只崭新的深棕色硬壳皮箱，居然还上了锁。钥匙在海塞斯手上，他正欲打开皮箱，跟陈家鹄交代工作，陆所长上来拦住他，对他摆摆手，道："你急什么，还没轮到你呢。"说着指了指一面墙，那墙上挂着青天白日旗和中山先生的画像。海塞斯心领神会，说："那我先出去一下。"陆所长帮他推开门，"给我三分钟。"

海塞斯一走，陆所长将陈家鹄拉到那面墙壁前，指着墙上挂的青天白日旗和中山先生的画像，要他朝着它们举起右手。

"干吗？"陈家鹄不解地问。

"宣誓。"

"宣什么誓？"

"凡是进黑室工作的人，都必须做效忠宣誓。"

"怎么宣誓？"

"你照我说的做就是了。"

"说什么呢？"

"我会领着你宣誓的。"

陆所长安排陈家鹄对着自己站好，吩咐他照自己的样子立正，举起右手。陈家鹄迟迟疑疑地举起右手，按照提示，握紧拳头，挺胸收腹，脚跟并拢，立正，双目正视前方。一切就绪，陆所长便开始领着陈家鹄庄严宣誓。

"我宣誓——"

"我宣誓——"

"从今天起，我生是党国的人，死是党国的魂——"

刚领了一句，陈家鹄就将手放了下来，说："我不能做这个宣誓。"

陆所长惊异地瞪着他问："什么，你说什么？"

"我不能做这个宣誓。"陈家鹄冷静地重复道。

"为什么？"

"我不是党员，谈何是党国的人？"

"笑话，我的部下怎么可能不是党员，我现在就吸收你为党员，宣誓就是入党仪式。"

"你同意吸收我，还要我愿意申请加入呢。"陈家鹄淡淡一笑，说，"我不申请你怎么同意？”

陆所长立刻沉下脸，教训他说：“这是个严肃的话题，你不要开玩笑。”

陈家鹄很认真地说：“我没有开玩笑，这关涉到我的信仰问题。”

“你信仰什么？”

“民主和自由。”

陆所长说：“我党以三民主义为立党之本，民主和自由正是我党的一向追求。”

陈家鹄说：“恕我直言，以我对贵党的了解，似乎相差有相当的距离。”

陆所长怔了怔，有些不悦地说：“那是因为当前局势所迫，现在抗战救国就是最大的民主和自由。”

对此，陈家鹄侃侃而谈，说明这个问题他已经思量很久。“你说得不错，外侮入侵，领导抗战是所有执政者应尽的义务，今天贵党如此，二百多年前的朱氏政权、六百多年前的赵氏政权，都是如此。今天我站在这里，跟贵党可以有关，也可以无关，因为我是中国人。只要是中国人，都有责任来参加这场救亡国家和民族的战斗，这并不是贵党独有的责任。所以，自然也不能有这种规定，必须先入党才能做事。”

陆所长皱着眉头看着他，沉吟半晌，方才友好又诚恳地说道：“你这么说不是为难我嘛，要不这样，你先宣个誓，入不入党以后再说。”

陈家鹄非常坚决地摇了头，“这怎么行，这是宣誓，怎么能作假？宣誓都作假，岂不是太荒唐了。”

“那你说怎么办？”陆所长不高兴地责问道。

“要么就免了，要么就修改誓词。”陈家鹄毫不犹豫地说。

陆所长冷冷看着他，死死地盯着他，像在看一个天外来客。他过去曾吸收过很多人加入他的组织，曾很多次地领着别人宣过誓，可从来没有一个人敢有如此大的胆子和如此古怪的想法，向他提出如此不着边际的要求。他不禁又惊愕又愤慨，但同时他也明白，如果他不按陈家鹄的要求去修改誓词，是休想让他低头屈就的。这家伙刚烈倔强的性格他早就领教过，想起来都让他心生厌烦。有才的人都是刺头！喝过洋墨水的人都是花花肠子！陆所长既恼又恨又烦地训斥了他一顿，试图压迫他就范。但陈家鹄硬是不就范，不让步，不给面子。最后在海塞斯的调解下，还是陆所长做出了让步，破天荒地修改了誓词。

老虎变猫。世上的事就是这样，一物降一物，碰到一个这么认死理的人，只好自认倒霉。宣誓完后，陆所长为了体现他刚才失去的权威，严正的警告列了一条又一条：

“一，今后除了教授和我任何人都不能上楼，谁擅自闯入，以泄露国家机密论处！

“二，你不能走出院子一步，任何情况下都不行！你可以在院子里散步，但必须服从警卫人员的管理。

“三，这些资料都是绝密的，你只能在楼上看，不能带下楼。

“四，餐厅在楼下，你想吃什么、不吃什么，必须提前一天告诉警卫。

“五，不要随便打电话，你要打电话不能跟总机报你的名字，只能报你的号码。你的号码是三个零，你们破译密码不是要归零嘛，我给你三个零，看你什么时候能够还我一堆零。”

喋喋不休的陆所长似乎还要喋喋不休地说下去，一旁的海塞斯早已听得头皮发紧，心烦意乱，对所长阁下更是顿生厌倦，便恶作剧地打开了收音机打关，对所长说：“对不起，这会儿有档新闻，我要听一下。”陆所长知道他的鬼名堂，“该说对不起的是我吧，我知道你讨厌我说了这么多，我这就走，行了吧？”

可怎么走得了呢?

听听收音机里在说什么。说来也巧，海塞斯随意打开的收音机里，正在播报武汉沦陷的消息！

这一天是一九三八年十月二十五日。前一天晚上，国民政府最高统帅部下令放弃武汉，驻防武汉的所有部队一律接到撤退命令：长江以南各军撤至湘北及鄂西一带；长江北岸的第二十三集团军撤至荆阳门、宜城一带，第三十二集团军撤至襄阳、樊城、钟祥一带，第十一集团军撤至随县、唐县镇、枣阳一带布防。汤恩伯的第十三军进入桐柏山，刘和鼎的第三十九军进入大洪山担任游击。二十五日上午，日军第六师团佐野支队在飞机大炮的火力配合下，向汉口市郊之戴家山发起进攻，打响了攻占武汉的最后一战。

武汉会战历时四个多月，中国参战部队投入了一百三十三个师和十三个独立加强团的大量兵力，在数千里长的战线上，与日军十二个师团进行顽强的殊死激战，大小战斗计数百次之多，打死打伤日军达十万人之上，使日军的战斗力受到极大的消耗，以后再也无力进行大规模的战略进攻。从此，抗日战争进入漫长的相持阶段。

对陈家鹄来说，从这一天起，他的生命便拥有了自己难以抗拒又无法述说的秘密、神秘、希望、绝望、苦难、辛酸、痛楚、死亡、残忍、羞辱……这一天是敌人的节日，却是他种下不幸和灾难的忌日。这一天，就像一道黑色的屏障，一道染血的魔咒，把他的过去和将来无情地隔开——至亲的人纷纷死去，至爱的人生不如死，命贱如狗，至恨的人灿烂如阳，绚丽如兰……灾难接踵而来，厄运死死地缠着他，他的每一个白天和夜晚都无法回头地跌落入一个黑暗、瘆人的国度：比地狱还要黑，比魔界还要狰狞，比畜界还要卑贱。他的命运不可抗拒地滑入了一轮嗜血的轨道：一台咬牙切齿的绞绊机的轨道，把他的肉体和心灵当顽石绞，当烂泥绊，喀喀喀，骨断肉开，喀喀喀，血肉模糊，喀喀喀，心血四溅，喀喀喀，天在颤，地在抖……

2008年5月21日开工
于成都罗家碾
2009年8月23日完成初稿
于杭州青园小区
2010年2月25日修改
2010年6月16日改完
于杭州植物园

《风语》全国各地经销商名录

注：排名不分前后

名称	电话	地址
陕西天地合和出版物物流发行有限公司	029—86295449	陕西省西安市丰禾路中段军民共建路1号
广东虹润图书有限公司	020—89307287	广州市海珠区海联路62号125室
广州畅新文化书刊发行有限公司	020—34297686	广州市海珠区建基路68—82号广州市图书批发市场A005档
深圳求实图书有限公司	0755—25884563	深圳市福田区八卦岭512栋A14—A15号
深圳扬帆书社	0755—25023505	深圳市八卦岭三路图书批发市场512东
珠海文华书城	0756—8801985	珠海市拱北迎宾路1013号国际大厦负一层
东莞市博文图书有限公司	0769—85220988	东莞市虎门镇博文路永立商业城二层2号
四川新闻书局	028—86666287	成都市梨花街2号四川书市1—5号
四川星洋文化有限公司	028—66416838	成都市梨花街图书市场1楼2号
重庆册源地图书有限责任公司	023—67051734	重庆市渝中区菜园坝书刊市场A25、B07
南宁鸿昌图书发行有限公司	0771—5516182	南宁市金湖路53号广西图书批销市场306号
郑州瑞景天宏图书有限责任公司	0371—67647342	郑州市陇海西路99号图书城南区24号
兰州广场书城	0931—8504996	兰州市雁滩路3682号
北京大地书苑图书发行有限公司	010—65911593	北京市朝阳区甜水园北里16号273号
江苏鸿国世文图书文化有限公司	025—86961284	南京市下关区热河路50号阅江广场四楼
南京九歌图书有限责任公司	025—83325300	南京市中山北路105号长三角出版物市场三楼和文（九歌）
南京万博文化传播有限公司	025—83311865	南京市中山北路105号文化市场一楼42号
杭州晓风书屋	0571—88256020	杭州市登云路639号325—326
温州华越图书有限公司	0577—85622558	温州大道中兴路文化用品市场C幢二楼
湖南邦道新文化发展有限公司	0731—82255083	长沙市定王台书市一楼71—74号
长沙叶洋文化传播有限公司	0731—84429127	长沙市定王台书市一楼1—59号
长沙连胜书社	0731—2221038	长沙市定王台书市2—107号
武汉华龙图书有限公司	027—85498226	武汉市江岸区黄埔科技园特19号图书交易中心A栋
武汉东艺书刊有限公司	027—65695365	武汉市江岸区兴业路石桥工业园内7栋1楼
济南东方学林书店	0531—82061048	山东济南市马鞍山路46号（文化市场内304号、305号）
济南联合书社	0531—82052662	济南市马鞍山路文化市场内515号
石家庄秋林书城	0311—83038090	石家庄市友谊南大街86号图书市场四楼
石家庄春华书城	0311—86682678	石家庄市中山东路211号人民广场地下（图书大厦东行15米）
石家庄星云书店	0311—83025245	石家庄市友谊南大街86号图书市场246，247
昆明春晓图书经贸有限公司	0871—8055452	云南昆明市新闻路348号图书批发市场三楼
昆明洪盛图书有限公司	0871—4160834	昆明新闻路348号图书批发市场2—29号
云南经济书店有限公司	0871—4113925	昆明市新闻路348号图书批发市场1楼14号
天津图书批发市场汇源书店	022—27625790	天津市图书批发市场90号4区27室汇源书店，
天津市新星图书商贸有限公司	022—27694843	天津市南开区长江道90号图书批发市场3区30号新星书局
贵州思博图书有限公司	0851—5772082	贵阳市玉溪巷17号省出版物批发市场1—35号
贵州西西弗文化传播有限公司	0851—5605900	贵阳市延安东路8号贵盐大厦2楼
福州市兴阅图书有限公司	0591—83360241	福州市仓山区连江南路15号图书批发市场B区15号
上海镜湖书店	021—63769495	上海市文庙路215号内3025室（上海采风批发部）
上海天地图书有限公司	021—64150238	上海文庙路215号图书市场（批发部）上海永嘉路15弄9号（总部）
上海花山文艺驻沪办事处	021—63768969	上海市文庙路215号49号房
合肥天利书店	0551—5279028	安徽大市场七区1810—1816
合肥新腾图书有限公司	0551—4230598	合肥市瑶海区铜陵北路安徽大市场书刊城七区1846号
南昌佳丰书社	0791—8596397	南昌市洪都北大道图书城二楼52号
南昌青苑书店	0791—8592290	南昌市洪都北大道图书城19—20号
沈阳都市书刊发行发行有限公司	024—23912058	沈阳市和平区文化路44号4041室
大连博林书社	0411—84426819	大连市沙河口区西安路107号图书市场
大庆明义书店	0459—5816637	大庆市萨尔图区会战王府井大街图书批发市场10号
哈尔滨精华书店	0451—88341863	收货地址：哈尔滨市道外区滨江街100号南极书城112室
黑龙江龙文图书经销有限公司	0451—8780046	哈尔滨市道外区滨江街100号211室
佳木斯长城书店	0454—8091501	佳木斯光复路936号
哈尔滨北方大厦	0451—88341806	哈尔滨市道外区滨江街100号0层20市
长春超越图书发行部	0431—82724966	长春市西广小区图书批发市场北2号楼
新疆飞行图书有限公司	0991—5560183	乌鲁木齐市奇台路658火车头儿童大世界（新疆出版物交易中心）B2—061
新疆鑫亚飞书刊发行部	0991—5588303	乌市钱塘江路216号新疆出版物交易中心3021号
太原新视野图书商务有限公司	0351—7041548	太原市建设南路699号书市1109室（一层）

及全国各新华书店

网上书店总经销：当当网